Jean Mercier

Dictionnaire amoureux du Québec

Du même auteur

Une enfance à l'eau bénite, Le Seuil, 1985 ; Points, 1990.

Le Mal de l'âme (avec Claude Saint-Laurent), Robert Laffont, 1988 ; Le Livre de poche, 1991.

Tremblement de cœur, Le Seuil, 1990 ; Points, 1992.

La Déroute des sexes, Le Seuil, 1993 ; Points, 1996.

Nos hommes, Le Seuil, 1995 ; Points, 1997.

Aimez-moi les uns les autres, Le Seuil, 1999.

Lettres aux Français qui se croient le nombril du monde, Albin Michel, 2000.

Ouf !, Albin Michel, 2002 ; Le Livre de poche, 2004.

Et quoi encore !, Albin Michel, 2004 ; Le Livre de poche, 2006.

Propos d'une moraliste, Montréal, VLB Éditeur, 2005.

Sans complaisance, Montréal, VLB Éditeur, 2005.

Edna, Irma et Gloria, Albin Michel, 2007.

Nos chères amies…, Albin Michel, 2008 ; Le Livre de poche, 2009.

Au risque de déplaire, Montréal, VLB Éditeur, 2008.

L'Énigmatique Céline Dion, XO, 2009.

Ne vous taisez plus ! (avec Françoise Laborde), Fayard, 2011.

L'Anglais, Robert Laffont, 2012.

Vieillir avec grâce (avec la collaboration d'Éric Dupont), Montréal, Éditions de l'Homme, 2013.

Denise Bombardier

Dictionnaire amoureux du Québec

Dessins d'Alain Bouldouyre

PLON
www.plon.fr

Collection fondée
par Jean-Claude Simoën
et dirigée
par Laurent Boudin

12, avenue d'Italie
75013 Paris
Tél : 01 44 16 09 00
Fax : 01 44 16 09 01
www.plon.fr

ISBN : 978-2-259-21797-2

Avant-propos

Le Québec est un pays qui est plus métaphorique que réel. Les Québécois ont décliné deux fois plutôt qu'une, en 1980 et 1995, l'offre qui leur a été faite par référendum de devenir un pays légal. Le Québec, en se délestant de la religion avec une fulgurance jamais enregistrée dans l'histoire d'un peuple, a perdu la moitié de son identité. Les Canadiens-français, comme ils se désignaient jusque dans les années soixante, se définissaient catholiques et francophones. En quinze ans, la pratique religieuse s'est effondrée, et les églises qui demeurent debout – de nombreuses ayant été converties (c'est le cas de le dire) en appartements pour mécréants – sont fréquentées par ceux que l'on appelle les Néo-Québécois, ces immigrants fervents catholiques qui nous viennent d'ailleurs.

Nous compensons notre courte histoire par une géographie surdimensionnée, mais nous n'avons de cesse de convoquer l'Histoire dans nos débats collectifs. Notre devise n'est-elle pas « Je me souviens » ? Nous l'avons même inscrite sur les plaques minéralogiques de nos voitures. Gaston Miron, notre poète tonitruant, affirmait que l'adoption de la devise officielle s'expliquait par une

seule chose : nous ne nous souvenons de rien. Une partie des nouvelles générations est prête à dégainer quand elle entend le mot histoire, la considérant comme un frein dégoulinant de nostalgie au progrès en marche.

La majesté du Saint-Laurent, la magnificence de nos espaces vierges, la froidure hivernale, les millions de lacs, la vastitude de la nature indomptée, les températures extrêmes et l'isolement ont façonné nos ancêtres, ces « habitants » qui ont bâti le pays en s'échinant, en gelant et en suant jusqu'au sang.

Le Québec actuel n'est plus à l'abri des tourmentes planétaires. Il se vit mal, car son identité est en redéfinition. La barrière de la langue, protectrice de l'envahissante mer anglo-saxonne et nord-américaine, résiste mal (et peut-elle y résister ?) aux assauts de la culture mondiale.

Le Québec est un piège pour tous les francophones qui y débarquent en se croyant en pays de connaissance grâce à la langue française. Le choc anthropologique y est d'autant plus brutal. Et ce n'est pas la langue avec son accent coloré, ses néologismes (*bancs de neige*, *poudrerie*), ses anglicismes (*prendre une marche*, calque de l'expression anglaise *take a walk*, c'est-à-dire « faire une promenade ») qui crée la distance, mais bien l'appréhension du monde. L'espace, la dureté du climat, la jeunesse du continent et la proximité des États-Unis définissent les Québécois en les inscrivant profondément dans l'américanité.

Les Québécois ne pensent pas comme les Français. Leur langue, plus directe, plus drue, plus brutale aussi, rend compte d'une autre éthique. La géographie modèle l'espace mental ; le français, barrière de protection, renvoie à une sensibilité de minoritaires. Les Québécois ne se caractérisent pas par l'arrogance, la prétention ou la supériorité. La spontanéité, une forme de naïveté, un enthousiasme bon enfant seraient plutôt leur lot. Ils « ne s'enfargent pas dans les fleurs du tapis », ce qui fait d'eux aux yeux des étrangers de curieux Nord-Américains.

Les Québécois ne sont ni conquérants, ni impérialistes, ni dominateurs. La longue tradition catholique, où le poids de l'Église a pesé lourdement, les a rendus vulnérables. Ils se culpabilisent facilement, s'excusent presque de s'affirmer et de déranger. Ils ont des emballements successifs, des remords épisodiques et une envie de rire qui frôle l'obsession. Les humoristes y sont d'ailleurs plus nombreux en proportion qu'ailleurs en Occident. Leur bonne humeur, leur anticonformisme, leurs manières simples, leur jovialité recouvrent peut-être un malaise et une inquiétude rattachés à leur avenir collectif. La pérennité de l'identité québécoise en français au nord-est de l'Amérique du Nord ne sera jamais assurée. Consciemment ou non, les héritiers du Québec d'hier, les « de souche », comme certains osent encore se définir malgré la rectitude politique ambiante, ont toujours et encore peur de disparaître, et avec eux cette « anomalie » culturelle qu'est le Québec en terre d'Amérique.

Accent (L')

Un sénateur français croyant me complimenter me déclara un jour : « Mademoiselle, je vous félicite ; c'est la première fois que je rencontre une Canadienne qui n'a pas d'accent. » J'ai compris que si j'avais été noire il m'aurait dit : « Mademoiselle, je vous félicite. C'est la première fois que je rencontre une Noire qui est presque blanche. » C'était il y a quelques décennies.

La situation a changé depuis. Ne serait-ce que grâce à la francophonie qui s'exprime avec des accents aussi multiples que colorés. « Vous n'avez pas beaucoup d'accent. » Cette remarque, où je devine la déception, je l'entends souvent en France. J'ai l'habitude de répondre : « Ça dépend de l'interlocuteur et de l'heure de la journée. » En fait, dans cet « accent », l'on inclut sans doute les jurons, les néologismes, les anglicismes, les erreurs syntaxistes du genre « l'homme que je marche avec », bref cette langue argotique, incompréhensible au reste de la francophonie et qui d'ailleurs oblige les réalisateurs à sous-titrer leurs films.

Sous le régime français aux XVIIe et XVIIIe siècles, tous les voyageurs débarquant à Québec ou Montréal remarquaient la qualité du français parlé par les habitants. « Un français plus pur qu'en n'importe quelle province de France », écrira en 1749 Pehr Kalm le Suédois. Quant au comte de Bougainville, il assure en 1757 que « l'accent des Canadiens est aussi bon qu'à Paris », et ce bien qu'un grand nombre de Canadiens ne sache pas écrire. Tout semble basculer après la Révolution française. Les spécialistes de la langue constatent que la bourgeoisie qui s'installe au pouvoir impose sa langue, une langue très soutenue qui témoigne d'une éducation cultivée. À tel point que les visiteurs étrangers, français au premier titre, qui voyageaient au Canada, au XIXe siècle, portent alors un tout autre jugement sur l'accent canadien. La comparaison avec celui de Paris ne tient plus la route. On parle d'un accent provincial, paysan, lourd, et le verdict est définitif. En fait, coupés de la France depuis la Conquête, les Canadiens ont préservé leur langue pendant que dans la mère patrie celle-ci se modelait sur le diktat culturel bourgeois dont l'Académie française, cette police de l'usage, confirmera la pratique dans son dictionnaire au fil des siècles.

Pour les Québécois, ce sont les Français qui parlent avec un accent. D'ailleurs, lorsqu'un Québécois s'exprime dans une langue soutenue, on le soupçonne d'être un Français ou de le singer, et dans tous les cas de figure d'être snob. Aujourd'hui, rectitude politique oblige, on ne dit plus cependant des hommes québécois qui s'expriment bellement qu'ils parlent en fifi (homosexuel), comme ce fut trop longtemps le cas.

À travers le Québec, l'on ne retrouve pas de différences d'accent aussi marquées que ce que l'on observe en France entre le Nord et le Sud. À vrai dire, l'accent montréalais teinté de musicalité anglaise suscite les remarques des non-Montréalais, protégés en quelque sorte de l'influence anglophone, d'autant plus qu'une proportion très importante ne parle pas l'anglais, contrairement à ce que l'on pourrait croire, donc n'est pas exposée aux médias anglophones.

La Montréalaise que je suis détecte facilement les habitants de la ville de Québec, ceux du Saguenay-Lac-Saint-Jean, le pays de Maria Chapdelaine, à leur accent qui a conservé une musique datant du XVIIIe siècle. Quant à l'accent des habitants des Îles-de-la-Madeleine, si typique et poétique à nos oreilles, il a subi l'influence du parler acadien puisqu'une partie des Madelinots sont de souche acadienne. Comme celui des Gaspésiens d'ailleurs, qui partagent leurs frontières avec le Nouveau-Brunswick où les Acadiens sont majoritaires au nord de la province.

Ce qui pose problème aux francophones du reste du monde, c'est leur incapacité à comprendre ce qu'ils appellent l'accent des Québécois mais qui est plutôt une prononciation molle et qui escamote les dernières syllabes. On dit du *vinaig* pour vinaigre, un *minis* pour

ministre, un *trèf* pour trèfle, un *nationalis* pour nationaliste, etc. Mais le parler mou télescope aussi les voyelles et se fiche des consonnes, ce qui donne des phrases incompréhensibles aux non-initiés comme « ça là l'air de s'en venir » pour « il semble que cela arrive ».

Le débat passionnel des Québécois entre eux ne porte pas que sur l'avenir politique de la province ni sur l'orientation gauche-droite, mais aussi sur la langue parlée. Dans les années soixante et tout au cours des années soixante-dix, les intellectuels et les créateurs se sont déchirés autour du joual*[1], déformation du mot cheval, cette langue argotique revendiquée par les supporters d'une langue québécoise en rupture avec la langue française. Pour les adversaires de cette thèse dont je suis, cet éloge du joual et sa reconnaissance comme langue du Québec entraînerait la créolisation du Québec. Le joual en ce sens est une régression culturelle qui entraîne la fermeture et le repli clanique d'une québécitude exacerbée.

Anglophones (Les)

Dans le passé, on les désignait d'un mot : les Anglais. Mon père répétait avec une ironie caverneuse qu'ils étaient nos maîtres donc qu'il était normal qu'ils imposent leur loi. L'expression « les Anglais » incluait dans l'esprit des Québécois les Écossais et les Irlandais. En principe, ils étaient tous du même bord, c'est-à-dire contre nous. Cela manquait de subtilité mais simplifiait les analyses.

1. Les astérisques renvoient aux entrées correspondantes.

Les Britanniques s'installèrent dans leur colonie, le Québec, dès après la conquête de 1760. Cette immigration était composée d'officiers et de gens à la situation privilégiée en Angleterre. En d'autres mots, des gens instruits. Cela explique leur réussite à créer des institutions économiques, politiques et sociales puissantes, prospères, et qui perdureront jusqu'au XXe siècle. Les Écossais domineront le monde de la finance et de la médecine, les Irlandais deviendront aussi médecins, juges, hommes d'affaires et journalistes.

Au XIXe siècle, une nouvelle vague d'immigration irlandaise s'installa, mais elle était essentiellement composée de gens pauvres qui avaient fui la grande famine entre 1845 et 1852. Ces Irlandais se retrouvèrent dans des quartiers délabrés situés au sud-est de Montréal où ils vivront au contact de Canadiens-français aussi pauvres qu'eux et avec lesquels ils se bagarreront.

Dans l'imaginaire québécois, l'Anglais représentait l'ennemi, celui qui humiliait le Canadien-français et vivait en dominateur dans l'ouest de Montréal et dans quelques villages des Cantons de l'Est, des repaires de loyalistes restés fidèles à George III donc opposés à la révolution américaine que des nationalistes canadiens-français de l'époque encensaient.

« Les anglophones » est une appellation plus récente qui inclut les immigrants venus d'Europe et d'ailleurs et qui ont choisi la culture anglaise. L'on estime à un million le nombre d'anglophones vivant actuellement au Québec. « Ces anglos » vivent à vrai dire sans de réels contacts avec les « francos ». L'essayiste Hugh MacLennan a remarquablement bien décrit ces « deux solitudes » qui se perpétuent. 80 % des anglophones résident sur l'île de Montréal ; dans sa partie ouest presque exclusivement. Et si à Westmount, ville perchée sur le Mont-Royal et d'une certaine façon le ghetto doré créé par les richissimes Écossais des siècles passés, l'on trouve désormais des francophones de la nouvelle haute bourgeoisie d'affaires et des finances, le lieu demeure un fief anglo.

Cent mille anglos ont quitté le Québec à la suite de l'élection du Parti québécois en 1976. Les grandes et belles résidences de Westmount étaient bradées, et j'ai acheté moi-même, dans le bas de Westmount, moins cossu il va sans dire, une magnifique maison victorienne pour un prix dérisoire. Le propriétaire, professeur à la prestigieuse Université McGill, affirmait la quitter pour des raisons professionnelles, mais à l'évidence l'idée de vivre éventuellement dans un Québec souverain lui déplaisait souverainement. J'ai donc bénéficié avec d'autres compatriotes de ce que l'on a appelé le transfert de bourgeoisie au moment de la décolonisation africaine.

Les anglos qui ont choisi de demeurer dans la belle province l'ont fait pour des raisons diverses, par manque de moyens d'abord, car tous les anglos ne sont pas riches et puissants, pour ne pas abandonner leur terre natale et aussi à cause d'un attachement au Québec qui transcende les choix politiques. Ces anglos revendiquent leur québécitude, et la plupart des nouvelles générations ont appris le français. Ils ont parfois du mal à se vivre comme une minorité puisque qu'ils sont majoritaires sur le continent. Mais la langue des Anglo-Québécois est souvent truffée de gallicismes, et leur accent est différent de celui des autres Canadiens.

Bien que les relations entre les deux communautés linguistiques soient désormais dépouillées de la vieille acrimonie, les liens d'amitié sont rares, sauf peut-être dans le monde des affaires, mais l'amitié professionnelle demeure circonstancielle. Les anglos du Québec ne lisent généralement pas les journaux en français, ne regardent pas les mêmes émissions, n'ont pas les mêmes références ni les mêmes icônes culturelles. Faisant métier de présentatrice d'émissions politiques à la télévision depuis plus de trente ans, je suis totalement anonyme lorsque à l'occasion je me retrouve dans le secteur anglophone de la ville, alors que dans le reste du Québec je me sens en famille. Il existe en effet une étanchéité immatérielle entre les francos et les anglos, sauf dans ce dernier cas chez une minorité active intégrée à la culture francophone. Une journaliste d'un quotidien montréalais anglophone aujourd'hui disparu m'a croisée un jour, et à mon nom s'est informée de mon lien avec l'entreprise Bombardier. Il faut noter que, durant quelques décennies, j'ai reçu, dans l'émission politique que j'animais alors, tous les Premiers ministres du Canada et du Québec, toute la classe politique, les écrivains, les artistes, les chefs syndicaux, bref, le Québec en entier. Cela signifie donc que même une journaliste anglophone née au

Québec peut être totalement étrangère à la culture majoritaire francophone qui représente 80 % de la population. Par cet exemple, l'on saisit le fossé entre les « deux solitudes », fossé qui persiste mais où l'indifférence a remplacé l'arrogance.

Enfin, les francophones vivent eux-mêmes dans la méconnaissance de leurs compatriotes anglo-québécois, et ceux qui sont bilingues ont plutôt tendance à regarder les médias américains que canadiens-anglais. Parmi les nouvelles générations, les relations sociales entre anglos et francos sont aussi rares, mais les jeunes partagent des goûts musicaux identiques qui les réunissent désormais, car la langue anglaise est devenue le vecteur privilégié de la chanson, même en France, le pays de « l'exception culturelle ».

Montréal fut une ville à majorité anglaise durant les premières décennies du XIXe siècle. L'exode rural a transformé radicalement la démographie dans la seconde moitié du siècle, si bien qu'en 1866 Montréal, métropole du Canada, redevient majoritairement francophone pour la première fois depuis la Conquête. Ce qui n'empêchera pas les anglophones montréalais de se comporter comme s'ils étaient majoritaires, jusqu'à la montée vertigineuse du nationalisme moderne d'après 1960. Les Anglo-Québécois se sont opposés en bloc à la loi 101 votée le 26 août 1977 à l'initiative du Parti québécois élu l'année précédente. Ce refus de faire du français la seule langue officielle du Québec a antagonisé davantage les relations déjà tendues entre des anglophones et le reste du Québec. Plus de quarante ans plus tard, les esprits se sont apaisés, et les quelques irréductibles anglophones qui persistent et signent leur hostilité à l'endroit de cette loi font figure de dinosaures. Ce qui ne les empêche pas de recourir aux tribunaux afin de faire invalider la loi au nom des droits individuels. D'ailleurs, dans un passé récent, certains jugements de cour ont, à cet égard, fait reculer l'impact de cette loi. Et les anglophones de souche, des gens âgés en majorité, qui refusent encore de parler français sont enfermés dans leur monde où la nostalgie est inoffensive au regard de l'avenir.

James McGill, un anglo de marque

C'est un fils de forgeron écossais né en 1744 à Glasgow, s'étant enrichi considérablement, qui fonde une des universités les plus prestigieuses en Amérique du Nord et qui porte son nom.

James McGill débarque en Amérique vers 1766 après avoir été éduqué à l'université de Glasgow, alors baigné dans l'esprit du siècle des Lumières. Le jeune homme découvre ébloui les philosophes écossais David Hume et Adam Smith. Son éducation l'amènera ainsi à rechercher les idées nouvelles et à devenir le défenseur des croyances et des opinions divergentes.

James McGill fera fortune dans le commerce des fourrures et des armes, et il demeurera jusqu'à sa mort un des hommes les plus riches de Montréal. Or l'homme, contrairement aux très prospères marchands de l'époque, s'intéresse à la politique et à l'éducation. Habité par son rêve de créer un système d'éducation de haut calibre au Bas-Canada, il inscrit dans son testament une disposition par laquelle il lègue à l'Institution royale pour l'avancement des sciences une somme considérable afin de fonder le collège qui deviendra l'Université McGill, qu'il souhaite humaniste et libérale.

James McGill est décédé en 1813, et ses volontés furent accomplies. Mais il a fallu attendre le XXe siècle pour que les Canadiens-français et les Juifs anglophones soient les bienvenus dans ce temple international de haut savoir. Car l'humanisme des Lumières ignorait à l'époque les concepts modernes de racisme et d'antisémitisme.

De nos jours, cette université québécoise accueille une majorité d'étudiants québécois dont 20 % sont francophones. L'un des meilleurs départements d'études françaises au Canada est celui de McGill, où n'enseignent que des francophones, cela va de soi, et le mur de verre s'est brisé en 2013, alors que Suzanne Fortier, une scientifique prestigieuse devenue « principale » (rectrice) de l'Université McGill, en est aussi la première francophone de son histoire. Toute l'évolution de l'élite anglophone du Québec s'illustre ainsi.

Anticosti (Île d')

L'île d'Anticosti, 237 kilomètres de long, est dix-sept fois plus étendue que l'île de Montréal. On y découvre en son centre les chutes Vauréal, plus hautes que les célébrissimes chutes du Niagara. Ses anses aux noms évocateurs, anse de la Sauvagesse, anse à la Vache-qui-pisse, anse aux Ivrognes, ses canyons qui remontent à la nuit des temps, ses falaises à éviter lorsque l'on souffre de vertige, ont ébloui tous ceux qui y ont séjourné.

L'île d'Anticosti, à l'entrée du golfe Saint-Laurent, peuplée de quelques centaines d'habitants, conserve encore ses mystères, et son charme envoûtant est réservé aux trop rares touristes qui débarquent à Port-Menier, seul accès fluvial à l'île balayée par de puissants courants. Au cours des siècles, des centaines de navires ont été éventrés sur ses récifs ou se sont échoués sur ses battures de roches. L'île, paradisiaque, fut achetée en 1895 par Henri Menier, chocolatier français richissime qui rêva de s'y installer pour en faire son royaume.

Grâce à Henri Menier et sa vision, Anticosti devint la terre de prédilection des chasseurs et pêcheurs argentés, et de ceux moins riches mais chanceux qui y furent invités au cours des décennies. Ce fut mon cas, il y a une vingtaine d'années. J'eus le bonheur de lancer mes mouches dans la rivière Jupiter – l'île compte deux cents rivières et quatre cents lacs et tourbières – où les saumons viennent finir leurs jours dans le lieu même où ils ont commencé leur vie. J'y ai capturé un saumon de 15 livres après un combat acharné de près d'une heure d'où je suis sortie exténuée mais admirative de la combativité du roi des poissons. Lorsque je l'ai extrait de l'eau, je n'ai pu m'empêcher de l'embrasser, et la sensation froide et gluante de sa tête sur mes lèvres me revient en mémoire en écrivant ces lignes. Ce fut un des souvenirs de pêche les plus bouleversants de ma vie.

Henri Menier, lui, pratiquait la pêche, installé dans des canots tirés par des chevaux qui marchaient au bord de la rivière. Le chocolatier, au fil des ans, peupla l'île d'animaux transportés depuis le continent. Castors, orignaux, renards roux, caribous et cerfs de Virginie en firent leur habitat. Ces derniers s'adaptèrent si bien qu'ils se sont reproduits en très grand nombre sans contrainte car les seuls prédateurs sont les chasseurs qui s'adonnent à leur passion en automne durant quelques périodes très réglementées par le ministère des Ressources naturelles et de la Faune du Québec. En fait, les scientifiques sont aujourd'hui préoccupés par la trop grande quantité de cerfs bouffeurs de plantes qui représentent un danger pour la biodiversité. Le troupeau oblige, entre autres, à clôturer la piste d'atterrissage, terrain de broutage des chevreuils. Ceux-ci ne craignent guère les humains qu'ils approchent sans aucune nervosité. Ce n'est qu'à Kyoto, au Japon, dans les parcs entourant les temples, que j'ai retrouvé des cerfs aussi détendus et insouciants.

Henri Menier, dont l'extravagance l'amena même à frapper sa propre monnaie anticostienne, s'offrit un château qu'il fit construire à la mesure de sa bourse et de ses fantasmes en 1899. Il s'inspira des grandes propriétés de bois que l'on découvre dans les pays scandinaves. Il y installa de nombreuses et vastes chambres, des salles de bains en marbre, des vitraux spectaculaires en forme de fleurs de lys, et le mobilier fut importé de Norvège. Les sols étaient recouverts de luxueux tapis orientaux. On imagine le châtelain débarquant avec sa cour, les femmes en robes d'apparat sur ce territoire austère, sauvage, grandiose et rebutant, ne serait-ce qu'à cause des moustiques.

L'industriel mourut en 1913 après avoir investi une partie importante de sa colossale fortune dans l'île où il ne séjourna vraisemblablement que six ou sept fois. Préoccupé par le bien-être de ses rares habitants, il avait fait aussi construire un hôpital, une école et quelques hôtels. Par la suite, le frère d'Henri, Gaston, qui hérita de ce « royaume », le vendit à une firme forestière, la Wayagamack Pulp and Paper Company, transformée quelques années plus tard en filiale de la Consolidated-Bathurst. La résidence d'une quinzaine de chambres fut alors mise à la disposition des cadres supérieurs de l'entreprise et leurs amis-clients.

Lors de mon premier passage à Anticosti, les rares vieux témoins de l'époque flamboyante de Menier me racontèrent, les yeux humides et la rage au cœur, la destruction du château en 1953 par la Wayagamack. Les habitants de l'île demeuraient convaincus que ce sacrilège s'expliquait par le fait que ce consortium était composé d'Anglais. « Ils ont voulu éradiquer la présence française chez nous », m'a dit un vieux au teint buriné et à l'accent cristallin dont le père avait servi d'intendant local au chocolatier. À Anticosti, la guerre de Cent Ans n'a jamais cessé.

Depuis 1974, le gouvernement du Québec est propriétaire de l'île. Et ce dernier s'apprête aujourd'hui à permettre une exploration dans le but éventuel de découvrir suffisamment de pétrole pour en faire l'extraction. Ce paradis difficilement accessible et réservé à des adeptes de la nature extrême, aux pêcheurs et aux chasseurs, suscitera, on l'imagine, des débats aussi houleux que la mer qui enserre cet écrin, trésor inconnu de la majorité des Québécois.

Arcand (Denys)

Toute l'œuvre de Denys Arcand nous plonge au cœur même de l'âme québécoise façonnée par la peur de disparaître et de pécher. Il est donc en ce sens un révélateur dérangeant de la psyché collective. Sa lucidité, que ses adversaires qualifient de cynisme, transperce, interpelle, décourage ou angoisse les Québécois. Si bien que plusieurs de ses films, dont le magnifique *Déclin de l'empire américain* (1986) et *Les Invasions barbares* (2003), oscar du meilleur film étranger, provoqueront des débats passionnels, voire déchirants au Québec.

L'œuvre de Denys Arcand doit être abordée dans sa continuité car chaque film, même les moins réussis, est imbriqué dans la vision historique d'un créateur qui n'ignore pas que l'Histoire est tragique. D'ailleurs, sa formation d'historien l'entraîne dans des sentiers où il se distingue d'autres cinéastes, engagés ceux-là d'une façon militante en faveur de la cause de l'indépendance du Québec.

Denys Arcand, le cinéaste sans doute le plus intellectuel du Québec, a réussi le tour de force de disséquer la société avec une maîtrise, une justesse, une passion incandescente et un humour salvateur. Je l'ai connu à l'Université de Montréal alors que nous vivions dans l'enivrement perpétuel de la Révolution tranquille*. Nous étions non pas spectateurs mais acteurs des changements qui constituaient la seule permanence d'un Québec en mutation.

Son engagement social, inévitable pour ceux qui avaient vingt ans dans les années soixante, s'exprima d'abord dans des documentaires où il se démarquera au cours des ans par sa distance critique vis-à-vis des thèmes abordés. Dans un Québec à la culture si fortement dichotomique sous le règne du « Hors de l'Église, point de salut » qu'on transposera hélas dans l'engagement politique, Denys Arcand a toujours su échapper à ces pièges. Dans le film *On est au coton*, québécisme signifiant « on est fatigués », le cinéaste raconte la vie de travailleurs dans les manufactures et leurs luttes syndicales. Or, Denys Arcand ne transforme pas pour autant les prolétaires en anges ni même tous les employeurs en démons. Ce film occupe une place à part dans la cinématographie de l'auteur car il fut longtemps censuré par l'Office national du film, qui le produisait.

Le second documentaire qui fit énormément de vagues fut présenté à la suite du référendum, celui de 1980, où les Québécois votèrent non à la souveraineté du Québec. *Le Confort et l'Indifférence* fut reçu comme un coup de poing dans l'opinion publique. Denys Arcand réussit l'exploit de se mettre à dos les Québécois souverainistes et fédéralistes. Ce film, magistral, au sens propre du terme, est prémonitoire de la suite des choses et devient incontournable pour comprendre le Québec actuel. Pour comprendre aussi et apprécier avec plus de nuances et d'acuité ses films de fiction, du *Déclin de l'empire américain* en passant par *Jésus de Montréal*, *Les Invasions barbares* et *L'Âge des ténèbres*, tous réalisés entre 1986 et 2007. Ce sont autant de marqueurs de l'évolution, certains diraient régressive, de la société québécoise se déclinant du nous au je.

La scène la plus marquante, la plus dérangeante, qui éclaire brutalement le phénomène de déculturation d'un

Québec aujourd'hui menacé d'amnésie se trouve dans *Les Invasions barbares*. Une antiquaire étrangère visite les caves d'une église où sont entreposées des centaines d'artefacts religieux : statues, Christ en croix, tabernacles, ostensoirs, calvaires, vêtements liturgiques. Le prêtre offre tout à rabais à la jeune antiquaire qui l'informe avec délicatesse que cette panoplie n'a à peu près pas de valeur marchande. Cette scène, insoutenable pour quiconque respecte le patrimoine et croit à la filiation culturelle, est sans doute la plus violente analyse que l'on puisse faire du Québec désormais à la recherche de repères à réinventer.

Denys Arcand, qui enfant mangeait ses toasts le matin tartinés de caviar russe, cadeaux permanents des capitaines de navires soviétiques à son père, alors pilote maritime amenant leurs bateaux à bon port, est un artiste orgueilleux et modeste. D'un commerce plus qu'agréable, l'homme à la vaste culture ne boude pas le commérage, un sport apprécié des Québécois, et il pratique un humour à l'efficacité du laser. Ne reculant devant rien, il cherche à la fois à avoir raison et tort. Son cinéma ne flatte donc pas ses compatriotes. Son imaginaire créateur se nourrit du substrat de la société qui le contient. Ses succès sur le plan international n'ont eu aucune influence sur sa démarche artistique rigoureuse qui demeure celle d'un homme habité par son mystère, ses propres démons et ses angoisses si arc-boutés à ceux des Québécois. Denys Arcand est indéniablement un visionnaire qui entretient son pessimisme, assuré peut-être que l'humour qu'il pratique avec grand art en est l'antidote.

Automne (L')

C'est en vivant en Europe que j'ai découvert à quel point j'étais tributaire des quatre saisons du Québec. On ne change pas que de climat au cours de l'année mais de garde-robes, de comportements, d'habitudes, de nourriture et d'humeur. Et l'automne demeure la plus spectaculaire des saisons. La plus éclatante, la plus surprenante, et la plus civilisée, pourrait-on ajouter. C'est à l'automne que les forêts s'enflamment grâce aux feuillus aux cent nuances de jaune, de rouge, de verdâtre qui éblouissent le regard autant que le soleil lui-même. À l'automne, les feuilles multicolores donnent des complexes aux arcs-en-ciel. Et elles se font désirer car, selon la température, les coloris seront plus ou moins éclatants. Certains automnes, les feuilles tomberont trop rapidement sans avoir eu le temps de rougir. Certains diront alors que l'automne est perdu.

Et l'automne nous fait aussi subir ses caprices. Il s'annonce parfois dès le début du mois d'août. « L'été est fini », déclarent les vieux. « L'été n'a pas dit son dernier mot », affirment les météorologistes, qui se trompent une fois sur deux. Bien sûr, fin septembre, début octobre, l'été indien peut nous surprendre. Mais ces quelques jours de grande chaleur ne leurrent personne, sauf les nouveaux immigrants qui n'ont pas encore accumulé de mémoire saisonnière.

L'automne coïncide avec la rentrée scolaire et la fin des vacances après la fête du Travail, le premier lundi de septembre, jour férié en Amérique du Nord. Les chasseurs se réjouissent car la saison de la chasse s'annonce, mais les orignaux comme les chevreuils sont sur le pied d'alerte. Les ours, eux, s'empiffrent de bleuets* avant d'hiberner, et les propriétaires de chalets cordent leur bois en prévision des grands froids. Dans ma maison de campagne, j'ai une énorme cheminée dans la véranda grillagée, pièce où nous vivons l'été car nous n'entrons à l'intérieur que pour cuisiner et dormir. L'automne, lorsque le vent du nord nous oblige à nous couvrir de pulls, nous dressons la table devant le feu qui craque, gémit et explose selon l'essence des bûches bien sèches qu'on n'a de cesse de fournir au foyer qui s'en nourrit. Car il y a un plaisir annuel à ressentir le froid automnal adouci par le soleil qui lui aussi finira par geler en décembre ou janvier.

N'en déplaise aux opposants à la chasse, il faut croiser les chasseurs chanceux qui exposent leurs trophées, orignal ou chevreuil, sur le capot de leur SUV pour se rappeler que ce rituel, cette liturgie pourrait-on dire, trouve ses racines dans notre histoire. Pour nombre de Québécois, descendants des trappeurs et chasseurs d'antan, la chasse et l'automne sont indissociables. D'ailleurs, ces viandes sauvages sont interdites de vente, si bien que la seule façon de les manger est de les chasser ou de séduire un chasseur qui consentira à céder qui un steak d'orignal, qui un cuissot de chevreuil. Et, même si les chasseurs ont mauvaise réputation parmi les défenseurs des animaux, ils ont beaucoup d'amis intéressés qui les fréquentent.

Lorsque les feuilles ont disparu, que les heures de lumière quotidienne raccourcissent, l'automne perd tout son charme. Au point où plusieurs réclameront l'hiver et ses blancheurs, mettant sous le boisseau ses rigueurs et ses contraintes.

B

Bagel (Le)

J'ai mangé des bagels à New York, en Israël, dans le Marais à Paris, mais aucun ne se compare aux bagels de Montréal, une tradition que l'on doit, comme le *smoked meat*, aux Juifs d'Europe centrale qui ont émigré au Québec.

Deux boulangeries départagent les *afficionados* du bagel qui sont légion à Montréal et qui ne jurent que par ce pain en forme de beignet troué, et que l'on mange avec du fromage à la crème ou de la crème sure recouverts de saumon fumé. Fairmount Bagel est le plus ancien établissement, le seul ouvert trois cent soixante-cinq jours par an et dont le four fonctionne vingt-quatre heures sur vingt-quatre. Le second, Bagel Saint-Viateur, situé à une rue du premier, expédie sa production jusqu'au Japon. Son propriétaire actuel est un Italien qui maintient la tradition sans laquelle les clients s'envoleraient vers son concurrent.

Je suis une inconditionnelle de Fairmount Bagel où l'on fait la queue à l'extérieur même l'hiver, car le lieu est minuscule, mais la chaleur exalte l'odeur enivrante de ce symbole de culture montréalaise. La pâte du bagel, ou beguel, issu du yiddish *beygel*, est préparée avec du levain naturel cuit d'abord dans l'eau, puis au four. À Montréal, la pâte contient de l'œuf et du malt, et on la bout dans de l'eau légèrement parfumée au miel, alors qu'à New York le bagel est salé, plongé dans de l'eau claire, ce qui le gonfle et le rend plus croustillant. La texture du bagel montréalais est plus dense et sa saveur plus douce.

Dans ma jeunesse, on l'appelait l'hostie juive et on la préférait à l'hostie catholique au goût fade mais dont on appréciait qu'elle nous fonde dans la bouche. Quiconque débarque à Montréal doit déguster le bagel original et non ces succédanés vendus dans les grandes surfaces et qui dénaturent ce bijou culinaire de la culture juive ashkénaze dont raffolent les Montréalais francophones et anglophones.

Enfin, la meilleure façon de se préparer à manger des bagels est de les acheter très chauds et de rouler en voiture, le sac de papier brun ouvert afin d'embaumer l'habitacle de cette odeur qui annonce un plaisir jamais déçu et toujours renouvelable.

Beaudoin (Louise)

C'est une personnalité incontournable de la politique québécoise. Louise Beaudoin a consacré sa vie à la cause de l'indépendance du Québec, et plus particulièrement à resserrer les liens politiques et diplomatiques entre la France et le Québec. Louise Beaudoin aime le Québec et la France avec une passion et une fidélité qui ne se sont jamais démenties.

Comme plusieurs jeunes de sa génération, elle se rend en France en 1967 après des études en histoire à l'Université Laval et pour y poursuivre des études supérieures à la Sorbonne. De retour au Québec en 1969, elle se retrouve rapidement dans un ministère.

Mais Louise Beaudoin adhère au grand rêve de sa génération et joindra rapidement le Parti québécois alors dans l'opposition et dirigé par René Lévesque* auquel elle demeurera fidèle jusqu'à la mort de ce dernier. Lors de l'élection du PQ en 1976, elle deviendra directrice des affaires françaises au ministère des Relations internationales, et sa carrière connaîtra son apogée lorsque René Lévesque la nommera, en 1989, déléguée générale du Québec à Paris, donc en quelque sorte l'ambassadrice de la cause québécoise dont elle sera l'infatigable et inévitable représentante.

Avec son air gavroche, ses yeux auxquels ne résistent guère ses interlocuteurs, sa connaissance des dossiers, sa fougue, sa séduction et sa détermination, elle s'impose et avec elle le Québec dans tous les lieux de pouvoir où elle déploie ses talents.

Sa foi souverainiste, sa capacité à neutraliser ses pires adversaires par une habileté et une volonté de défendre sa cause en font la coqueluche des milieux politiques. Paris est son terrain de jeu le plus naturel, car comment résister à celle qui se consacre à la défense de la langue et de la culture françaises et qui s'impose par un mélange de charme et de force qui en agacent certains mais rallient une majorité de personnalités politiques françaises ?

Elle ne craint personne, et dans le monde feutré de la diplomatie, elle fait preuve d'une redoutable efficacité. Elle n'hésitera pas à forcer les portes lorsque les intérêts du Québec sont, à ses yeux, mis en péril par les offensives diplomatiques de l'ambassade du Canada à Paris. Son carnet d'adresses en France lui sert de sésame jusqu'au sommet de l'État. Celle que certains qualifient de Jeanne d'Arc doublée de Statue de Commandeur connaît les effets de sa force de frappe, et elle en use avec précision et séduction. Ce qui n'exclut pas son combat pour l'égalité des sexes. D'ailleurs, elle revendique et incarne le féminisme.

En 1994, elle se fait enfin élire sous la bannière du Parti québécois et devient ministre. Jusqu'à la défaite du PQ en 2003, elle aura la responsabilité tour à tour des Relations internationales, de la Culture, de la Charte de la langue française et de la Francophonie.

Louise Beaudoin ne sera jamais militante au point de perdre cette lucidité qui freine son ardeur et lui évite l'aveuglement idéologique. Même dans ses luttes les plus acrimonieuses contre ses adversaires fédéralistes, elle a réussi, la plupart du temps, à garder une distance critique qui lui a d'ailleurs permis de comprendre la désaffection progressive des Québécois envers la souveraineté du Québec. Après son retrait de la politique active, Louise Beaudoin a eu le courage de dire publiquement, après les élections du 7 avril 2014 où le PQ fut balayé du pouvoir, qu'elle prenait acte de la volonté des Québécois de rejeter ce rêve qui a enflammé sa vie et qu'elle passait le flambeau à d'autres. Or elle n'ignore guère que le rêve est désormais chose du passé puisqu'une grande majorité, y compris chez les plus jeunes, ne croit plus que l'indépendance soit la voie exclusive de l'avenir collectif.

Bertrand (Janette)

C'est un personnage médiatique qui durant plus de soixante ans a vécu sa vie sous les yeux des Québécois. Née en 1925, cette Montréalaise d'origine s'est distinguée dès sa jeunesse en fréquentant l'Université de Montréal où les femmes se comptaient sur les doigts de la main à l'époque. Journaliste, auteure, elle conseilla d'abord les femmes dans un courrier du cœur, « Le refuge sentimental », qui sera publié dans *Le Petit Journal*, un hebdomadaire très populaire.

Janette Bertrand mettra ensuite en scène sa propre vie dans des séries d'émissions de télé dont *Quelle famille*, où se retrouvaient son mari, comédien par ailleurs, ses enfants, et même leur chien. À vrai dire, cette série fut une télé-réalité avant l'heure.

Janette Bertrand posait déjà un regard décalé sur l'amour, les conflits familiaux, l'affirmation progressive des femmes et la sexualité libérée dont elle deviendra elle-même l'incarnation en quittant son mari, qui ne lui avait pas fait de cadeaux mais qu'elle avait supporté sans se plaindre.

Car cette femme à laquelle des générations de Québécoises se sont identifiées est un mélange de courage, de culpabilité, de peur, d'exhibitionnisme, d'émotivité et de force. Elle présentera à la télévision des dramatiques aux thèmes brisant tous les tabous sur la sexualité des couples, l'homosexualité, le suicide, le sida, la violence faite aux femmes, et cela bien avant que ces sujets ne deviennent à la mode.

Dans le Québec du matriarcat psychologique, Janette Bertrand a entraîné les femmes à rompre leurs chaînes. Elle-même a refait sa vie dans la cinquantaine avec un homme de près de quinze ans son cadet, sous les applaudissements des femmes. Non sans faire tiquer les hommes, car elle eut tendance à généraliser leurs comportements fautifs.

Féministe populiste donc maniant peu la nuance et usant de l'outrance, son impact social est cependant inégalé. D'ailleurs, on ne la désigne plus, malgré son grand âge, que par son prénom, Janette, devenu un nom pour désigner une féministe combattante. Car sous des dehors doucereux, Janette est redoutable. Une vraie Québécoise !

Bière (La)

L'on buvait de la bière en Nouvelle-France. Mais l'arrivée des Britanniques après la Conquête a permis de développer bien davantage cette tradition. La première grande brasserie moderne fut fondée par John Molson en 1786. Il baptisa sa bière de son nom, et la Molson, la Mol dans le langage populaire, est encore sur le marché. Les Québécois ont aussi réussi à faire de la bière, même brassée par des Anglais, un élément identitaire. « Un vrai Québécois, ça boit de la bière », m'a déclaré un jour un gros buveur qui m'en avait offert une et à qui j'avais eu le malheur de répondre : « Non merci, je n'aime pas le goût. »

La bière est la boisson alcoolisée la plus consommée au Québec. Plus que le vin, que les Québécois boivent pourtant en quantité plus importante que dans le reste du Canada. Et, bien sûr, plus qu'aux États-Unis. Tradition française oblige.

La bière est de toutes les fêtes, et on l'associe au plaisir, à la séduction entre hommes et femmes et à la virilité également dans les publicités dont certaines sont devenues des rengaines de fierté nationale. Le publicitaire Jacques Bouchard, fin connaisseur de l'âme québécoise et qui a créé la publicité en français au Québec, mettant ainsi fin aux publicités anglaises que l'on présentait au public québécois en traduction, a inventé un slogan pour la bière Labatt en 1975. Sa pub est devenue une référence culte, d'autant qu'elle était chantée par Claude Gauthier, un troubadour talentueux de l'indépendance du Québec.

On est six millions, faut s'parler,
Dis-moi, dis-moi comment tu t'appelles,
On est six millions, de presque parents, faut s'parler.
On est six millions, faut s'parler,
Du travail de nos mains, de c'qu'on fera demain.
On est six millions, c'est du monde à connaître,
Faut s'parler.

Cette publicité fut chantée à travers la province comme un hymne de rassemblement national et de convivialité. C'était à l'aube de l'arrivée au pouvoir en 1976 du Parti québécois dirigé par René Lévesque*, et en buvant de cette bière Labatt qui battit des records de ventes, on l'imagine bien, l'on ingurgitait un peu de potion magique nationaliste.

Comme ailleurs, depuis quelques décennies, les microbrasseries font florès à travers le Québec. Même la superstar de la contestation en chanson des années soixante, Robert Charlebois*, s'est transformé en homme d'affaires en prenant des actions dans Unibroue, une entreprise québécoise créée en 1990. Le nom et l'image du rocker ont contribué au succès financier de l'entreprise. Des bières furent baptisées « L'eau bénite », « La Maudite », « La Fleurdelisée », « Le don de Dieu », toutes ces références à la culture religieuse du Québec. D'autres microbrasseurs renchériront avec « Le trou du diable », « La Dominus Vobiscum ». Boudant désormais la religion, le Québec avale ses symboles en communion avec un passé révolu.

La bière fut jadis une boisson réservée aux hommes. Des femmes bien sous tous rapports sirotaient plutôt du vin doux. Mais les générations de filles du féminisme se sont laissé conquérir, au nom de l'égalité des sexes sans doute, et elles lèvent le coude, bouteille à la main comme les mecs, pour déguster la boisson alcoolisée la plus démocratique et dont l'effet fait virevolter, un peu trop parfois, les têtes et les cœurs.

Bleuets (Les)

Le mot possède deux sens. Le premier désigne le fruit qui s'apparente aux myrtilles. En 1870, à la suite d'importants feux dans la forêt boréale sur les pourtours du lac Saint-Jean, les myrtilles envahirent les tourbières et devinrent un élément caractéristique de l'alimentation des gens de la région. La ville de Dolbeau-Mistassini porte même le titre de capitale mondiale du bleuet, et un festival s'y déroule chaque année.

Mais le bleuet est aussi le nom que l'on donne aux habitants du lac Saint-Jean, gros mangeurs de bleuets par la force des choses depuis un siècle. Les « gens du Lac », comme on les désigne, sont gens de parole, gens de fierté régionale, gens orgueilleux, abrupts et ricaneux. Les « bleuets » ont un sens aigu de la solidarité, ils sont prompts à faire front commun contre le reste du Québec. Les « bleuets » sont créatifs, et une partie importante du Bottin de l'Union des artistes est originaire de la région. Regroupés autour du lac Saint-Jean, le troisième plus grand lac du Québec qui fait plus d'un million de kilomètres carrés, ses habitants sont moins complexés, ou plus exactement possèdent un sentiment de supériorité qui s'explique sans doute par leur esprit de débrouillardise, une tradition de vaillance au travail et cette capacité à affronter les obstacles, eux que la géographie isole des grands centres. Pour rejoindre le Saguenay-Lac-Saint-Jean en voiture, il faut rouler à travers le parc des Laurentides sur une distance de plus de 200 kilomètres. La route est dangereuse la nuit à cause des animaux sauvages qui la traversent. Les collisions avec des orignaux et des chevreuils sont souvent mortelles. Et l'hiver, lorsque la neige, le vent et le verglas transforment la chaussée en patinoire, les gens du lac trop intrépides peuvent y laisser leur vie. D'ailleurs, chaque famille de cette région, qui compte plus de 275 000 habitants, a perdu un membre proche ou éloigné sur ces 200 kilomètres à travers la forêt qui relie la région à la ville de Québec. Les bleuets ont été immortalisés par Louis Hémon dans son roman *Maria Chapdelaine* et par des films qui s'en sont inspirés. Le premier, en 1934, fut réalisé par Julien Duvivier avec Madeleine Renaud et Jean Gabin, et le dernier, du cinéaste québécois Gilles Carles, avec Carole Laure dans le rôle de Maria, fut présenté en 1983.

Les « bleuets » sont partagés sur l'œuvre de Louis Hémon qui peint leurs ancêtres comme des gens soumis, écrasés par la misère, confinés à cultiver une terre stérile et à bûcher les forêts. Mais ce roman du terroir, écrit par un Français et non un Canadien-français, cerne avec acuité l'âme du peuple québécois à la recherche d'une liberté qui lui échappe.

Cependant, les « bleuets » d'aujourd'hui ne craignent ni Dieu ni personne, et la prospérité est leur credo. Ils ont la passion d'eux-mêmes et ils entretiennent leur singularité quitte à jouer les Cyrano ou les Figaro de la modernité québécoise. Enfin, ils auraient tendance à croire que ce sont les Québécois qui ont un accent et non pas eux. Car leur manière de parler, truffée d'expressions locales, est aussi réjouissante que surprenante. L'on dira qu'une décision est « songée » lorsqu'on pense le contraire, d'une personne agréable de compagnie on estime qu'elle est « d'adon », de quelqu'un qui se croit drôle qu'il « fait simple », et d'une personne qui a l'air faible qu'elle est une « feluette ».

Les gens du Saguenay-Lac-Saint-Jean veulent qu'on les aime plus que ceux de partout ailleurs au Québec. Ce sont, à vrai dire, les Québécois les plus insatiables.

Bombardier

Il m'arrive très souvent, au cours de mes voyages à travers le monde, de me faire interpeller par des douaniers qui, découvrant mon nom, me croient associée à l'entreprise Bombardier. Pour ne pas les décevoir, je précise toujours que oui, c'est dans ma famille, mais que je n'appartiens pas à la branche de l'héritage. De fait, mon père est né en 1900 dans la même région où se retrouvent nombre de Bombardier dont le génial Joseph-Armand, l'inventeur de la motoneige qui a révolutionné le transport hivernal. Ma famille partage le même ancêtre, André, originaire de Lille, premier Bombardier à débarquer en Nouvelle-France à titre de soldat en 1700. Il fut l'un des fondateurs de la ville de Detroit où il se rend en 1701. Il revient à Montréal en 1711 et s'y installe avec sa famille.

Son descendant, Joseph-Armand Bombardier, né en 1907, éprouva très jeune une fascination pour les jouets mobiles qu'il construit avec des mécanismes d'horlogerie. À quinze ans, il met au point sa première « machine à neige », un traîneau doté d'un moteur de vieille Ford dont la propulsion est assurée par une hélice de sa fabrication. Or l'engin se révèle infernal, à cause de l'hélice justement. Durant les dix années suivantes, le « patenteux », comme on dit au Québec d'un féru d'inventions, tente de développer des prototypes mais sans succès, et souvent il subit les railleries de son entourage.

À l'hiver 1934, son fils âgé de deux ans meurt d'une péritonite car les routes menant à l'hôpital sont impraticables. Cette tragédie fouette l'ardeur de l'inventeur obsédé par l'envie de briser l'isolement des campagnes pendant les hivers aux tempêtes de neige si fréquentes. Il réussit à mettre au point une roue d'engrenage dentée avec un barbotin de bois couvert de caoutchouc afin d'entraîner la chenille. Le système de traction barbotin-chenille marque, en 1935, une révolution dans le transport et inscrit Joseph-Armand Bombardier au fronton des inventeurs du XXe siècle.

Avec son sens des affaires, Joseph-Armand, plutôt que de vendre son brevet aux industriels de l'automobile, prend une décision qui permettra une expansion imprévisible pour l'avenir, il crée sa propre industrie. Le succès est au rendez-vous, et le carnet de commandes se remplit. L'autoneige B12 a une capacité de douze passagers et possède un profil aérodynamique, mais la guerre met un frein à sa production. L'inventeur propose alors au ministère des Approvisionnements à Ottawa un prototype de véhicules blindés à chenilles. Ce sera le fameux Penguin qu'utiliseront les troupes canadiennes et leurs alliés.

Joseph-Armand Bombardier n'a jamais abandonné son rêve de jeunesse de construire une autoneige miniature. Il réussit encore une fois, et le Ski-Doo, comme on l'a baptisé, apparaît sur le marché en 1959. Cette motoneige devient vite indispensable pour les trappeurs, les prospecteurs, les missionnaires et les autochtones qui circulent dans le Grand Nord. Mais rapidement les sportifs éprouvent un engouement pour ce nouveau jouet d'adultes. De 225 véhicules vendus en 1960, l'entreprise atteindra une production de 8 352 engins quatre ans plus tard. L'inventeur, prolifique mais solitaire, devenu un industriel riche et admiré, ne connaîtra pas la progression vertigineuse de son entreprise. Il s'éteindra à l'âge de cinquante-six ans dans sa région qu'il n'avait jamais quittée et où ses descendants garderont des résidences à quelques lieues de là.

Une entreprise familiale

Un homme, Laurent Beaudoin, a non seulement continué l'œuvre de Joseph-Armand Bombardier, mais grâce à son exceptionnel talent de visionnaire, il a transformé une entreprise prospère en un géant mondial de l'aéronautique et des transports. Époux de la fille de l'inventeur, Claire Bombardier, ce comptable agréé de formation a rejoint le groupe L'Auto-Neige Bombardier quelques mois avant la mort de son beau-père en 1963. Deux ans lui ont suffi pour parvenir à la tête de l'entreprise. Très rapidement donc, il s'impose par sa vision, la force de ses ambitions et une audace que l'on retrouve chez ceux que les sommets attirent. Il a transformé cette entreprise de produits récréatifs en une multinationale de l'aéronautique et des transports, employant quelque 18 000 travailleurs. À travers la planète entière, l'on roule dans des wagons de métro, de bus, et l'on vole dans des avions Bombardier dont le siège social est toujours demeuré à Montréal. Le fils, François Beaudoin, a hérité il y a quelques années le poste de son père. Bombardier apporte une approche québécoise dans la façon de faire des affaires et, à l'évidence, Laurent Beaudoin incarne un type de chef d'entreprise qui allie le savoir-faire nord-américain et une capacité d'adaptation à des cultures et des mentalités étrangères. L'absence de passé colonialiste devient un avantage à l'heure de la mondialisation, et le succès planétaire de ce joyau québécois en est la preuve.

Il y a deux ans, je retournais de Jodjakarta à Bali, en Indonésie. L'embarquement fut annoncé, et je me dirigeai sur la piste vers l'appareil à une bonne distance de l'aérogare. J'aperçus au loin, devant l'avion, l'équipage en rang d'honneur. J'ai pensé qu'une personnalité locale allait se trouver à bord. Lorsque je fus arrivée à la passerelle, le pilote s'avança vers moi tout souriant et, après une poignée de main et des effusions verbales, tout l'équipage se fit photographier en ma compagnie. « Nous sommes si honorés », me dit le pilote. Je montai dans « mon appareil » où le nom de BOMBARDIER flamboyait. Je me gardai bien de décevoir non seulement l'équipage mais les voyageurs déjà informés par une hôtesse de ma célébrité commerciale.

Bujold (Geneviève)

Elle est la seule actrice québécoise à avoir fait sa marque à Hollywood. Il s'avère que j'ai connu Geneviève Bujold alors qu'elle se prénommait encore Nicole. Nous étions adolescentes et nous nous retrouvions au cours de diction de Mme Jean-Louis Audet, une femme qui a appris à des générations d'acteurs à s'exprimer dans un français dit « de France ». Nous voulions toutes les deux devenir comédiennes, mais Geneviève possédait un physique d'ingénue – qu'elle n'a jamais été d'ailleurs – qui lui ouvrait toutes grandes les portes du théâtre.

Son talent était aussi impressionnant que son envie de réussir. Après avoir connu un début de carrière éclatant au Québec, le cinéaste Alain Resnais la recrute pour son film *La guerre est finie* en 1965. Par la suite, son étoile brillera en France puis en Angleterre où elle jouera le rôle-titre dans le film de Charles Jarrott, *Anne of a Thousand Days (Anne des mille jours)* en 1969. Enfin, elle atterrit à Hollywood.

Geneviève Bujold a joué dans de multiples films, mais ses choix furent plus ou moins heureux. Cette très grande actrice n'est jamais devenue une star médiatisée. Vivant en retrait des paillettes et des potins glamourisés, celle qui souhaitait à vingt ans atteindre les sommets de la gloire l'a en quelque sorte boudée rapidement. Secrète, sauvage même, sa vie personnelle dans un Malibu loin des m'as-tu-vu contient des zones d'ombre que très peu de personnes connaissent.

Mais l'actrice est restée fidèle au Québec où elle a tourné quelques films avec Michel Brault, son grand ami dont elle fut l'actrice muse, et avec Claude Jutra qui la dirigea dans *Kamouraska*, tiré du roman de la célèbre écrivaine Anne Hébert.

Aujourd'hui septuagénaire, Geneviève Bujold a depuis longtemps accepté de vivre dans son âge. Elle ne porte pas de maquillage, ses cheveux sont devenus blancs, et elle accepte de jouer des rôles ingrats pour une femme qui fut si jolie. Déjà en 1988, elle jouait, de façon magistrale d'ailleurs, une femme tourmentée, angoissée, sans fard et sans artifice, dans le film *Dead Ringers* (*Faux-semblants*) de David Cronenberg, dont plusieurs affirment qu'il est son chef-d'œuvre.

L'unique star hollywoodienne québécoise a donc décidé de faire profil bas et, même à quelques encablures de Los Angeles, de vivre de façon quasi monacale. En ce sens, Geneviève Bujold, qui participe à la fierté québécoise, est une antistar qui a choisi sa vie plutôt que son image.

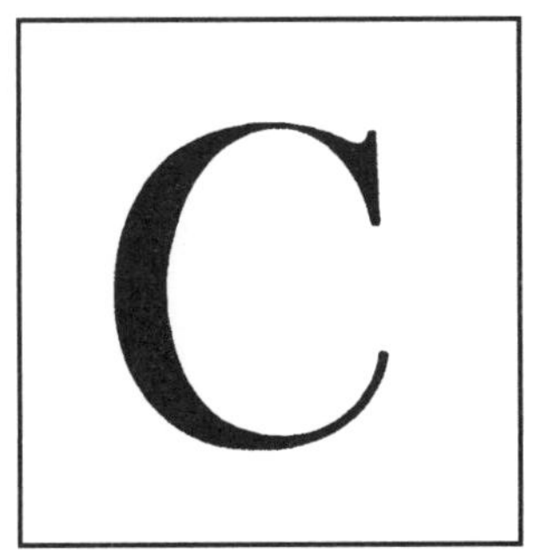

Cabane au Canada (Ma)

J'en ai longtemps rêvé. Non pas d'une maison de campagne, mais de la cabane en rondins qu'on trouve sur les calendriers. Pour que cette habitation prenne tout son sens, je la souhaitais éloignée de la civilisation : au fond des bois, au bout du monde, difficile d'accès, au bord d'un lac non ensemencé mais poissonneux, avec comme voisins les animaux du pays. Des loups, des lynx, des ours, des pékans, des renards roux, argentés, hybrides, des martres brunes ou rousses, des visons, des hermines blanches, des belettes à longue queue et inévitablement des castors qui se jouent de nous en déstabilisant le niveau d'eau de nos lacs par leurs barrages spectaculaires.

Durant des années, j'ai jeté un coup d'œil distrait sur les sites immobiliers. J'inscrivais « camp de pêche », j'indiquais une région pas trop éloignée que j'estimais être à quatre ou cinq heures de Montréal, et je pesais sur la souris de l'ordinateur avec espoir. En vain. Un jour, j'ai écrit « Mauricie », la région autour de la ville de Trois-Rivières, entre Montréal et Québec sur la rive nord du Saint-Laurent. À vrai dire, je n'y croyais tellement plus que je regardais à peine les maisons qui défilaient sous mes yeux. Soudain, je le vis. C'était un camp en bois rond, rustique à souhait, qui n'était à l'évidence pas préfabriqué à la mode d'aujourd'hui. Il se situait en Haute-Mauricie, à une heure de La Tuque, une ville de pulpe et de papier, et jadis de coureurs des bois et de draveurs. Son plus célèbre citoyen est Félix Leclerc*, qui y est né mais l'a vite quittée.

J'exigeai que l'agente immobilière me décrive exactement l'environnement qui semblait correspondre à mon rêve. Je n'allais pas faire dix heures de voiture aller-retour pour me retrouver devant une cabane entourée d'un garage ou d'un dépanneur. Elle me donna sa parole que ce camp était pour moi.

Le voyage fut long mais la route de Trois-Rivières à La Tuque serpente la rivière Saint-Maurice, un des affluents du Saint-Laurent. Plus on monte vers le nord, plus la rivière prend ses aises, large, agitée parfois, sombre ou se laissant apprivoiser par de petites plages de sable fin. À La Tuque, ville sans attractions mais avec des airs de Far West et où l'odeur de l'usine de pâte à papier est prégnante, j'avais rendez-vous avec mon agente, une Québécoise joviale, habituée à rouler des heures à travers d'immenses territoires à la découverte de transactions à réaliser. Une coureuse des bois à sa manière. La dernière heure, à mon étonnement, nous avons circulé sur une route pavée parce que menant à un important barrage hydroélectrique, le barrage du Rapide-Blanc, célèbre grâce à La Bolduc, une chanteuse populaire des années de crise, entre les deux guerres, qui l'a immortalisé dans une chanson. Nous nous sommes engagées sur le pont barrage de la Trenche au-dessus de la rivière Saint-Maurice où l'on aperçoit encore des épaves de pitounes, ces billots de bois sur lesquels les draveurs jouaient à saute-mouton et dansaient la gigue en descendant les cours d'eau à des vitesses folles.

L'on a enfin bifurqué sur une route de terre incertaine et cahoteuse. Puis, au kilomètre 24, l'on s'est engagées sur une piste. Les branches des arbres égratignaient la carrosserie du véhicule mais l'agente y semblait indifférente. Après 400 mètres, il fallut s'arrêter devant une barrière. La dame me donna les clefs. Je m'avançai pour ouvrir mais je ne voyais encore ni camp ni lac. Je remontai en voiture et, après un tournant, il m'est apparu. Plus impressionnant qu'en image, plus attirant encore. Sur le fronton avait été sculptée une enseigne qui annonçait le « Camp des bûcherons ». Le nom avait été encadré de têtes de bêtes et de poissons qu'on avait aussi sculptées. Et à l'avant, je découvris le lac. Immobile, sombre, dominé par des montagnes noires de sapins et d'épinettes.

Avant même d'entrer à l'intérieur, ma décision était prise. Une fois sur place, je ne voulais plus repartir. Sur les murs, des animaux empaillés me surveillaient. Je dévisageai le lynx et lu dans son regard comme une approbation.

La cabane au Canada, la vraie et non pas ces bungalows de banlieue transplantés dans la nature pour la défigurer, n'est pas une sinécure pour un urbain handicapé, c'est-à-dire ignorant la loi du bois, de l'isolement et de la froidure extrême. Un urbain est incapable de scier du bois pour chauffer la maison, de raccorder un tuyau de plomberie défectueux, de bricoler, de réparer les équipements, bateaux, moteurs, C. B. Dans ma cabane, l'électricité y était installée, mais la pompe à eau était branchée dans le lac. Il fallut donc faire construire un sous-sol, couler du béton, installer un système pour que, l'hiver, l'eau ne gèle pas et ne fasse éclater toute la tuyauterie. À moins 40 °C, ça pète, et même la cuvette en céramique des toilettes explose. C'est la troisième fois que je la change.

J'ai tout fait les travaux. Fait faire, à vrai dire. Et dans ces lieux éloignés, la solidarité ancienne demeure. Les voisins, c'est-à-dire des gens qui habitent à 5 ou 10 kilomètres, sont toujours serviables et corvéables. Surtout l'hiver, avec le froid mortel. Un de ces voisins s'est retrouvé sous sa motoneige après avoir heurté un arbre une fin d'après-midi de janvier il y a quelques années. Il fait noir rapidement, l'hiver. Il était seul, une imprudence en forêt en cette saison, à 2 kilomètres au plus d'une habitation, mais sans moyen de communiquer et la cheville brisée. Il s'est mis à neiger. On ne l'a retrouvé que le lendemain matin. Je l'ai revu l'été suivant, en fauteuil roulant, amputé de la jambe gauche. L'hiver a de ces cruautés pour ceux qui se laissent séduire par sa blancheur silencieuse.

La plupart des Québécois des grandes villes ignorent la forêt et le nord du territoire où l'on peut rouler sans voir âme qui vive durant des centaines de kilomètres. La cabane au Canada enracine mais dépayse. Elle nous relie aux anciens, ces défricheurs courageux, gens de silence, parfois ermites, plus à l'aise avec les ours qu'avec les hommes dont la vie rugueuse, besogneuse, frugale laissait place aussi à la musique folklorique de rigodons et des mélopées d'une tristesse à fendre l'âme.

Ma cabane, je la dispute aux mulots qui y résident, me faisant pousser des cris d'orfraie et monter sur les chaises car j'ai une peur phobique de ces petits rongeurs. Je la partage aussi avec les écureuils qui me la déconstruisent en retirant systématiquement l'étoupe entre les rondins qui isole contre le froid et rafraîchit les jours de canicule en juillet. Dans ma cabane je me sens protégée de mes voisins les ours rôdeurs, attirés par l'odeur de la nourriture, surtout lorsque les bleuets*, ces myrtilles obèses, se font rares dans les tourbières.

C'est grâce à ce lieu encore protégé de l'agitation du monde que j'ai pris la mesure de la force des éléments. Surtout l'hiver lorsque le mercure indique moins 40 °C et que le soleil éblouit mais ne réchauffe pas. Lorsque les arbres hurlent avec des sons stridents et secs. Et lorsque, sous nos pas, la glace sur le lac craque en un enchaînement de bruits inquiétants pour les novices mais rassurants pour ceux qui n'ignorent guère que le silence peut être un signe du danger de s'enfoncer soudain dans ses eaux noires.

L'isolement, la confrontation permanente avec la nature, le bonheur indescriptible de la chaleur des foyers où crépitent les bûches alors que dehors la poudrerie mène le bal, et la conscience aiguë d'être partie de cette sauvagerie dans ce décor de bois couleur de miel est un puissant calmant. La cabane au Canada, en ce sens, est un refuge pour âmes urbaines tourmentées.

Canadiens

Dès le début de la colonie, les Français installés en Nouvelle-France se sont distingués des Français de France. « Un Canadien est un homme né en Canada mais de parents français établis en Canada. » Telle est la définition du terme « Canadien » que l'on retrouve dans le *Dictionnaire de Trévoux* en 1734. J'appartiens à une génération qui a changé trois fois de nom. Dans mon enfance, j'étais canadienne au sens du XVIIIe siècle, et les « autres », tous les autres, étaient des Anglais. D'ailleurs, on les définissait aussi du nom de « conquérants ». C'était indissociable. Et dans le parler populaire, nous étions des Canayens.

À l'adolescence, j'étais canadienne-française. Les Canadiens-français établissaient ainsi la différence entre eux et les Canadiens-anglais, lesquels se sont toujours considérés *Canadians*. Nous avons vécu jusqu'en 1960 environ dans la nostalgie, en quelque sorte, d'un territoire qui nous avait été subtilisé par la conquête de 1759 et les politiques anglaises qui par la suite avaient tracé les frontières des provinces de ce pays, continent couché littéralement au nord du 45e parallèle. Dans ma tête d'enfant, le Canada nous appartenait. Les Anglais nous l'avaient tout simplement volé.

En endossant le nom de Canadiens-français, nous définissions aussi un nouveau territoire incluant tous les francophones qui avaient pris racine hors des frontières du Québec, et ce jusqu'au-delà des montagnes Rocheuses. Seuls les Acadiens dans leur spécificité échappaient à cette appellation.

Le nationalisme traditionnel canadien-français d'avant 1960 ralliait ainsi tous ceux qui avaient en commun la langue et la culture françaises. En passant de « Canadiens » à « Canadiens-français », nous nous engagions sur un terrain politique, source de toutes les turbulences à venir. En 1954, l'historien nationaliste Michel Brunet avait publié un essai polémique, *Canadians et Canadiens.* Ce maître à penser de générations d'étudiants voulait conserver le nom « Canadiens » pour les francophones, car celui de « Canadians » avait à ses yeux une connotation péjorative. Les nouvelles générations, bruyantes et revendicatrices, supportent de moins en moins l'idée de se définir en incluant le terme « canadien » dans l'expression « canadien-français ». Ils ne se considèrent ni canadiens ni français. Par une réduction de la géographie au nom de l'Histoire, influencés en cela par le mouvement de décolonisation, ils se rebaptisent Québécois, et une proportion importante, jeune, active et contestataire, fait des frontières du Québec un territoire à libérer. Ainsi, de Canadiens à Canadiens-français pour terminer comme Québécois, toute l'évolution de 6 000 colons français débarqués sur le territoire immense qu'est la Nouvelle-France arrive à terme. Mais à ce jour, les habitants du Québec n'ont pas réussi, à travers ce changement de vocabulaire, à transformer un pays rêvé avec des mots en pays réel. S'ils se disent québécois, même parmi les anglophones et les allophones de plus en plus nombreux, le sens du terme diverge. Entre ceux qui veulent conserver les Rocheuses, qui chantent *Ô Canada*, l'hymne national composé par Calixte Lavallée et sir Basile Routhier à l'époque où les Canadiens, c'étaient les francophones, et ceux qui rêvent toujours du Québec libre, rien n'a bougé. Si les mots ne sont pas innocents, ils n'entraînent pas nécessairement une transformation structurelle. Les mots sont aussi des pièges, des chausse-trapes, des miroirs aux alouettes lorsqu'ils évoquent des rêves impossibles à réaliser.

Cartier (Jacques)

Très tôt, nous apprenions à l'école le nom de Jacques Cartier, le découvreur du Canada en 1534. Il aurait été sacrilège alors de remettre en question cette certitude historique. Les religieuses nous parlaient de Jacques Cartier comme d'un héros sans lequel nos ancêtres n'auraient pas pris racine sur ce vaste territoire français en Amérique du Nord. À cette époque, dans les années cinquante, il n'était pas question de réduire la découverte de Cartier aux seules frontières du Québec. Les Français voyaient grand au XVIe siècle, et ils étaient catholiques, nous répétait-on en classe. D'ailleurs, Cartier ne s'était-il pas empressé, sitôt débarqué à Gaspé, à l'embouchure du Saint-Laurent, de planter une immense croix, signe de la prise de possession du territoire au nom du roi de France, François Ier ?

J'ai aimé Jacques Cartier comme on aime un grand-père qu'on n'a pas connu. Son portrait me plaisait. Il dégageait de la force, du courage, de la noblesse et de la gentillesse puisqu'il s'était fait l'ami des Iroquois dont le chef était Donnacona. Évidemment, l'on ne nous précisait pas alors que Donnacona enragea en découvrant la croix et que Jacques Cartier dut mentir en affirmant que celle-ci n'était qu'un point de repère pour les navires.

J'aimais aussi l'idée de Jacques Cartier ramenant à la cour de François Ier deux des fils de Donnacona, car j'aurais adoré qu'un Français en 1950 m'amène en France.

Dans la trinité de découvreurs de mon pays, Cartier, Samuel de Champlain* qui fonda la ville de Québec en 1608 et le sieur Chomedey de Maisonneuve* qui s'installa à Hochelaga (futur Montréal) en 1642, c'est Jacques Cartier qui me plaisait le plus. L'histoire nous était enseignée au cours primaire comme au cours secondaire par des religieuses qui la confondaient avec l'histoire sainte, la vérité historique passant au second rang. J'ai aimé ce folklore que j'ai dû décortiquer lorsque l'histoire véritable s'est imposée à moi par la suite. Non sans nostalgie pour le Jacques Cartier de mon enfance.

L'un des textes fondateurs de notre littérature est le récit de Jacques Cartier intitulé *Bref Récit et succincte narration de la navigation faite en 1535 et 1536 par le capitaine Jacques Cartier aux îles de Canada, Hochelaga, Saguenay et autres* où il narre ses expéditions. C'est dans ces textes qu'il contribue au mythe du bon sauvage repris plus tard dans le siècle par Montaigne.

Un Québécois ne met pas pied à Saint-Malo sans un pincement au cœur puisque Jacques Cartier est un fils du lieu, et que c'est de Saint-Malo qu'il a hissé les voiles le 20 avril 1534 pour aller à la découverte des pays où, croyait-on, se trouvaient de l'or et de « riches choses ». Grand navigateur, Cartier traverse l'Atlantique en vingt jours et met d'abord pied à terre sur des territoires déjà connus, le Labrador et Terre-Neuve. C'est par l'entrée dans le golfe Saint-Laurent qu'il inscrit son nom en tant que découvreur du Canada, cette petite région inconnue du Québec que les Hurons avaient baptisée *Kanata*, ce qui signifie « village » ou « peuplement ». C'est lors de ce premier voyage qu'il s'applique à dresser la carte du majestueux fleuve qui l'éblouit. En juillet de la même année, il retourne en France accompagné de deux fils du chef Donnacona, comme on l'a dit, à qui il veut apprendre le français en vue d'en faire des interprètes lors des prochains voyages.

En 1535, il repart avec trois bateaux dont on nous apprenait par cœur les noms en classe « afin que vous n'oubliiez jamais notre grande histoire », répétait la maîtresse. La *Grande Hermine*, la *Petite Hermine* et l'*Émérillon* à bord desquels se trouvaient cent dix hommes d'équipage, « tous de pieux et fiers marins », selon nos enseignantes. Jacques Cartier représente le roi de France et peut désormais compter sur les fils du chef iroquois, Domagaya et Taignoagny, devenus parfaitement bilingues, pour le guider et traduire ses propos. C'est au cours de ce deuxième voyage qu'il navigue sur les eaux inconnues du Saint-Laurent, ébloui par sa géographie spectaculaire. Lorsqu'il atteint l'île d'Orléans à l'entrée de Stadaconé – qui deviendra Québec lorsque Champlain* y installera une colonie –, le chef Donnacona l'accueille et retrouve ses fils, lesquels demeureront avec leur père. Car Jacques Cartier hisse bientôt les voiles pour remonter encore plus avant le fleuve afin de parvenir à Hochelaga où l'accueillent chaleureusement quelque mille Indiens qui n'ont jamais vu d'Européen auparavant. Or, le navigateur ne s'attarde guère et, après avoir baptisé la montagne qui domine de « Mont Royal », il redescend le Saint-Laurent en direction de Stadaconé. En mouillant sur sa rive, il découvre non sans surprise que les marins qui étaient restés sur place avaient déjà entrepris la construction d'un fort.

Jacques Cartier n'échappera pas à la froidure de ce pays de neige que n'auront de cesse de chanter les poètes au cours des siècles suivants. Prisonniers des glaces, les

Français sont forcés d'hiverner à Stadaconé dans des conditions de froid extrême. Comme le dit l'expression populaire à propos des personnes âgées ou affaiblies « qu'elles ne passeront pas l'hiver ».

Au XVIe siècle, ces conditions climatiques décimaient les autochtones. En cet hiver 1535-1536, des dizaines d'Indiens meurent, et bien que Cartier ait interdit tout contact avec ces derniers, craignant la contamination, les Français sont atteints d'une maladie inconnue alors mais dont on saura plus tard qu'il s'agit du scorbut. Quelques dizaines décèdent, et seul apparemment Jacques Cartier n'en est pas atteint, grâce aux tisanes de feuilles de cèdre blanc concoctées par les Indiens et dont la recette lui est transmise par Domagaya. Les marins, la prière aidant croit-on, retrouvent la santé.

L'on se gardait bien de nous enseigner que Cartier kidnappa en quelque sorte le chef iroquois pour l'amener en France afin qu'il décrive à François Ier les immenses richesses que contenait le Saguenay, cette région accessible par une rivière large comme un fleuve, à laquelle on accède par le Saint-Laurent dont elle est un affluent. Jacques Cartier n'en démord pas, Donnacona doit faire le voyage. Il lui promet d'innombrables présents et l'assure que, dans un an au plus tard, il les ramènera lui et ses deux fils à bon port. Cartier se fait aussi offrir quatre enfants indiens en cadeau.

Cartier n'a rien de substantiel à offrir au roi à son retour. Ce dernier rencontre Donnacona qui apporte à la Cour un exotisme inattendu. Mais le chef iroquois, perdu et rongé d'angoisse, s'ennuie à mourir. Il finira par s'éteindre, ignoré, seul et perdu dans le pays de Cocagne décrit par Cartier, le gentil Cartier qui a d'autres chats à fouetter.

En 1541, le roi demande au navigateur d'établir, sous les ordres du sieur de Roberval, la première colonie française d'Amérique. Le 23 mai, Jacques Cartier quitte encore Saint-Malo avec cinq navires et 1 500 marins. Sa mission, bénite par Rome, est une mission d'évangélisation. À son arrivée, après une dure traversée, Cartier installe une colonie à l'embouchure de la rivière de Cap-Rouge, légèrement au nord de Stadaconé. Mais les Indiens s'offusquent, Cartier n'ayant demandé aucune permission pour construire un village sur leur territoire. Avant l'hiver, ils attaqueront les Français, tuant une trentaine d'entre eux. Cartier battra en retraite. En juin 1542, le navigateur retournera en France, définitivement cette fois. Il se croit en possession d'un trésor qui éblouira le roi. Hélas pour lui, ses « diamants » ne sont que du vulgaire quartz, et les « feuilles d'or » de la pyrite de fer sans valeur.

Jacques Cartier n'ayant pas été à la hauteur des attentes de la Cour avec ses supposées « découvertes » se verra privé de futures missions. Il se retire dans son manoir de Limoëlou, près de Saint-Malo, et y meurt en 1557.

De Jacques Cartier, il reste un pont entre Montréal et la rive sud du Saint-Laurent, des écoles, des rues, une rivière, des lacs, des chutes baptisées de son nom pour rappeler, malgré les révisions de l'histoire, que, sans le navigateur malouin, les Québécois d'aujourd'hui n'existeraient peut-être pas.

Casgrain (Thérèse)

Thérèse Casgrain fut la porte-voix du féminisme canadien et québécois. Née en 1896 et décédée en 1981, sa vie fut intimement liée au combat des femmes. Pour le droit de vote avant la Seconde Guerre mondiale et pour le socialisme à la fin des années quarante.

Elle est issue de la grande bourgeoisie canadienne-française. Son père, Rodolphe Forget, avocat et financier, était un homme politique conservateur. C'est dire la force du tempérament de cette maîtresse femme qui rompit avec la loi du père puis épousa un avocat qui sera député, deviendra le président de la Chambre des communes et par la suite secrétaire d'État sous le gouvernement libéral de Mackenzie King.

Thérèse Casgrain n'a eu de cesse de militer pour l'égalité des sexes, ayant elle-même choisi l'action politique en dépit du fait qu'elle mit au monde quatre enfants. Les bourgeoises émancipées étaient rares dans le Québec catholique, et Thérèse Casgrain ne reculait devant aucun obstacle et n'avait peur ni de Dieu ni des hommes.

Son dernier combat fut celui en faveur du fédéralisme canadien contre la souveraineté du Québec. Elle fut intraitable sur cette question, à la manière de son ami Pierre Elliott Trudeau*, bien qu'elle se situât à la gauche de ce dernier et militât en faveur du socialisme à la canadienne. Elle présida même le Nouveau Parti démocratique, section Québec, durant quelques années. J'ai été un jour prise à partie par Thérèse Casgrain qui me soupçonnait (avec raison) d'être nationaliste. La grande défenseur mais petite femme d'ailleurs fragile ne faisait pas de quartier aux jeunes femmes de mon espèce. Elle m'interpella en des termes violents avec une agressivité à pétrifier une fille moins bagarreuse que moi, me traitant de réactionnaire, de non-instruite, d'idéologue. « Vous devriez avoir honte », conclut-elle avant de tourner les talons. Je m'en souviens comme si c'était hier. Mais cet incident n'a pas affaibli l'admiration que j'ai éprouvée pour cette pionnière de la cause des femmes qui aurait pu vivre de son aisance matérielle, de son statut de grande bourgeoise, de ses contacts au plus haut niveau de l'État, mais qui a perduré dans sa lutte pour les démunis au Canada et les victimes des pays tyranniques à travers la Ligue des droits de la femme.

Thérèse Casgrain apparaissait sur un timbre jusqu'à l'été 2014 alors que le Premier ministre du Canada Stephen Harper retira ledit timbre de la circulation. Même décédée, Thérèse Casgrain dérange encore les conservateurs canadiens.

Catholicisme (L'effondrement du)

L'on ne comprend pas le Québec sans son passé religieux. Les Québécois se sont offert un règlement de comptes avec l'Église et la foi à nul autre pareil. En quelques décennies, l'adhésion à l'Église a quasi disparu. Aucune société ne s'est déconfessionnalisée à ce rythme dans l'histoire. L'excès québécois est aussi un trait culturel calqué sur la géographie, le climat, et sans doute l'absence du poids historique.

Un sondage présenté à la télévision de Radio-Canada en février 2014 illustre de façon spectaculaire cet effondrement de ce qui fut l'identité québécoise jusqu'à la fin du XXe siècle. Qu'on en juge.

Les Québécois à hauteur de 60 % se déclarent catholiques parce que baptisés. Mais 58 % de tous les Québécois et 54 % de ceux qui se déclarent catholiques perçoivent cependant la religion comme peu ou pas du tout importante. Parmi ces derniers, le tiers ne se considère pas vraiment catholique ou alors vit dans un flou spirituel. Dans ces circonstances, l'on ne s'étonne guère que le nombre d'athées et d'agnostiques se soit multiplié. De nos jours, 17 % des gens affirment n'avoir aucune religion.

J'ai vécu dans un Québec où la pratique religieuse touchait plus de 80 % de la population. Seuls de rares incroyants et des mécréants comme mon propre père boudaient l'Église et sa messe hebdomadaire. Dans ce Québec de l'unanimité, la religieuse, le lundi matin, nous interrogeait sur l'église où nous avions assisté à la messe et exigeait de connaître le nom des adultes qui nous avaient accompagnées. J'avais inventé une réponse passe-partout. Mon père, disais-je, travaillait le dimanche et assistait à la messe dans une chapelle située à l'aéroport, près des hangars d'Air Canada. Car ma naïveté ne m'aveuglait pas au point de ne pas deviner les intentions inquisitrices de la sœur.

Aujourd'hui, au Québec, seulement 18 % des catholiques déclarés assistent à la messe hebdomadaire, 82 % affirmant n'y mettre les pieds qu'à l'occasion. Lors des mariages – rares car les Québécois se marient moins que partout en Amérique du Nord –, des funérailles, car les vieux anciens catholiques ne sont pas tous morts, et des baptêmes – encore plus rares du fait des jeunes générations sans référence religieuse.

Mais les Québécois ne reculent pas devant les contradictions. Ils ont même tendance à les entretenir. En effet, 59 % des catholiques exigent des funérailles religieuses dont on peut penser qu'elles sont l'expression ultime de leur identité perdue.

L'avenir du catholicisme ne présage pas « la joie de l'Évangile », pour citer le pape François exhortant les croyants à témoigner de leur foi. L'on pourrait espérer que les catholiques du Québec transmettent cet héritage à leurs enfants.

Or 60 % d'entre eux ne parlent jamais ou rarement de religion avec eux. Et comme l'école publique est déconfessionnalisée, les enfants québécois d'aujourd'hui ne reçoivent aucun enseignement religieux, plutôt des cours d'histoire des religions. Ils ignorent souvent à quoi sert une église, ce qu'est une croix, et Jésus se confond avec la statuette de cire du bébé dans les rares crèches exposées à Noël.

Enfin, une majorité de croyants refuse d'admettre que le Christ est le sauveur de l'humanité, et 26 % déclarent ignorer qu'il serait le Sauveur. Seul le message évangélique « Aimez-vous les uns les autres » trouve grâce à leurs yeux.

Cette révolution, car c'en est une palpable dans le Québec actuel, représente un arrachement brutal et violent d'une partie de l'identité ancienne. Cela s'exprime aussi à travers des phénomènes nouveaux telle la fascination pour les sectes, les gourous de tout acabit et les messies autoproclamés à travers la culture médiatique. S'ajoutent à cela les idéologues, à gauche comme à droite, qui récitent leur catéchisme dichotomique calqué sur celui du passé à l'eau bénite.

La laïcisation est devenue le nouvel Eldorado de l'affranchissement, mais sa nouveauté s'inscrit non sans heurts dans la culture du Québec du XXIe siècle à définir.

Catholique (L'éducation)

Tous les Québécois de plus de quarante ans ont baigné dans l'éducation à l'eau bénite. Le Québec actuel est indéchiffrable si l'on croit que cette force constructrice de l'identité québécoise (destructrice, affirment les zélotes anticléricaux) peut être mise au rancart de l'Histoire. L'on ne déchristianise ni ne décléricalise un peuple en quelques décennies sans perturbation profonde. Notre façon de penser, de croire, de souffrir et d'aimer demeure encore marquée par l'influence de l'Église. Celle-ci a pesé de son poids spirituel, moral et social sur un Québec qui, à l'aube des années soixante, était un mélange d'Italie, d'Espagne et d'Irlande confondues. Il a fallu attendre les années quatre-vingt pour que le Québec déconfessionnalise son système d'éducation. Pour ce faire, l'on a dû amender la Constitution canadienne, laquelle garantissait un système d'éducation catholique et protestant au Québec, ce qui assurait par le fait même la protection du français pour la majorité québécoise. Les écoles neutres, comme on les désigne, datent de vingt-cinq ans.

La Révolution tranquille*, qui a fait exploser les institutions traditionnelles et dont on situe le début en 1960 avec l'élection du Parti libéral, est devenue le mythe fondateur du Québec moderne. Mais cette révolution doit être revisitée car le Québec n'aurait pu continuer à vivre en autarcie intellectuelle et politique sur le continent nord-américain industrialisé ou en voie d'urbanisation croissante. En d'autres termes, la modernisation de la société québécoise était inévitable. Ce qui est surprenant, pour ne pas dire stupéfiant, dans ce grand chambardement social, c'est la vitesse avec laquelle les changements se sont réalisés.

Le clergé, qui avait la mainmise sur l'éducation, les hôpitaux, les services sociaux, s'est retiré sans opposer de véritable résistance. Au début des années quatre-vingt, j'ai invité, dans l'émission « Noir sur blanc » que j'animais alors à la télévision de Radio-Canada, le cardinal Paul-Émile Léger, figure emblématique du catholicisme québécois, qui fut l'archevêque de Montréal pendant la Révolution tranquille. Je l'ai interrogé sur l'attitude passive, en quelque sorte, du haut clergé qui n'a pas tenté de jouer de son influence pour freiner la décléricalisation. Sa réponse fut à l'image de cet homme à la personnalité dramatique. « Chère Denise Bombardier, je voulais éviter que le sang ne coule dans les rues de Montréal. » À n'en point douter, le prince de l'Église que fut Paul-Émile Léger, issu d'une famille modeste de Valleyfield près de la frontière ontarienne, et dont le frère deviendra ambassadeur à Paris, demeurait, malgré les apparences, un fils du pays profond. Comme beaucoup d'autres notables ecclésiastiques dont certains participèrent activement aux changements, dans l'éducation en particulier, le cardinal ne s'interposa pas devant ce mouvement libérateur du Québec.

La création du ministère de l'Éducation en 1964, à la suite des recommandations de la Commission royale d'enquête sur l'éducation, dirigée par Mgr Alphonse-Marie Parent, vice-recteur de l'Université Laval à Québec, et dont était membre sœur Ghislaine Roquet, grande pédagogue vouée à l'éducation supérieure des filles, révolutionna la société. La démocratisation de l'enseignement fut amorcée. Et, qui plus est, nombre de clercs et surtout d'ex-clercs se retrouvèrent dans la haute fonction publique du nouveau ministère ou dans les collèges d'enseignement général et professionnel (CEGEP) qui remplaçaient les collèges classiques, propriétés des communautés religieuses.

La résistance de l'Église officielle à son propre déboulonnage fut donc faible. D'autant que les communautés religieuses furent secouées par de très nombreux abandons de la part de leurs membres, souvent les plus instruits et actifs. Alors que j'enseignais dans une école publique de niveau secondaire, j'ai été témoin de la « folie » de cette époque. Un vendredi en fin de journée, une religieuse revêtue de l'habit noir partit pour le week-end. Elle réapparut la semaine suivante au volant d'une Pontiac verte rutilante dont elle avait fait l'acquisition, revêtue d'un joli tailleur et de souliers à talons hauts, et se présenta dans ses salles de classe où elle enseignait les mathématiques à des jeunes de quatorze-quinze ans. Ce n'était plus « Bonjour ma sœur », mais « Bonjour madame ». Quelques enseignants firent grise mine, mais dans l'ensemble la transformation de sœur Jeanne de la Croix en mademoiselle Jeanne Tremblay fut vécue comme l'expression du vent de liberté dont se grisait le Québec. Bien sûr, quelques décennies plus tard, nous serons à même d'évaluer les soubresauts de telles ruptures. Mais les Québécois, descendants d'explorateurs, ne boudent pas leur plaisir de déstabiliser leur société et d'explorer de nouvelles façons d'être. La devise du Québec « Je me souviens » pourrait arc-bouter le dicton « Jusqu'à aller trop loin ».

Les critiques les plus tonitruants, les plus parti prenants, contre le cléricalisme qui a dominé le Québec, persistent aujourd'hui, parmi les baby-boomers en particulier. Il existe toujours une haine des clercs chez ceux qui n'ont pas réussi à se libérer du poids de la catholicité étouffante. C'est au Québec qu'on peut lire et entendre les propos les plus acerbes – et injustes – sur le rôle passé du clergé, aujourd'hui en voie d'extinction. Le cardinal Marc Ouellet, sérieux candidat à la papauté, fut traîné dans la boue au cours des jours précédant l'élection du nouveau pape François. Nombre de Québécois, même les plus chauvins, refusaient d'envisager comme un honneur pour le Québec l'élection du cardinal Ouellet, « conservateur encrassé, défenseur des pédophiles », à la fonction suprême. On observe aussi cette tendance parmi les jeunes générations qui n'ont pourtant rien connu de cette éducation bornée où tout tournait autour du péché. L'opposition à l'Église se cristallise sur les questions de mœurs : le mariage gay, l'avortement, l'exclusion des femmes de la prêtrise, le divorce, la pédophilie cléricale, tout est confondu, et l'Église est vouée à la géhenne. D'ailleurs, quelques Québécois, dont des personnalités du show business, ont même renoncé publiquement à leur foi ces dernières années sous les applaudissements de nombreux jeunes qui n'ont jamais reçu d'éducation religieuse et ignorent même l'existence du Saint-Esprit, de la Sainte Vierge et du Jésus crucifié. Les Québécois, influencés en cela par le climat, ne dédaignent pas l'excès lorsqu'il s'agit de théâtraliser leur histoire.

Champlain (Samuel de)

Un incendie ayant détruit les registres de Brouage antérieurs à 1690, l'affirmation selon laquelle Champlain soit né à Brouage en 1570, comme on nous l'a enseigné, demeure sujette à caution. Seule certitude, son décès à Québec le jour de Noël 1635. Dans le récit teinté de piété dont on entourait la vie de Champlain, nulle possibilité aujourd'hui vraisemblable que le fondateur de Québec en 1609 puisse être protestant, Brouage, ancienne province de Saintonge, aujourd'hui Charente-Maritime, étant alors une ville huguenote et Champlain un prénom biblique attribué aux protestants. Quel scandale cela aurait été dans le Québec d'alors ! L'on admirait Samuel de Champlain, le catholique converti, ce que nous ignorions. L'homme possédait une culture et une vision du monde très supérieures à celles de beaucoup d'autres personnages de notre histoire, apprenait-on. J'étais fière d'avoir un tel géant à l'origine de l'établissement de mes ancêtres dans le pays.

Samuel de Champlain, explorateur, géographe, dessinateur de grand talent, est certainement le personnage qui crée le plus de polémiques parmi nos historiens. Surtout les plus jeunes. Selon Mathieu d'Avignon, l'homme aurait réécrit l'histoire en excluant les autres explorateurs afin de construire lui-même son mythe, ce qui, on l'avouera, est plutôt chose courante. Il n'aurait donc pas été le fondateur exclusif de Québec et de la Nouvelle-France et n'aurait pas installé la colonie sur des « terres vierges » puisqu'une alliance entre les Français et les Montagnais avait été scellée dès 1603. Bien sûr, ce déboulonnage du héros ne concerne que les spécialistes, et les Québécois ont appris à travers l'histoire du Québec à admirer l'homme aux grands projets, celui qui, en dépit de l'indifférence des autorités royales, s'est entêté à assurer la pérennité de la présence française le long du Saint-Laurent. Celui aussi qui a développé l'impressionnant réseau de la traite des fourrures, favorisé les liens étroits avec les indigènes et exercé une emprise évidente sur les Hurons, les Algonquins et les Montagnais, ces « bons Indiens », apprenions-nous, qui ne cherchaient pas à combattre les Français et qui souvent consentaient à se faire baptiser catholiques.

Tout sur Samuel de Champlain est sujet à des réserves. Il aurait commencé jeune à naviguer. Il aurait voyagé jusqu'aux Indes occidentales, est-il écrit, mais l'œuvre qu'on lui a attribuée, *Bref Discours*, et qu'il n'a lui-même jamais publiée, est-elle vraiment de lui ? Doit-on conclure qu'il a inventé ces exploits de jeunesse ? Lorsqu'il part de Honfleur en expédition le 15 mars 1603 à bord d'un des navires du capitaine François Gravé du Pont envoyé en expédition par le commandeur Aymar de Chaste, responsable du monopole commercial de la Nouvelle-France, Champlain n'a aucune fonction précise. Bien qu'il agisse en géographe, il n'a pas le titre de géographe du roi. Il n'est qu'un observateur, et s'il n'avait pas publié le récit de ce voyage à son retour, à l'automne de la même année, cette première incursion de Champlain en Nouvelle-France serait passée inaperçue.

La *Bonne Renommée* sur laquelle il a navigué mouille à Tadoussac, à l'embouchure de la rivière Saguenay, à quelque 200 kilomètres au nord de ce qui deviendra la ville de Québec. Il aura aussi l'occasion d'étudier à loisir les mœurs des indigènes. Il notera que, au cours de leurs fêtes, les Algonquines dansent nues. Rien, à l'évidence, ne lui échappe. Et c'est en remontant le Saguenay sur une douzaine de lieues qu'il interrogera les marins sur cet impressionnant bassin hydrographique. On lui apprendra alors l'existence d'une mer salée au nord. Samuel de Champlain n'en conclura pas comme tous les autres avant lui qu'il s'agit de la mer d'Asie. « C'est quelque gouffre que ceste mer qui desgorge par la partie du nort dans les terres. » Cette remarque amène à penser que Champlain a, en quelque sorte, eu l'intuition de la baie d'Hudson que découvriront les Anglais en 1610.

Rentré en France en septembre 1603, il s'embarquera de nouveau en mars 1604, vers l'Acadie cette fois. Pourquoi l'Acadie ? Parce qu'on lui a suggéré qu'il pourrait y trouver la route vers l'Asie, cette terre d'espoir pour les Européens de l'époque. Henri IV l'aurait chargé de lui faire rapport des découvertes, mais il n'a toujours pas de titre officiel. C'est Champlain cependant qui choisit le lieu où établir la colonie, mais il décide d'un pied-à-terre temporaire. Ce sera Port-Royal, aujourd'hui Annapolis en Nouvelle-Écosse.

À son retour en France, Samuel de Champlain n'aura de cesse de convaincre les autorités de retourner explorer la Nouvelle-France. Le 13 avril 1608, il entreprend son troisième voyage, cette fois à titre de lieutenant de Pierre Dugua de Mons. Arrivé à Tadoussac le 3 juin, il repartira un mois plus tard, non pas à bord du navire le *Don de Dieu* sur lequel il avait fait la traversée, mais dans une barque, afin de remonter le fleuve pour construire une habitation à la « pointe de Québec ». Arrivé le 3 juillet, il s'empressera de faire lever de terre trois corps de logis et un magasin pour les vivres. Cet ensemble entouré de fossés de quinze pieds et d'une palissade de pieux sera le berceau de la présence française en Amérique.

Champlain fut un visionnaire et un bâtisseur à l'énergie contagieuse. Il sema du blé, du seigle, créa des jardins, planta des vignes et survivra à l'hiver de démesure où les habitants étaient décimés par le scorbut.

À la fin du printemps, le découvreur infatigable repart plus avant à la recherche du pays des Iroquois. Il se rend jusqu'à Chambly à la porte de ce qui deviendra Montréal plus tard, et il poursuit plus en amont son périple accompagné de Hurons, d'Algonquins et de Montagnais. Il découvre alors un lac immense qui portera son nom, le lac Champlain, aujourd'hui partagé entre le Québec et l'État de New York, et qui fait la joie des amateurs de bateaux, américains et canadiens.

Le 29 juillet, à Ticonderoga, désormais Crown Point dans l'État de New York, Champlain et sa petite troupe découvrent les Iroquois. Le lendemain, la bataille éclate. Champlain ne laisse pas ses hommes attaquer seuls. Il fonce sur l'ennemi et fait feu de son arquebuse, tuant deux chefs iroquois. Les coups tirés par ses compagnons français sèment la panique chez l'ennemi. Par cet affrontement, Champlain peut être qualifié d'initiateur de la première opération militaire en Nouvelle-France. On sait que la guerre se poursuivra entre les Français et les

Iroquois, mais on peut attribuer à Champlain la paternité officielle de ce long et meurtrier conflit. De plus, par cette avancée si profonde à l'intérieur du territoire, Samuel de Champlain, le géographe, aura élargi les possessions françaises et ouvert une route qui, jusqu'au XIXe siècle, sera une voie stratégique pour les Européens. Après cette victoire, Champlain abandonne le commandement de Québec à Pierre Chauvin de Tonnetuit et rentre en France où il débarque à Honfleur le 13 octobre 1609. Il fait rapport au roi mais ne peut le convaincre du bien-fondé de l'installation permanente des Français à Québec. C'est pourquoi l'habitation sur les bords du Saint-Laurent servira exclusivement, durant plusieurs années, de comptoir de la traite de fourrures.

Champlain reviendra plusieurs fois en Nouvelle-France, faisant toujours le coup de feu contre les Iroquois. Et lors d'un voyage à Québec en 1611, il s'aventurera de nouveau vers ce qui deviendra Montréal, trente et un ans plus tard. Il cherche « une place pour y baster ». Il choisit un site, aujourd'hui la Pointe-à-Callières dans le Vieux-Montréal, car à l'époque de Jacques Cartier* les Indiens y avaient labouré la terre. Il défriche le bois de ladite place qu'il baptise du nom de Royale. Cependant, il ne poussera pas avant ce projet, et il faudra attendre le sieur Chomedey de Maisonneuve*, en 1642, pour que les assises de Montréal prennent corps.

Samuel de Champlain n'aura eu de cesse de voyager entre la France et Québec et mit longtemps à être reconnu officiellement par le roi. Le 8 octobre 1612, Louis XIII désigne Charles de Bourbon, comte de Soissons (futur prince de Condé), son lieutenant général pour la Nouvelle-France. L'homme, dans les bonnes grâces du roi, a de l'influence. Il désigne Champlain pour commander en son nom. Un mois plus tard, Champlain devient son lieutenant. Sans en avoir le titre ni la commission, Champlain détient tous les pouvoirs d'un gouverneur. Il s'établit alors à Québec et développe le commerce en signant des alliances avec les Montagnais et les Hurons, par lesquelles il s'engage aussi à prêter main forte à ceux-ci dans la guerre qu'ils livrent aux Iroquois qui occupent des territoires jusqu'au sud du lac Ontario. Champlain les combattit plusieurs fois en compagnie de ses alliés.

Québec connaît un développement très important sous le règne de Champlain, mais hélas, la colonie est victime de la guerre franco-anglaise de trente ans. Québec est conquise par les frères Kirke et occupée par les Anglais de 1629 à 1632. Ces frères Kirke, j'ai appris à les détester à dix ans, et je me souviens d'un cours d'histoire du Canada où notre institutrice laïque, Mlle Lafrance (ça ne s'invente pas), avait versé des larmes en nous révélant cette triste page de notre histoire. Quant à Champlain, il quitte la colonie durant ces quatre années, mais revient « chez lui » en 1633 après que le cardinal de Richelieu l'eut nommé gouverneur.

Hélas, le temps lui est désormais compté. Peu après son arrivée, le 22 mai 1633, il fait construire une chapelle, Notre-Dame-de-la-Recouvrance, sur le cap Diamant. Durant l'été, il écrit à Richelieu pour le convaincre de mettre fin à la traite anglaise de fourrures à Tadoussac, et surtout il réclame l'autorisation de déclencher une guerre d'envergure contre les Iroquois. Dans un rapport datant du 15 août 1633, il suggère même qu'on extermine cette tribu s'il est impossible de les faire « venir à la raison ». Avec l'arrivée de plusieurs familles de colons, Champlain considère que le développement et la prospérité future de Québec sont mis en péril par les Iroquois belliqueux dont les descendants, les Mohawks, ont gardé cette animosité envers les Blancs et les autres tribus. Le goût de guerroyer ne les aura jamais quittés.

Samuel de Champlain, l'infatigable explorateur, le visionnaire, l'homme courageux, sans peur sinon sans reproche, est frappé de paralysie en octobre 1635. C'est le jésuite Charles Lalemant qui lui administrera les derniers sacrements. Il mourra le 25 décembre, et on l'inhumera provisoirement dans un lieu anonyme. N'oublions pas que, encore aujourd'hui, il est impossible d'enterrer les morts en hiver. Par la suite, l'on transportera le corps dans une chapelle à son nom qui sera détruite par un incendie en 1641. Si bien que le mystère demeure entier quant à ses restes et est sujet à débat au Québec. Des travaux ont même été entrepris à différentes époques mais, à ce jour, il semble impossible de retrouver quelques traces de la dépouille de celui qui a fondé et rêvé le Québec, seule terre demeurée française en Amérique du Nord.

Les écrits de Champlain révèlent l'homme d'action plutôt que l'écrivain. Polyvalent, curieux de tout, courageux physiquement, il est habité par une idée, la grandeur de la France et son expansion. Ce réaliste est une personnalité qui fascine même ses détracteurs.

Samuel de Champlain tenait une place privilégiée dans l'histoire du Canada telle que racontée dans notre école primaire, à Montréal, l'école Hélène-Boullé, puisque celle-ci était son épouse. Dans les années cinquante, l'on ne nous enseignait que l'histoire édifiante d'un couple heureux et uni. Or, l'on sait, depuis les recherches des historiens, celles de Marcel Trudel avant tout, que le 27 décembre 1610, deux ans après la fondation de Québec, Samuel de Champlain, âgé d'environ quarante ans, signe un contrat de mariage avec Hélène Boullé, une enfant de douze ans. La cérémonie religieuse se tiendra à l'église Saint-Germain-l'Auxerrois à Paris. Champlain touchera alors 4 500 livres de la dot promise de 6 000 livres, ce qui permettra le financement de ses expéditions.

C'était l'époque où l'on contractait mariage avec des enfants. J'imagine la réaction de mes religieuses enseignantes si elles avaient su que leur héros pieux et admirable avait été ce qu'il conviendrait d'appeler à notre époque un pédophile.

Chanteurs phares (Les)

Les chanteurs québécois ont cristallisé le rêve collectif. C'est à travers la poésie populaire de ces héros culturels que s'est écrite l'histoire vivante, vibrante, turbulente et décevante d'un Québec aux prises avec des désirs contradictoires, l'ambivalence étant une vertu, de toute évidence, chez le francophone de cette parcelle de continent en Amérique du Nord.

Le 13 août 1974, avant l'avènement de l'élection du Parti québécois en 1976, mais quelques années après que des bombes explosèrent et que le Front de libération du Québec eut kidnappé un diplomate anglais et un ministre du Parti libéral que les terroristes assassineront, un événement d'une dimension inégalée se produisit à Québec sur les Plaines d'Abraham, lieu de la défaite française de 1759. Dans le cadre de la Superfrancofête, plus de 100 000 personnes assistèrent un doux soir d'été au concert intitulé « J'ai vu le loup, le renard, le lion » du trio le plus mythique de la chanson populaire : Félix Leclerc*, Gilles Vigneault* et Robert Charlebois*. Trois générations, une même ferveur, un même amour inconditionnel de leur pays s'offrirent corps et âme à la foule en délire. L'aîné, Félix Leclerc, ayant tracé le sillon dans lequel Gilles Vigneault, le fils de Natashquan, posera sa voix rauque et ses mots fleuris, et Robert Charlebois, le benjamin créateur du rock en français, iconoclaste provocateur et tendre « gars ordinaire », s'inscrira dans cette filiation.

Charlebois (Robert)

Le petit dernier du trio mythique en est aussi l'enfant terrible et le mouton noir. Avec sa tête d'ange cornu, auréolé d'une chevelure bouclée et trop volumineuse, le rocker de la chanson québécoise a révolutionné à sa façon le genre musical et poétique. Avec l'aide de poètes comme Claude Péloquin, Mouffe, la compagne de sa période la plus éclatée, et même Réjean Ducharme, l'écrivain fantôme, il prend le joual* à bras-le-corps pour chanter ses plus grands succès tels « Lindberg », « California », « Entre deux joints », « Cauchemar ».

Il débarque dans le show business dans les années soixante, qui sont celles de la turbulence nationaliste. Mais un nationalisme enjoué, progressiste, iconoclaste. *L'Osstidcho*[1] (1968) est un spectacle d'une créativité décoiffante, d'une inventivité devant laquelle le public ne redemande qu'à délirer. Avec lui et son gang de musiciens ainsi que la chanteuse à la voix envoûtante Louise Forestier, le père de l'humour québécois, Yvon Deschamps, et Mouffe s'inscrit la période la plus musicalement exaltante de la Révolution tranquille*.

J'ai gardé un souvenir impérissable de ce show présenté à Montréal à la Comédie canadienne, dans une salle surchauffée où les spectateurs jeunes, vibrants étaient envoûtés par cette musique, mélange de blues et de rock. Dans cette langue dans laquelle nous retrouvions cette partie de nous-mêmes intraduisible aux autres comme le

1. *Hostie de show*, c'est-à-dire « Un sacré spectacle ».

titre « Osstidcho », il y avait paradoxalement une ouverture au monde et un repli clanique.

Robert Charlebois a traversé sa vie sans que s'éteigne cette énergie et cette poésie qui lui sont propres. Lorsque le Québec l'a quelque peu délaissé, la France et le reste de la francophonie ont continué de lui ouvrir les bras. En ce sens, il a suivi un parcours semblable à celui qui défricha le terrain. Félix, pour lequel Charlebois éprouve une admiration teintée du respect dû au Commandeur. Car sa notoriété en francophonie est à la hauteur de celle de son aîné.

Robert Charlebois le provocateur n'a pas hésité au cours de sa carrière à prendre ses distances vis-à-vis du mouvement souverainiste. Le révolté des années soixante est même devenu l'ami intime du plus puissant financier canadien feu Paul Desmarais, le créateur de Power Corporation. La chanson « L'Indépendantriste » écrite par Charlebois pose le dilemme vécu par nombre de Québécois et explique en partie les résultats négatifs des deux référendums sur la souveraineté.

Faut qu'on s'sépare, y faut qu'on splite
C'est toi qui pars ou moi j'te quitte
Prends le Pacifique, j'garde l'Atlantique
Forever indépendant triste
Faut qu'on s'sépare, y faut qu'on splite
C'est toi qui pars ou moi j'te quitte
Sois pacifique, j'reste authentique
Together indépendant triste.

Charlebois demeure une icône de la chanson populaire, et nombre de baby-boomers, même souverainistes, lui conservent une admiration à la hauteur de son statut de chanteur culte de sa génération. Son influence artistique sur des chanteurs des générations suivantes demeure, bien qu'aucun d'entre eux n'ait incarné avec autant de force et d'originalité la période grisante de la contestation dans les pays francophones.

Charlevoix

C'est une région gâtée par la nature et pourtant les navigateurs français venus en exploration au XVIIe siècle ne croyaient pas possible d'habiter ce territoire enclavé entre le Saint-Laurent et les montagnes qui commence à Baie-Saint-Paul et s'étend en passant par La Malbaie jusqu'à Tadoussac à l'embouchure de la rivière Saguenay qu'a remontée Samuel de Champlain*. C'est une région où l'on retrouve de nombreuses maisons ancestrales que leurs propriétaires cajolent et entretiennent avec goût et amour.

Quiconque venant de Québec arrive au sommet de la côte qui domine Baie-Saint-Paul, langoureusement couchée devant le fleuve, éprouve une émotion aussi forte que le paysage. Charlevoix marie le fleuve aux montagnes, la douceur des collines comme autant d'écrins semés le long du Saint-Laurent à la sauvagerie de l'arrière-pays inhabité qui grimpe vers le Nord, le grand, l'austère, l'intimidant Nord jusqu'à la baie d'Hudson.

La route du fleuve de Baie-Saint-Paul à Tadoussac est un enchantement à toutes les courbes et au-dessus de toutes les descentes vertigineuses qui la caractérisent. Il y a un raffinement de la nature typiquement charlevoisien. Tous les culs-de-sac vers le fleuve, dont la largeur atteint 25 à 40 kilomètres le long de ses côtes, mènent à des secrets encore protégés comme Cap-aux-Oies, Anse-au-Sac, Port-au-Persil, des lieux-dits plutôt que des villages où les bourgeois discrets de Québec et d'ailleurs installent leur chevalet l'été et chaussent leurs skis de fond l'hiver.

Pourquoi n'avouerais-je pas que j'ai plus qu'un faible pour cette région où le poisson frémit, mais surtout où peu de paysages choquent le regard sauf l'abominable centre commercial qui fait dos au fleuve, heureusement pour lui, le long d'une route à quatre voies à La Malbaie ? Charlevoix est si attirant que les bélugas, ces petites baleines blanches que les gens du pays appellent marsouins, s'y donnent rendez-vous au large de Tadoussac pour le bonheur des touristes locaux ou étrangers qu'on amène en bateau assister à leurs ballets enchanteurs. Le jour où j'ai entraîné mon Anglais de mari, sceptique et réservé devant mes promesses d'un déploiement « bélugain », les marsouins nous firent fête. Ils étaient plus d'une cinquantaine à tourner autour de l'embarcation avec éclaboussements et bruits gutturaux ou nasaux en prime.

La région de Charlevoix est la terre d'origine des Tremblay, l'équivalent des Dupont en France, des Simard, des Bouchard, ces habitants qui se sont perpétués avec vigueur, allégresse, sans gêne et avec une bonne humeur plus appuyée que dans les autres régions. Les Québécois de Charlevoix n'hésitent pas à aborder les étrangers. Ce sont des parleux sans complexe, moins inquiets qu'ailleurs de connaître le jugement de l'étranger sur leur coin de pays qu'ils considèrent le plus spectaculaire du

Québec. Un Charlevoisien à qui je demandais s'il voyageait m'a permis de saisir l'essence de l'âme locale : « Regarde le fleuve. Tu le vois ? Y a rien de plus à dire ! » En clair : pourquoi aller voir ailleurs alors que la beauté habite Charlevoix ?

L'Isle-aux-Coudres, au milieu du fleuve, lieu du film culte de Michel Brault et Pierre Perrault, *Pour la suite du monde*, fut baptisée par Jacques Cartier* lors de son second voyage en Nouvelle-France en 1535. Le couldre, dont l'orthographe fut transformée en « coudre » à travers les siècles, est un arbuste qui donne des noisettes. L'on se rend sur l'île par un traversier au départ de Saint-Joseph-de-la-Rive, un petit port où la romancière Anne Hébert venait trouver son inspiration.

Les habitants de l'Isle-aux-Coudres jusqu'en 1924 étaient des pêcheurs de bélugas. Ces insulaires s'exprimaient dans une langue typique, aujourd'hui disparue, et dont les héros du film, Léopold et Alexis Tremblay, furent les derniers dépositaires. *Pour la suite du monde* a fixé à jamais la mémoire de ces hommes dont la carrure est à la mesure du Saint-Laurent et ses caprices.

Chasseurs (Les)

Avant tout, une distinction s'impose entre la chasse au petit et celle au gros gibier. Abattre une perdrix, un lièvre ou un faisan peut-il se comparer à tuer un chevreuil, un orignal, un caribou ou un ours ? L'acte est certes le même bien que l'esprit, la manière, le rituel et l'adrénaline du prédateur, en l'occurrence le chasseur, oscillent considérablement. Le *kick*, comme on dit au Québec, augmente en proportion de la taille ou de la dangerosité de l'animal. L'orignal engoncé dans ses 2 000 livres, la gueule ouverte du loup même émacié ou le regard de l'ours terrorisé prêt à l'attaque font augmenter les pulsations cardiaques de celui qui s'apprête à poser le geste quasi religieux d'abattre sa proie et peut susciter un tremblement incontrôlable au moment de peser sur la gâchette. C'est la fameuse *buck fever* tant redoutée des chasseurs.

J'ai cessé de chasser le petit gibier il y a plusieurs années après avoir raté un lièvre qui, blessé, s'est mis à geindre comme un bébé. Je garde intacts en mémoire ces « pleurs » qui m'ont fait définitivement rendre les armes. J'ai échangé mon joli fusil, presque féminin par la finesse de sa forme, à un ami contre des perdrix et des faisans. Je crois me souvenir que j'avais négocié 25 % des produits de sa chasse annuelle durant cinq ans, profitant d'un certain charme que j'exerçais alors sur lui. Hélas pour moi, il s'est volatilisé après deux saisons de chasse, et lorsque, quelques années plus tard, je l'ai croisé de nouveau, le gibier qu'il me devait devait être plus que faisandé.

J'ai des amis amateurs de chasse. Des passionnés, des exaltés qui pratiquent ce sport comme un art désormais remis en cause par le mouvement mondial de protection des animaux. Faut-il préciser que les braconniers, ces tueurs sans foi ni loi qui sévissent sur la planète et au fond des bois québécois, indifférents à la disparition des espèces, ne sont évidemment pas mes amis ?

Les Dupont, en revanche, sont des chasseurs dignes de nos ancêtres. Avant le repas, ils pêchent des truites dans leurs lacs pendant que d'autres se les procurent à la poissonnerie, habités par une fringale de mouchetées. Mes amis possèdent un énorme camp en rondins où se retrouvent empaillés sur les murs tous les animaux du Québec. Ils chassent et trappent hiver comme été dans le respect absolu des règlements stricts du ministère du Tourisme, Chasse et Pêche. Mais, à l'évidence, les farouches adversaires de la chasse et de la pêche ne se retrouvent pas parmi leurs intimes. Lorsqu'ils débarquent dans leur domaine au nord de la ville de Québec sur des terres historiques qui appartenaient au Séminaire de Québec, qui les avait reçues des autorités sous le régime français, ils se métamorphosent. Ce ne sont plus les hommes d'affaires cravatés que l'on croise dans les événements sociaux de la capitale. Ils revêtent leurs habits de chasseurs et se mettent à l'écoute. Leur ouïe s'affine, leur odorat s'animalise, dirait-on. Comme s'ils se branchaient sur la fréquence « animal ». Ils sentent le gibier à distance, ils en vibrent, et dès qu'ils entrent dans le bois, leurs yeux empruntent les qualités du verre grossissant. Une trace à peine visible, une branche très légèrement ployée, des feuilles altérées qu'à l'œil nu le novice trouve intactes les renseignent sur un léger grignotage, indice du passage de la bête tant désirée.

Ces hommes et quelques rares femmes (féminisme oblige) sont les héritiers de générations de Québécois à l'ADN inscrit dans la nature. Ce sont non seulement des gens de forêt mais aussi de silence, d'espace, conscients d'habiter un territoire qu'ils partagent avec les animaux pour lesquels ils gardent une affection et un respect indéniables. Les orignaux au panache intimidant, ces rois de la forêt, les impressionnent jusqu'à l'obsession.

Bien que la chasse officielle soit automnale, mes amis chasseurs la préparent de longue haleine. Dès le commencement du printemps, ils débutent la prospection du territoire en distribuant les salines qu'ils déposent près des trous d'eau et des vasières. Pour la chasse à l'arbalète dont ils sont aussi amateurs et qui est limitée à quinze jours avant la chasse à la carabine, ils installent les blocs de sel dont raffolent les orignaux et les chevreuils dans des milieux quasi fermés afin de pouvoir éventuellement retrouver rapidement la bête qui ne serait pas mortellement blessée. Notons qu'à la chasse à l'arbalète le règlement exige d'être à 100 pieds maximum (30,5 mètres) de l'animal à abattre. L'été oblige donc les chasseurs à un travail épuisant mais rempli d'espoir. Les sentiers doivent être fréquemment débroussaillés, et des salines déposées à la tête et la décharge des lacs tout l'été durant. Il est aussi impératif de construire une plate-forme de tir à l'arbalète car les animaux changent de sentiers d'une année à l'autre. On est loin ici de la chasse offerte aux touristes qui débarquent en forêt en suivant le guide comme un GPS. La chasse à la manière des Dupont est une chasse qui se mérite. Ces décrypteurs de pistes d'animaux sont les maîtres de leur territoire et non des locataires avec forfaits tout inclus.

Je n'ai donc jamais participé à la chasse au gros gibier, activité trop « virile » à mon goût. D'ailleurs, les chasseresses sont encore peu nombreuses dans le Québec du féminisme assumé. L'idée d'abattre une bête de 1 000 livres, de devoir l'éviscérer dans un flux de sang dont l'odeur défonce les narines et de s'épuiser, malgré l'armada d'équipements, à transporter l'animal sur des kilomètres, souvent à travers la forêt inextricable, dense, jonchée d'obstacles et de cours d'eau souterrains où l'on risque d'enliser les véhicules tout-terrain m'attire autant que de grimper l'Everest. Mais la passion dévorante (c'est le cas de le dire) des chasseurs me fascine. Comment ne pas être impressionné également par le matériel forestier de mes amis ? Qu'on en juge : ils possèdent deux VTT sur roues et chenillettes équipés d'un treuil d'une puissance de 6 500 livres pour traîner l'orignal ; deux autres avec treuil également pour circuler dans les sentiers difficiles ; un autre encore, très puissant, toujours avec treuil. S'ajoutent à cette quincaillerie quatre motoneiges Bear Cat 1000 pour le trappage. Ces motoneiges sont des machines énormes, redoutables ; j'en possède une qui me permet d'accéder à mon camp de pêche l'hiver, alors que la route est impraticable.

Le goût de la chasse, la fièvre du rite automnal se transmettent de génération en génération. Hors des grandes villes avant tout. La culture urbaine éloigne plutôt les gens de la nature : on la préfère plus apprivoisée, plus aseptisée, sans moustiques, à l'écart des bêtes sauvages, dans des décors recréés sur le modèle de la ville. Mais l'on assiste à une désaffection de la chasse ; sous la pression des ardents militants de la cause animale, certes, mais aussi d'un recul des valeurs dites « viriles » d'avant l'ère de la rectitude politique.

Les chasseurs font donc profil bas et n'affichent que rarement leurs trophées comme ils le faisaient par le passé. Tels les fumeurs, ils vivent leur passion dans la discrétion, et pour croiser des chasseurs et leur orignal écartelé sur le capot de leurs camions, la tête relevée vers le ciel, il faut rouler hors des centres urbains. Il y a fort à parier que, dans le futur, la chasse puisse se transformer en un art en perdition, et le chasseur en un excentrique, une espèce en fin de race.

Chiniquy

Toute ma jeunesse, j'ai entendu ma grand-mère reprocher à certaines personnes, surtout des hommes, d'être « des vrais chiniquys ». J'ignorais que Chiniquy était un personnage, croyant plutôt qu'il s'agissait d'un adjectif argotique qu'elle glissait dans ses conversations. J'ai compris plus tard qu'elle désignait ainsi un mécréant du genre de mon père, qui ne fréquentait pas l'église et diabolisait le clergé.

En fait, ma grand-mère faisait référence à Charles Chiniquy, né en 1809 et décédé en 1899, un homme charismatique, un personnage extravagant, excessif, provocateur, et qui entrera dans la petite histoire du Québec à titre de père Fouettard de l'intempérance. Chiniquy deviendra par la suite un iconoclaste, perturbateur du Canada-français catholique, car, après avoir été prêtre, il rejettera l'Église pour se convertir au protestantisme. Il prendra épouse et exercera la fonction de ministre presbytérien.

Dès sa naissance, Chiniquy créera l'événement. En effet, fils d'une mère issue de la grande bourgeoisie, neveu d'un seigneur puissant du Bas-Canada, Amable Dionne, de nombreux invités se retrouveront autour des fonts baptismaux. Onze personnes signeront son acte de baptême. Le bébé semble donc prédestiné.

À la mort prématurée de son père, un alcoolique invétéré, l'enfant est adopté par le seigneur Dionne qui veillera à la qualité de son éducation classique. Mais un premier incident le concernant apparaît comme une prémonition. L'oncle le chasse de sa famille après qu'il eut semble-t-il agressé une de ses sœurs adoptives. Sa relation douteuse avec les femmes, qu'il semble attaquer plutôt que séduire, l'entraînera dans des déboires futurs, mais jamais il ne s'amendera. Au contraire, ce chaud lapin, prêtre aux mains consacrées, en fera un usage douteux au-delà de la Sainte Table, ce qui lui vaudra des exclusions épisodiques des paroisses où il officiera comme curé.

Il choisit la prêtrise malgré ses pulsions de coureur de jupons, mais sa formation théologique sera de peu de poids. Sa faconde, sa flamboyance et ses dons d'orateur le classent rapidement au-dessus de ses confrères. Ce qui explique qu'à vingt-neuf ans, l'évêque de Québec le nomme curé de Beauport, en banlieue de la capitale. Chiniquy trouvera rapidement sa voie vers le succès en menant campagne contre l'intempérance. Il attire les foules partout où il prêche. « Partout où son zèle l'a porté, l'intempérance a fui devant lui », peut-on lire dans le journal *Le Canadien*. Transformé en père Fouettard de l'alcoolisme, son ascension vers la gloire l'enivre. Il pourfend les ivrognes, mauvais pères de famille, mauvais époux, dont les premières victimes de cet alcoolisme sont les femmes. Pas étonnant que celles-ci s'entichent du curé Chiniquy à la manière des fans des rock stars d'aujourd'hui.

Il crée une société de tempérance à laquelle les adhérents jurent solennellement de ne jamais boire et de ne jamais fréquenter les cabarets. Emporté par son zèle, Chiniquy décide de faire construire une colonne de tempérance surmontée d'une croix à Beauport, dans sa paroisse. Colonne corinthienne au chapiteau doré d'une dizaine de mètres, elle sera démolie au début du XXe siècle. Mais cette colonne, témoin du triomphe de la tempérance, est d'abord un monument à la gloire de Chiniquy afin d'assurer sa pérennité. Le coup de maître de ce prêtre plus vedette que mystique consiste à faire inaugurer le monument non par l'évêque de Québec mais par un évêque français venu dans le Bas-Canada pour prêcher les retraites paroissiales. Dix mille personnes assistent à cette bénédiction. Chiniquy triomphe, bien que la quête n'eût pas rapporté les sommes espérées et qu'il dût débourser de sa poche une partie des frais. C'est bien peu payer pour continuer sa trajectoire vers une reconnaissance populaire aussi grisante pour lui que dérangeante pour une partie du clergé, mécontent de l'agitation du prêtre adulé par les foules.

Chiniquy tombe pour la seconde fois, victime des plaisirs de la chair. En 1842, à la stupéfaction de ses ouailles, le curé archiprêtre est démis de ses fonctions et expédié, enterré serait le mot le plus juste, dans une paroisse du Bas-Saint-Laurent pour assister un vieux curé. Ni l'envie qu'il provoque ni les tensions existantes entre lui et son évêque n'expliquent cette punition soudaine. Dans un mémoire secret révélé plus tard, il appert que Chiniquy avait eu des contacts inappropriés avec les dévouées servantes travaillant au presbytère.

Avant l'époque des réseaux sociaux et de Facebook, le dicton « A beau mentir qui vient de loin » s'appliquait.

Chiniquy fait donc contre mauvaise fortune bon cœur. Il continue de répandre sa parole tonitruante anti-alcool à travers les paroisses du Bas du Fleuve où l'on ignore ses écarts de conduite, et sa célébrité prend du galon. Mais le diable lui tend un nouveau piège en la personne d'une dame aussi pieuse que délurée qui habite dans un village calme et discret où le prédicateur use de son organe vocal au-delà des convenances. Le curé de cette paroisse découvrira le pot aux roses, en fait il surprend Chiniquy en pleins ébats. Cette fois, non pas pour contourner mais pour échapper au jugement d'un tribunal ecclésiastique, Chiniquy décide de quitter la prêtrise. Il entre alors chez les Oblats de Marie-Immaculée à Longueuil, en banlieue de Montréal. Ces derniers grands adeptes de la tempérance et ignorant tout des déboires de l'illustre prédicateur l'accueillent d'abord à bras ouverts. D'autant que ce dernier leur confie avoir reçu un nouvel appel de Dieu qui souhaite ardemment qu'il joigne cette jeune communauté où l'on prêche et vit la pauvreté.

Mais Chiniquy ne se plie guère aux règles monastiques. Il continue ses prédications, voyageant dans des lieux où personne ne peut le démasquer et où il enthousiasme et hypnotise des foules de mille personnes et plus. Gonflé par son succès, il commet une erreur impardonnable en écrivant au fondateur des Oblats, Mgr de Mazenod, pour dénoncer ses propres confrères qui, à ses yeux, ont abandonné l'objectif du fondateur de vivre dans la pauvreté et la simplicité. Outré, ce dernier rejette Chiniquy de sa communauté. Qu'à cela ne tienne, il réussit encore à trouver un protecteur, cette fois le curé Brassard de Longueuil, qui l'accueille dans sa paroisse. Il reprend alors son bâton de pèlerin de la tempérance, et les journaux rapportent ses triomphes oratoires devant des assemblées qui ne cessent de s'élargir. L'homme de Dieu, qui est d'abord son propre adorateur, est comblé d'honneurs et de cadeaux dont un crucifix en or offert par l'évêque de Montréal, Mgr Bourget, que Chiniquy portera sur sa poitrine. Des peintres célèbres de l'époque se disputent même l'honneur de le représenter à la manière des portraits de saint Louis de Gonzague auquel on le compare depuis sa jeunesse.

Sa réputation s'altère cependant lorsqu'en 1851, pour des raisons obscures, il décide d'attaquer les protestants. Or l'Église canadienne, depuis Mgr Briand, premier évêque sous le régime anglais, avait imposé une tolérance face à eux. Chiniquy se met donc à dos la hiérarchie ecclésiastique parmi laquelle il comptait encore des appuis dont celui de Mgr Bourget. Même les admirateurs catholiques expriment des réserves. Chiniquy l'hyperactif, celui qui déplace les montagnes, se retrouve sans emploi en quelque sorte et décide de s'exiler aux États-Unis. Il part pour l'Illinois dans une communauté canadienne-française où le flamboyant Chiniquy croit sans doute que sa séduction pourra s'exercer avec un regain de ferveur.

C'était sans compter les réticences de plus en plus nombreuses qui entourent sa personne. Sur le plan politique d'abord, car le haut clergé lui reproche son appui au mouvement annexionniste et son messianisme qui consiste à inciter les Canadiens-français à émigrer aux États-Unis. En 1852, lorsqu'il remet les pieds au Québec pour recruter des paroissiens, pour la première fois de sa vie les portes jadis ouvertes à tous ses caprices se referment.

Il repart pour un faux Eldorado dans le Middle West américain où il réussira en peu de temps à déclencher les hostilités contre l'évêque Van de Velde, puis son successeur O'Regan. Mal lui en prit, car l'excommunication officielle lui tombe dessus comme un couperet.

Cet incroyable personnage qui a conservé l'esprit des coureurs des bois et des aventuriers décide en 1858 de fonder sa propre Église. Rien de moins. Il échoue cependant à recruter des adeptes parmi ses compatriotes, et c'est alors qu'il rompt avec sa culture et ses racines en se convertissant au protestantisme, plus exactement il adhère à l'Église presbytérienne américaine. Mais Chiniquy sème encore la pagaille. Par son comportement irrépressible avec la gent féminine, par sa façon douteuse d'administrer son Église, le synode presbytérien le somme de s'expliquer, il refuse, et une nouvelle fois il est exclu d'une Église.

Infatigable et inébranlable, il prend contact avec les presbytériens du Canada où son pouvoir de manipulation et sa réputation de prédicateur de tempérance font fléchir les plus résistants. Signe de sagesse, libéré du vœu de chasteté qu'il n'a à vrai dire jamais respecté, il se marie en 1864. Il a cinquante-cinq ans et il devient la superstar dont il avait sans doute rêvé d'être. Il est invité dans plusieurs pays européens, à travers les États-Unis et le Canada, comme combattant héroïque de l'intempérance.

La vie de Chiniquy sera désormais paisible et prospère car de ses conférences il a retiré des revenus considérables. Il terminera sa vie à quatre-vingt-dix ans entouré de fidèles et, à la veille de sa mort, il refusa l'appel de l'archevêque de Montréal, Mgr Paul Bruchési, de revenir au catholicisme. Dix mille personnes assistent à ses funérailles à Montréal, un événement relaté par tous les journaux de l'époque.

Chiniquy l'anticatholique appartient à la légende. Mais l'on s'est bien gardé d'apprendre l'existence de cet antéchrist aux générations futures qui ignorent, à ce jour, qu'un Canadien-français aussi original, aussi anticonformiste et aussi influent s'est démarqué du catholicisme étouffant et fermé qui a modelé les Québécois d'aujourd'hui.

Chomedey de Maisonneuve (Paul de)

L'histoire du Canada qu'on nous enseignait en classe se confondait avec l'histoire sainte. On nous décrivait les personnages fondateurs du pays comme des saints hommes, pieux, purs et altruistes. À vrai dire, le seul qui corresponde à cette description est Paul de Chomedey de Maisonneuve, né en 1612 dans la région de Champagne, et qui a fondé Montréal en 1642.

Influencé par l'école de spiritualité française et les écrits des Jésuites, l'homme est habité par la présence de Dieu. Si Jacques Cartier* et Samuel de Champlain* étaient d'abord des explorateurs et des aventuriers, Chomedey de Maisonneuve se définit comme un missionnaire. C'est donc à une carrière d'évangélisateur qu'il consacrera sa vie. Courageux, meneur d'hommes, il quittera La Rochelle en mai 1641, à l'âge de vingt-neuf ans, en compagnie de colons et de prêtres, dont Jean-Jacques Olier, un mystique formé chez les Jésuites qui fonda l'ordre des Prêtres de Saint-Sulpice, et un gentilhomme, Jérôme Le Royer de La Dauversière. Ces deux hommes furent les instigateurs du projet de la fondation de Ville-Marie (Montréal).

Après avoir débarqué à Québec, les rigueurs du climat incitent Maisonneuve à demeurer dans la ville jusqu'au printemps suivant. Les autorités locales considérant comme « une folle entreprise » cette mission de s'établir à Montréal, il est proposé à l'aristocrate de fonder plutôt une ville sur l'île d'Orléans, laquelle deviendra le refuge de Félix Leclerc*, trois cents ans plus tard. Chomedey de Maisonneuve refuse car les lettres patentes dont il est porteur font de lui un gouverneur local non soumis à Charles Jacques Huault de Montmagny, alors gouverneur de la Nouvelle-France. Ce qui est intéressant, c'est que, à la suite de la visite du général de Gaulle et son « Vive le Québec libre » en 1967, le président français a conféré au consul général de France à Québec le statut d'ambassadeur. Depuis ce temps, le diplomate à ce poste est soustrait à l'autorité de l'ambassadeur de France à Ottawa en relevant directement du Quai d'Orsay. L'Histoire n'est-elle pas une éternelle répétition ?

Le nom de Ville-Marie fut choisi par la Société Notre-Dame en l'honneur bien sûr de la Vierge Marie. Les Ville-Mariens, comme on les désignait alors, s'appliquent à construire une palissade afin de protéger leur campement des attaques des Iroquois dont la réputation de guerriers est déjà connue des nouveaux colons. D'ailleurs, à l'été 1643, les Iroquois attaquent régulièrement les habitants qu'ils torturent et assassinent, femmes incluses. Maisonneuve, sans peur et sans reproche, habité par sa mission évangélique et préoccupé de la protection de ses ouailles, des Hurons et des Algonquins qui consentent à se faire baptiser, décide de riposter aux attaques répétées des Iroquois en sortant du fort. Avec une trentaine d'hommes, il s'avance face à quelque deux cents Indiens. Maisonneuve réussit à tuer le chef iroquois, obligeant sa troupe à fuir dans la forêt. Le héros est accueilli avec ferveur, et comme à l'accoutumée une messe de *Te Deum* est célébrée sur un lieu où se situe aujourd'hui, dans le Vieux-Montréal, le musée Pointe-à-Callières.

Chomedey de Maisonneuve fera des allers-retours sur le vieux continent. Lors d'un de ses séjours à Paris, le poste de gouverneur de la Nouvelle-France lui sera offert, mais il déclinera cette offre par convictions religieuses. Il n'est pas un homme de pouvoir, mais un mystique animé par la flamme missionnaire qui, en compagnie de Jeanne Mance, arrivée à Montréal en même temps que lui, et plus tard de Marguerite Bourgeois, contribuera à créer le premier hôpital avec la première, et la première école avec la seconde.

En 1665, Louis XIV déclare la guerre aux Iroquois dont l'objectif demeure l'extermination des occupants. Chomedey de Maisonneuve est alors invité par le marquis Prouville de Tracy à repartir en France. Obéissant, le fondateur de Montréal retournera dans son pays, confiant dans le fait que son œuvre se perpétuera à travers l'action des Sulpiciens et des religieuses comme Marguerite Bourgeois, qu'il aidera à mettre sur pied la Congrégation Notre-Dame, à ce jour consacrée à l'éducation des filles.

Maisonneuve s'éteignit à Paris le 9 septembre 1676, et son corps fut déposé selon ses volontés sous la chapelle des Pères de la Doctrine chrétienne, qui a été détruite au XIXe siècle.

Les nouvelles générations de Québécois ignorent pour la plupart que le boulevard de Maisonneuve qui traverse une partie de Montréal, d'est en ouest, et le quartier populaire d'Hochelaga-Maisonneuve dans l'est de la ville, ont été baptisés en son honneur. Mais les gens de ma génération ont appris par cœur en classe la fameuse réplique du fondateur de Montréal lorsqu'il déclina le poste de gouverneur de l'île d'Orléans alors qu'on tentait de lui épargner les attaques iroquoises sur le lieu où il établira Ville-Marie : « Monsieur, ce que vous me dites serait bon si on m'avait envoyé pour délibérer et choisir un poste : mais ayant été déterminé par la compagnie que j'irais à Montréal, il est de mon honneur, et vous trouverez bon que j'y monte pour y commencer une colonie, quand tous les arbres de cette Isle se devraient changer en autant d'Iroquois. »

Les Québécois suivirent la voie de leurs découvreurs, à travers les siècles. Ils furent tour à tour aventuriers, coureurs des bois, défricheurs et bûcherons. Et jusqu'au milieu du XXe siècle, ils conservèrent la foi, si vive au cœur de Maisonneuve. Ils persistent aussi dans leur méfiance des Iroquois, les Mohawks d'aujourd'hui demeurés si rebelles et si vindicatifs, fidèles en cela à leurs propres ancêtres.

Cinéma québécois (Le)

De tous temps le cinéma québécois a servi du miroir concave ou convexe dans lequel ont pu se refléter les Québécois. Les rares films produits dans les années quarante et cinquante, *Le Père Chopin*, *Le Curé du village, Un homme et son péché*, *La Petite Aurore*, *l'enfant martyre*, comme les titres l'indiquent, étaient des mélodrames qui décrivaient la misère, la pauvreté, faisaient l'éloge de la vie rurale à l'opposé de celle de la ville remplie de pièges pour l'âme et la morale, en plus d'être une menace à la « race canadienne-française », expression pour désigner les Québécois d'alors.

Avec la Révolution tranquille*, un nouveau cinéma voit le jour, un cinéma de libération morale, sociale et politique. L'Office national du film (ONF), créé en 1956, est un organisme fédéral qui, comme Radio-Canada, a participé à l'émancipation des Québécois. Les cinéastes Michel Brault, celui-là même qui réalisera *Les Ordres* après la crise d'octobre 1970 pour lequel il recevra le prix du meilleur scénario à Cannes, et Pierre Perrault, qui signera avec Michel Brault le documentaire *Pour la suite du monde* sélectionné à Cannes en 1964, furent des pionniers à l'ONF de ce que l'on a appelé l'école du cinéma direct.

Grâce à eux, la voie des jeunes cinéastes de fiction, inspirés par la « nouvelle vague », était tracée. Engagés, nationalistes de gauche, une génération de réalisateurs participera au grand courant d'émancipation collective. Le premier film érotique, *Valérie*, de Denis Héroux, déshabillera publiquement la Québécoise sous les applaudissements des filles de la Révolution tranquille qui n'avaient pas attendu le film pour s'exécuter en privé. Gilles Carle réalisera en 1972 *La Vraie Nature de Bernadette* qui raconte le choc de l'arrivée de cette femme émancipée dans le fond d'une campagne que le dévergondage urbain et tapageur n'avait pas encore atteint.

Des réalisateurs comme Claude Jutra, *Mon oncle Antoine* (1971) et *Kamouraska* (1973), Jean Beaudin, *J. A. Martin, photographe* (1977), furent des inspirations pour la génération de cinéastes qui s'affirmera dans les décennies suivantes tel Jean-Claude Lauzon, le surdoué qui réalisera un film éblouissant, *Léolo*, en 1992, avant de périr en 1996 dans l'écrasement de son avion. Les Denis Villeneuve, *Incendies* (2010), Jean-Marc Vallée, *C.R.A.Z.Y* (2000), aujourd'hui réalisateurs à Hollywood, sont porteurs de l'évolution de la société québécoise elle-même déchirée dans son identité. Enfin le phénomène Xavier Dolan, l'enfant prodige qui a signé entre autres *J'ai tué ma mère*, *Laurence Anyways* et *Mommy*, pour lequel il a reçu le prix de la critique à Cannes en 2014, représente une nouvelle génération de cinéastes à la fois enracinés et cosmopolites.

Québécois, individualiste, habité par une vision du monde ne tenant compte ni des frontières, ni des tabous du passé, ni des avenues de l'histoire, ni même de l'avenir, Xavier Dolan rompt avec le cinéma québécois marqué du sceau de la religion et de l'identité collective. En ce sens, il annonce un Québec en rupture avec l'imaginaire porté par ses prédécesseurs.

Cours classique (Le)

Pour comprendre le Québec, les différences sociales, économiques, l'âge, le sexe, le lieu de naissance et d'habitation, la religion et la profession ou le métier sont des critères utiles et précieux. Mais il y a un élément fondamental qu'on ne peut rejeter de la main. Le Québec départage encore, et ce jusqu'à l'extinction de ces générations, ceux qui ont été formés dans les collèges classiques et les autres, ceux des mêmes générations qui n'ont pas eu ce privilège et tous ceux qui sont nés après l'abolition dans les années soixante de ce cycle d'études couronné par un baccalauréat.

Le cours classique est un héritage de notre passé français. En effet, le premier collège vit le jour à Québec en 1655 à l'initiative des Jésuites. Mais c'est au XIXe siècle que s'installera un réseau de collèges classiques où l'on enseignait les humanités à l'élite, et, qui plus est, l'élite masculine. Car il faudra attendre 1908 pour assister à la création de la première école supérieure pour jeunes filles ouverte grâce aux batailles épiques menées par sœur Sainte-Anne-Marie, supérieure de la Congrégation Notre-Dame, ordre fondé par Marguerite Bourgeois. D'ailleurs, quelques années plus tard, l'institution affiliée à l'Université Laval deviendra le collège Marguerite-Bourgeois qui décernera un baccalauréat ès Arts.

Les collèges classiques furent des institutions privées réservées aux élèves méritants dont les parents possédaient des moyens financiers importants. Cependant, dans chaque village du Québec, quelques élèves doués mais pauvres pouvaient bénéficier de bourses octroyées par les curés ou un mécène, le notaire, le médecin, l'avocat ou le marchand général du coin. Ces collèges formèrent des jeunes dont on espérait qu'ils accèdent ensuite à l'université ou se dirigent vers la prêtrise. Le programme s'inspirait du baccalauréat français et s'échelonnait sur sept ans, chaque année se déclinant selon les matières abordées. Il y avait d'abord les Éléments latins, puis, en deuxième année, la Syntaxe, en troisième la Méthode, en quatrième la Versification, en cinquième les Belles-Lettres, en sixième la Rhétorique suivie de deux années de Philosophie. Le cours classique servait de sésame social, et ceux qui en étaient les bénéficiaires éprouvaient une fierté d'appartenir à ce clan exclusif. Certains s'en gargarisaient et adoptaient une attitude de supériorité sociale.

J'ai été élève du cours Lettres-Sciences dans une école forcément privée. Il s'agissait d'un cursus de quatre ans réservé aux filles et qui menait ensuite au collège, voie obligée pour qui souhaitait devenir bachelière. À l'époque, ces études coûtaient 10 dollars par mois, mais mon père tempêtait chaque fin de mois à l'idée d'extirper le montant de sa poche. Faire instruire une fille ne représentait pas pour lui l'idée du siècle, et c'est ma mère, frustrée de ne pas avoir elle-même poursuivi ses études au-delà de la onzième année, qui volait littéralement dans les pantalons de mon père au fil des jours la somme nécessaire à la mensualité. Mais à la fin de ces quatre ans, j'en eus assez de l'hystérie paternelle et j'abandonnai l'idée d'entrer au collège. Je rattraperai la scolarité supérieure quelques années plus tard.

Le gouvernement libéral, l'initiateur de la Révolution tranquille*, abolit le cours classique, une institution élitiste donc antidémocratique et qui ne répondait plus guère à la modernité. Le grand vent de la démocratisation fit disparaître les collèges classiques, une institution deux fois centenaire, et en 1967 les collèges d'enseignement général et professionnel (CEGEP) furent instaurés. Une réforme en profondeur des programmes eut lieu, et l'on peut constater rétrospectivement que la vision humaniste du cours classique fut liquidée au fil des ans au profit des approches pédagogiques dites « scientifiques ».

Les Québécois du cours classique, qui ont occupé les postes de commande de la société québécoise et sont donc les responsables à tous niveaux des mutations successives que le Québec a traversées, assistent depuis quelques décennies à un changement de la garde. Le Québec de la Révolution tranquille et du nationalisme revendicateur fut animé par ces élites. Le Québec du XXIe siècle est désormais entre les mains des générations formées dans les CEGEP publics et privés. Cependant, ces derniers ressemblent étrangement au cours classique d'antan en perpétuant le système élitiste. En ce sens, le Québec a un taux de diplômation dont il se vante, mais la valeur des diplômes varie selon les institutions qui les décernent.

Cuisine traditionnelle (La)

Les Québécois se targuent de mieux manger que les Canadiens-anglais. D'ailleurs, ils dépensent davantage pour se nourrir, boivent davantage de vin et fréquentent régulièrement les restaurants. Et ils ne dédaignent pas le fast-food, en particulier s'il est ethnique.

La cuisine traditionnelle, celle que l'on mange en famille, a subi l'influence du climat rigoureux. Les Québécois aiment manger gras et lourd. Les légumes, sauf pour les végétariens – phénomène récent mais devenu tendance –, ont longtemps été boudés. Dans ma jeunesse, l'on se contentait de pommes de terre, bouillies, pilées ou frites, de carottes, de navets, de maïs et de petits pois en conserve. J'ai découvert les asperges, les artichauts, le chou-fleur chez mes amies bourgeoises, tard à l'adolescence. Ma mère ne cuisinait pas. Nous mangions de la fricassée maison, un mélange de bœuf haché et de patates bouillies arrosé en quelque sorte d'une boîte de tomates. Cela flottait dans l'assiette. Le dimanche, le poulet rôti nous transportait de bonheur. C'était un luxe qui se dévorait accompagné de riz et de champignons en conserve. Ma mère est devenue plus tard une bonne cuisinière. En fait, une fois que nous les enfants avions tous quitté le foyer. « Pourquoi cuisines-tu si bien maintenant ? lui ai-je un jour demandé. – Parce que je ne suis pas obligée », a-t-elle répondu.

La cuisine traditionnelle est maternelle, et on la mange désormais chez les grands-mères. Le pâté à la viande, au poulet, au saumon, le ragoût de pattes de cochon et de boulettes, le pâté chinois, la soupe aux pois, la dinde au temps des fêtes et le jambon à Pâques composent, avec des variantes selon les régions, l'essentiel de cette cuisine conçue pour des gens qui travaillent physiquement.

Le pâté chinois, décrété en 2007 suite à une consultation populaire le mets national des Québécois, est un plat dont on ignore l'origine. Cela s'inspire du *shepherd pie* anglais, du hachis parmentier français, et c'est un mets dont on assure qu'il est meilleur le lendemain que sortant du four.

Il s'agit d'un mélange de bœuf haché, parfumé de sarriette, de pommes de terre en purée et de maïs en crème qu'on trouve en conserve. Le génie du pâté chinois est l'ordre dans lequel l'on superpose les ingrédients. Le bœuf au fond du plat, le maïs bien épais, étalé sur la viande, le tout recouvert de purée de pommes de terre décorée de noisettes de beurre, que l'on met sous le gril. On le mange avec du ketchup ou selon la façon dont on le servait dans la famille. C'est un plat réconfortant qui fait régresser de manière agréable et donne le sentiment d'avoir le ventre bien rempli. Le pâté chinois s'inscrit désormais dans l'identité québécoise. Pour ma part, c'est le plat que je m'empresse de cuisiner au retour de chacun de mes longs voyages. Cela me ramène instantanément au Québec.

Le ragoût de boulettes et de pattes de cochon s'acclimate mal à l'été. Les pattes sont d'abord bouillies puis désossées, et les boulettes grillées dans du beurre mijotent dans le bouillon avec la viande des pattes durant plusieurs heures. Ici, le secret réside dans les épices. Ma préférence va à la cannelle et au gingembre dont j'use plus que suggéré dans les recettes, pour le bonheur de mes amis à qui je refuse de confier cette astuce parfumée. Ce plat se mange en sauce, une sauce brune grâce à la farine qu'on aura fait roussir dans un poêlon en fonte. On ne le mange désormais qu'en famille, cuisiné par les grands-mères ou les vieilles tantes, car il est rare que ce ragoût se retrouve sur les menus des restaurants.

La cuisine traditionnelle est dévastatrice pour les urbains sédentarisés et les obsédés de la mise en forme car elle fait exploser les calories. C'est aussi une cuisine qui se digère lentement et qui nous ramène au temps des bûcherons, des draveurs et des travailleurs manuels. C'est une cuisine qui commande aussi des desserts à la hauteur des attentes. Du pouding chômeur, un gâteau à pâte blanche noyé dans un lourd sirop à base de cassonade pour les pauvres et de sirop d'érable pour les mieux nantis, généralement non chômeurs. Et des tartes, des *pies* à l'anglaise aux pommes, à tous les fruits de saison, aux raisins secs qu'on gave dans le sirop d'érable, et des tartes à la farlouche, un mélange égal de mélasse et cassonade, une tarte si sucrée qu'on en tremble si on en abuse. Et des gâteaux à trois étages, des cakes à l'anglaise à pâte blanche ou au chocolat dégoulinant de glaçage à la vanille, au chocolat, à la cerise. Le gâteau préféré de plusieurs, malgré son nom qui rappelle la conquête, est le Reine Élizabeth, une pâte blanche à laquelle on ajoute des dattes, des noix de Grenoble, des fruits confits et qu'on recouvre abondamment de copeaux de noix de coco. Nombre de Québécois dévorent le Reine Élizabeth accompagné de grands verres de lait et en oubliant leur nationalisme.

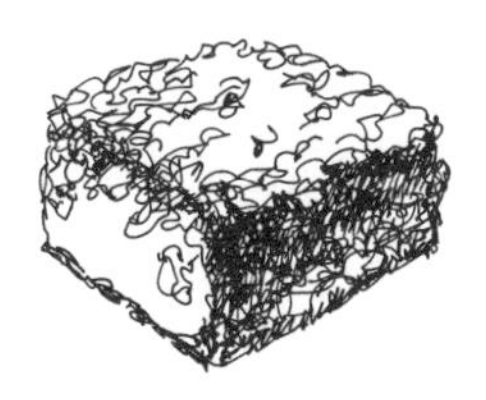

Je regrette cette cuisine aujourd'hui mise à mal par la nouvelle philosophie alimentaire qui boude les aliments gras, sucrés, en sauce. Mais heureusement, une nouvelle génération, des fous de bouffe, s'est imposée afin de prendre le relais tout en récréant une cuisine aussi québécoise qu'inventive et décontractée.

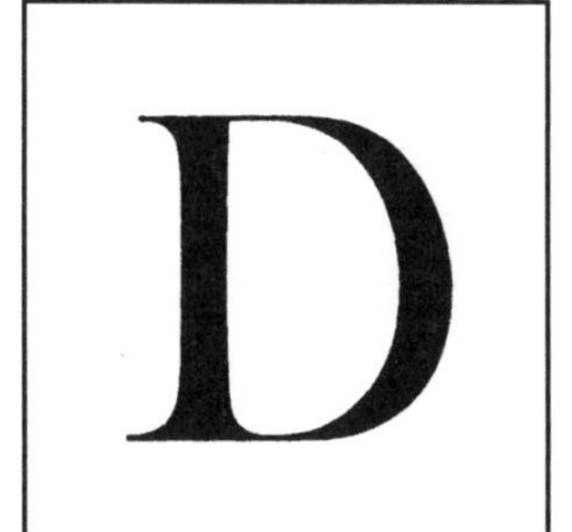

De Gaulle au Québec (Charles)

Le général de Gaulle visita le Canada et le Québec à trois reprises. D'abord en juillet 1944 où il débarque à Ottawa avant de mettre pied au Québec. Il découvre alors les réticences des élites cléricales qui voient en lui un athée républicain, ce qui l'oblige à professer publiquement sa foi catholique. La population en général ne manifeste aucun enthousiasme à son passage car une partie importante des Québécois d'alors admirait plutôt le maréchal Pétain qui incarnait les valeurs traditionnelles telles la famille et la religion. À l'appel du 18 juin 1940, des Québécois plus modernes, plus ouverts sur le monde, conscients de la menace du nazisme, soutiennent l'homme de la France libre, et certains s'engagent dans les Forces françaises libres. Mais une majorité de Canadiens-français a mal accepté la conscription, c'est-à-dire l'obligation de s'engager dans l'armée, décrétée par Ottawa. Les nationalistes québécois de l'époque s'opposaient à l'enrégimentation des soldats. En clair, une proportion importante de

Canadiens-français refusaient d'aller se battre pour l'Angleterre.

Charles de Gaulle reviendra au Canada au printemps 1960, cette fois en tant que président de la République. Jeune étudiante, je n'ai aucun souvenir de cette visite qui passa presque inaperçue dans la population. Deux mois après cette visite présidentielle, le 22 juin 1960, le Parti libéral dirigé par Jean Lesage est élu, mettant fin au règne de Maurice Duplessis, le nationaliste conservateur, sorte de potentat local. Ce sera le début de la Révolution tranquille*.

Lorsque le général de Gaulle débarque au Québec pour une troisième fois en juillet 1967 dans le cadre de l'Exposition universelle, le Québec a déjà beaucoup changé. Le néonationalisme est vigoureux, le peuple connaît une mutation politique, et le rêve de l'indépendance séduit une jeunesse qui a suivi avec passion la décolonisation en Afrique. Le peuple québécois, cette fois, sera au rendez-vous. Le Premier ministre Daniel Johnson, qui a renversé en 1966 le gouvernement Lesage à la surprise générale l'année précédente avec son slogan « Égalité ou indépendance », est l'hôte du Général. Daniel Johnson n'est pas souverainiste, il connaît son peuple au tempérament de Normands du « p'être ben qu'oui, p'être ben qu'non ». Le Premier ministre intuitionne, d'une certaine manière, l'incident qui surviendra. Dans ses *Mémoires d'espoir*, Charles de Gaulle a écrit : « Nous devons avant tout établir une coopération particulière avec le Canada français et ne pas laisser noyer ce que nous faisons pour lui et avec lui dans une affaire concernant l'ensemble des deux Canada. »

Des conseillers de Daniel Johnson, tous fervents nationalistes et admirateurs du Général, ne pouvaient ignorer les sentiments de celui-ci pour les « Français du Canada ». Dès l'arrivée à Québec du Président par le fleuve Saint-Laurent à bord du croiseur *Colbert*, l'atmosphère s'électrifia. D'immenses foules, drapeaux fleurdelisés à la main, accueillirent le Général avec allégresse et émotion.

Mais le trajet en voiture de Québec vers Montréal par le Chemin du Roy, sur la rive nord du fleuve, fut une intense expérience pour de Gaulle. Dans ces villages-étapes où les habitants lui exprimaient affection et reconnaissance, le président de la France, les archives visuelles le prouvent, semblait rajeunir, retrouvant chez les Québécois cette fièvre et cette fierté qui lui rappelaient tant de souvenirs. Tout au long du parcours avaient été érigés des arcs de triomphe en branches de sapin au-dessus desquels trônait une immense fleur de lys.

Plus on se rapprochait de Montréal, plus les foules grossissaient. Une fois à l'hôtel de ville, le Général se retrouva devant une mer d'indépendantistes venus à la rencontre de celui qui incarnait la Résistance et la Libération. L'on n'avait guère prévu de discours sur le balcon de l'hôtel de ville. De Gaulle, supposé myope, aperçut un micro non branché que s'empressa de rendre opérationnel un ingénieur du son de la télévision de Radio-Canada, de qui je tiens cette anecdote.

Alors, la terre du Québec trembla, et ses secousses se firent sentir de Saint-Jean-Terre-Neuve à Vancouver en Colombie-Britannique, et, emportées par l'Océan, elles se répercutèrent à la grandeur de la planète et d'abord en France. Le maire Jean Drapeau, nationaliste canadien-français opposé à l'indépendance du Québec, accusa le coup comme un boxeur mis K.-O., pendant qu'à Ottawa le gouvernement libéral de Lester B. Pearson s'étranglait de colère.

Le discours de Charles de Gaulle fut succinct et iconoclaste. Le Général mettait des mots sur l'énergie et la foi qu'il avait perçues chez les seuls enfants de France à avoir pris racine en terre d'Amérique.

> *C'est une immense émotion qui remplit mon cœur en voyant devant moi la ville de Montréal française. Au nom du vieux pays, au nom de la France, je vous salue. Je vous salue de tout cœur ! Je vais vous confier un secret que vous ne répéterez pas. Ce soir ici, et tout le long de ma route, je me trouvais dans une atmosphère du même genre que celle de la Libération. [...] Si vous saviez quelle confiance la France réveillée, après d'immenses épreuves, porte maintenant vers vous. Si vous saviez quelle affection elle recommence à ressentir pour les Français du Canada, et à quel point elle se sent obligée de concourir à votre marche en avant, à votre progrès. C'est pourquoi elle a conclu avec le gouvernement du Québec, avec celui de mon ami Johnson, des accords, pour que les Français de part et d'autre de l'Atlantique travaillent ensemble à une même œuvre française.*

> *[...] Voilà ce que je suis venu vous dire ce soir en ajoutant que j'emporte de cette réunion inouïe de Montréal un souvenir inoubliable. La France entière sait, voit, entend ce qui se passe ici et je puis vous dire qu'elle en vaudra mieux.*
> *Vive Montréal ! Vive le Québec !*
> *Vive le Québec... libre !*
> *Vive le Canada français ! Et vive la France !*

Je roulais sur l'autoroute de retour des Laurentides où à l'époque je louais un petit chalet. J'avais mis le son de la radio au maximum. Les paroles du général de Gaulle me transportaient dans des émotions indescriptibles. Mes larmes coulaient si abondantes que ma vision en était altérée. Lorsque le Président lança « Vive le Québec » puis eut cette hésitation historique et enchaîna « LIBRE », je réduisis la vitesse de peur de perdre le contrôle de ma voiture de sport. Puis je me rangeai sur l'accotement pour reprendre mes esprits.

La suite, le départ précipité à Paris sans passer par Ottawa, appartient à l'histoire. Les réactions haineuses en France contre ce cri furent ulcérantes pour nombre de Québécois. Les autres enrageaient de cet inadmissible faux pas diplomatique. Mais celui qui incarnait la France était venu pour nous dire : « Oui, nous vous avons abandonnés durant plus d'un siècle, mais je reviens pour vous déclarer que je vous aime et que la France vous aime. »

L'histoire du Québec n'a pas donné raison à Charles de Gaulle, mais quiconque a vécu ce temps fort de notre histoire demeure marqué à jamais. Le Québec, lui, a choisi une autre voie. Dont acte devant la volonté souveraine du peuple.

Déménagement (Le)

Dans mon enfance, dès qu'arrivait le 1er mai, des compagnes de classe nous quittaient, et de nouvelles élèves débarquaient un peu perdues, tristes souvent, tentant avec plus ou moins de bonheur de devenir nos amies. C'étaient les enfants du déménagement. Car le Québec se distingue aussi par cette coutume de déménagement annuel qui s'explique par la date d'échéance des baux résidentiels.

Mais depuis 1974, l'on a changé la loi qui datait de 1866, et le jour du grand chambardement a lieu le 1er juillet, au grand dam des fervents nationalistes canadiens, car c'est le jour de la fête nationale du Canada, jour férié et fêté à travers le pays. Le changement s'est effectué afin, entre autres, d'accommoder les familles dont les enfants devaient à deux mois de la fin des classes être transférés d'école.

Le déménagement est un spectacle à ne pas manquer à Montréal où, durant douze heures, les camions se croisent dans les rues tel un ballet motorisé alors que les locataires changent de domicile. Ma belle-mère détenait un record avec un titre de déménageuse de calibre olympique. Elle déménagea presque tous les ans jusqu'à ce que l'âge réduise ses ardeurs. Car elle refusait de devenir propriétaire. « Trop de problèmes », assurait celle qui n'en voyait guère dans ce réemballage de tous ses biens, année après année. Pourquoi sentait-elle le besoin de changer de lieu ? Pour une chambre de plus, une salle de bains plus spacieuse, une cheminée dans le salon, pour être plus près d'une sœur, parce que la propriétaire habitant l'immeuble se révélait désagréable avec elle et, enfin, pour payer un loyer plus modique.

Chaque 1er juillet, l'on estime à 20 % le nombre de locataires qui quittent leur appartement, à Montréal seulement. Il faut voir en particulier les jeunes au budget réduit qui font appel aux copains pour se transporter sans se ruiner. Cette transhumance se termine le soir dans l'épuisement auquel on tente de résister en buvant moult bières et en réunissant les amis pour une bouffe BBQ ou pizza en livraison express, selon la tradition. Le *Wall Street Journal* s'est penché en 2013 sur le phénomène montréalais et a constaté une hausse vertigineuse des prix des spécialistes déménageurs, une hausse atteignant 70 % du prix horaire de ce transport insolite. Sans doute cela explique-t-il aussi que 70 % des gens ne font pas appel aux professionnels et s'imposent ce travail aussi épuisant que physiquement risqué. Transporter des électroménagers ou des canapés sur le dos dans de longs et parfois triples escaliers est un sport extrême, à n'en point douter.

J'avoue que j'ai évité au cours de ma vie cette mobilité harassante car je n'ai déménagé qu'à sept occasions. Je me souviens d'un de mes derniers déménagements, énorme car je quittais une vaste maison pour un grand appartement. J'ai dû faire en voiture ce jour-là plusieurs allers-retours de la maison qui garderait mes souvenirs de bonheur et de peine vers ma nouvelle résidence. Plongée dans un état second, je me moquais des feux rouges que je grillais sans remords. Ma seule consolation était le spectacle de tous ces gens en train de se transbahuter. Nous étions en communion les uns, les autres, des sans-logis durant quelques heures dont les biens contenus dans des cartons provoquaient un sentiment de déracinement et d'abandon.

Cette coutume québécoise nous viendrait de nos ancêtres, coureurs des bois, bûcherons et draveurs qui montaient vers les chantiers du Nord où ils retrouvaient les grands chantiers de construction de nos barrages à la Manicouagan, la baie James*, la Romaine.

À vrai dire, les Québécois se comportent paradoxalement en sédentaires nomades.

La chanteuse Pauline Julien* a enregistré une chanson, « Déménager ou rester là », qui immortalise cette tradition. L'écrivain Réjean Ducharme a composé les paroles, et la musique est signée de Robert Charlebois*.

Le plafond me tombe en mille miettes
Sur les épaules et sur la tête
Le concierge m'a dit : M'a y voir
M'âller l'dire au propriétaire
Ça fa' trop longtemps j'me fie sur ça
J'sais pas si j'vas déménager ou rester là

Y'ont démoli l'autre bord d'la rue
Pour faire un bloc-appartement
C'était plein d'arbres, y'en reste plus
Sont morts étouffés dans l'ciment
Ça bouche la vue à part de d'ça
J'sais pas si j'vas déménager ou rester là

Devise du Québec (La)

La mémoire est au cœur de l'identité québécoise. Dans mon enfance, le vendredi après-midi, à l'école primaire, l'on réunissait tous les élèves dans la grande salle des fêtes pour le salut au drapeau fleurdelisé qui se terminait par un cri à la fois sincère et joyeux, car il marquait le début du week-end. Nous martelions en chœur la devise du Québec « Je me souviens ». Puis l'on entonnait l'*Ô Canada*, qui était l'hymne national des Canadiens-français et non des Anglais. La devise du Québec et l'*Ô Canada* sont les premières choses que l'on m'a enseignées avec le Notre-Père, le Je vous salue Marie, le Gloire soit au Père et l'Acte de contrition.

Cette devise, on la retrouve même sur les plaques minéralogiques des voitures, une initiative du Premier ministre René Lévesque*, en 1978. Avant cette date, l'on inscrivait sur les plaques « La belle province ». Pour les souverainistes du Parti québécois élu en 1976, cette formule apparaissait politiquement réductrice. Le Québec n'était pas une province comme les autres à leurs yeux mais un État en marche vers son indépendance.

Le « Je me souviens » pose cependant problème puisque la mémoire historique des Québécois diverge dans les interprétations proposées par les souverainistes et les fédéralistes. Et, pour compliquer le tout, les fédéralistes néanmoins nationalistes ne partagent pas nécessairement la même lecture du passé que les fédéralistes purs et durs qui placent le Québec sur le même pied que chacune des provinces canadiennes.

Alors, de quoi devons-nous nous souvenir ? L'historien Gaston Deschênes, qui fut longtemps rattaché à la bibliothèque de l'Assemblée nationale, apporte un éclairage supplémentaire sur ce devoir de mémoire. À l'origine, c'est Eugène-Étienne Taché qui trouva cette devise. Cet architecte autodidacte, qui dessina les plans de l'édifice du Parlement de Québec en s'inspirant de l'architecture du Louvre, fit graver sur l'entrée principale les armoiries octroyées à la province de Québec par la reine Victoria en 1868. Eugène-Étienne Taché y ajouta les mots « Je me souviens ». Or, comme le souligne Gaston Deschênes, Taché n'a pas cru bon d'expliquer la devise, dans l'idée sans doute que cette formule était éclairante et éloquente. Il s'agissait, à vrai dire, d'honorer la mémoire des héros de notre histoire.

Jusqu'en 1970, aucun réel débat ne s'est engagé au Québec autour du sens de cette devise. Mais les nouveaux nationalistes de cette époque lyrique, y inclus les poètes comme Gaston Miron et les chanteurs tels Leclerc*, Vigneault*, Claude Gauthier et bien d'autres, ont redessiné en quelque sorte les contours de la mémoire collective. Ils se sont souvenus de la conquête anglaise, de la lutte pour la survivance française, des humiliations subies, de la soumission au clergé, de ces deux cents ans d'abandon de la France qu'a rompus le général de Gaulle* avec son « Vive le Québec libre ».

Par ailleurs, un texte publié dans un quotidien aujourd'hui disparu, le *Montreal Star*, jeta un pavé dans la mare de cette interprétation. Une petite-fille d'Eugène-Étienne Taché, en réaction à l'adoption du « Je me souviens » sur les plaques des voitures (toutes les plaques d'immatriculation dans les provinces du Canada et les États des États-Unis portent les devises des États ou des inscriptions), affirmait que la formule de son grand-père n'était pas complète. Il fallait plutôt lire : « Je me souviens / Que né sous le lys / Je croîs sous la rose. »

Au Canada anglais, cette interprétation suscita l'enthousiasme et se retrouva dans les dictionnaires de citations. Or l'historien Gaston Deschênes a clairement établi que ce complément de devise faisant référence à la rose de l'Angleterre n'a jamais existé, sauf dans l'imagination de Mme Taché. Son grand-père avait, il est vrai, créé une autre devise : « Né dans les lys, je grandis dans les roses » pour un monument qui n'a jamais levé de terre. Mais par la suite, cette seconde devise fut inscrite sur la médaille du tricentenaire de Québec en 1908.

La devise officielle du Québec est à l'image de l'identité québécoise. Elle renvoie à une mémoire aussi sélective qu'interprétative. Ceux qui perçoivent le Québec comme une oasis de tranquillité, de simplicité et de bonne humeur doivent complexifier leurs analyses. Les Québécois ne se souviennent pas des mêmes événements, ne se réjouissent pas des mêmes victoires, ne s'indignent pas des mêmes offenses. Pour ne pas parler de ceux qui refusent de se souvenir du passé, considérant qu'il s'agit d'une nostalgie paralysant le futur.

Dion (Céline)

Au même titre que l'hydroélectricité, Céline Dion doit être classée dans la catégorie *richesse naturelle*. La majorité des Québécois, fans ou non de ses chansons, s'incline devant la première et unique mégastar mondiale que le Québec ait portée en son sein.

Le parcours de Céline Dion vers la gloire planétaire était impossible à imaginer dans la culture minoritaire québécoise. Des chanteurs québécois populaires se sont illustrés en France, des chanteurs classiques ont fait carrière à Londres, Milan, New York. Mais Céline Dion, dont l'histoire personnelle s'inscrit profondément dans le Québec traditionnel, est un phénomène inclassable.

Elle ne fut ni souhaitée ni bienvenue, cette dernière enfant d'une famille de quatorze, comme on en voyait jadis au temps de la revanche des berceaux. Faire des enfants, c'est-à-dire vaincre par le nombre après avoir perdu par les armes, tel était le destin des Canadiens-français.

La montée vertigineuse de la petite fille née à Charlemagne, Québec, qui a quitté l'école à treize ans pour mener sa carrière, aucun Québécois ne pouvait en rêver. Il a fallu un René Angélil, né à Montréal mais de parents chrétiens libanais de Syrie, pour imaginer l'inimaginable. Dans la culture libanaise, l'on se moque des frontières que l'on franchit au gré des soubresauts de l'histoire. Ce qu'ont fait les propres parents du gérant et époux de la chanteuse. Le rêve mégalomane de René Angélil, un Québécois de souche n'aurait sans doute pas osé le formuler.

À travers son succès, Céline Dion a réconcilié le Québec avec la réussite et l'argent, deux notions dont on se méfie dans la tradition française et l'éducation catholique où l'éloge de la pauvreté était une posture morale. Céline Dion a cristallisé à son insu les aspirations de tout un peuple à la reconnaissance extérieure. Elle a de plus conquis les États-Unis, parvenant au sommet de la gloire dans ce pays où des millions de Québécois se sont expatriés jadis pour tenter, en vain pour la plupart, de faire fortune, comme mes propres grands-parents maternels.

Céline Dion a triomphé pour son peuple vers lequel elle revient toujours. Un peuple dont l'histoire n'est pas ponctuée par de nombreuses victoires collectives. En ce sens, elle s'inscrit à la fois dans le passé en défendant les valeurs familiales, la fidélité amoureuse, la maternité, et à la fois dans la modernité des valeurs nord-américaines du dépassement de soi, de la compétition, de l'argent et de la médiatisation de sa vie personnelle.

La France, où l'on trouve hors Québec les fans les plus fidèles au monde, ceux qui la suivent partout à travers le globe, l'a boudée dans une première tentative de sa part pour séduire les cousins alors qu'elle triomphait au Québec. Il a fallu attendre que les États-Unis la décrètent mégastar pour qu'enfin la France, dédouanée par les Américains en quelque sorte, l'adopte et la consacre à son tour.

Certes, Céline Dion n'aurait jamais atteint les sommets en chantant en français. Mais la mégastar a su imposer au cours de ses tournées et à Las Vegas quelques chansons en français pour marquer son appartenance à la francophonie. Par ailleurs, la chanteuse n'a jamais adhéré à l'idée de l'indépendance du Québec, et, néanmoins, elle est sans doute la seule personnalité devant laquelle les souverainistes s'inclinent à la quasi-unanimité.

En ce sens, la petite-fille de Marie-Thérèse et Adhémar Dion s'est transformée en une icône patrimoniale.

Drapeau (Le)

Chaque province du Canada possède son drapeau. Mais celui du Québec, le fleurdelisé, est revendiqué comme emblème national par nombre de Québécois de toutes allégeances. Par contre, les souverainistes refusent de s'identifier au drapeau du Canada, l'unifolié, de même que des Anglo-Québécois n'ont pas d'attachement pour le fleurdelisé.

Contrairement à ce qui se passe dans les autres provinces canadiennes, la bataille des drapeaux, canadien et québécois, s'inscrit dans l'histoire du Québec. Jusqu'en 1948, c'est l'Union Jack, le drapeau britannique, qui servait de drapeau à la province de Québec. En adoptant le fleurdelisé à l'initiative du gouvernement de Maurice Duplessis, un nationaliste conservateur, le Québec a voulu afficher dans ce symbole de ralliement son appartenance à la culture française.

La fleur de lys est apparue selon la légende en l'an 507 sur le drapeau de Clovis, le roi des Francs. Mais en Nouvelle-France, Jacques Cartier*, au XVIe siècle, et Samuel de Champlain*, au XVIIe, arborèrent des drapeaux ou des écussons avec des fleurs de lys, Champlain faisant flotter au mât de son navire un étendard bleu azur et blanc, le blanc formant une croix.

Avant la capitulation de Québec pour empêcher l'armée anglaise de s'emparer des drapeaux comme butin de guerre, le duc de Lévis fit brûler tous les drapeaux du régime français. Il faudra donc attendre près de deux siècles avant que la fleur de lys ne flotte de nouveau au-dessus du Québec.

D'azur à la croix d'argent cantonnée de quatre fleurs de lys, telle est la description héraldique de l'emblème du Québec. La croix rappelle le catholicisme, et le lys la monarchie française. C'est pourquoi le drapeau québécois, que le Parti québécois a tenté de récupérer à sa propre cause, fut malmené durant les décennies du néonationalisme bruyant des années soixante, soixante-dix et quatre-vingt.

Dans le passé, le fleurdelisé cristallisait parfois des fureurs chez certains fédéralistes antiquébécois. En 1990, un événement déplorable s'est déroulé à Brookville en Ontario, alors que des opposants à l'idée de bilinguiser leur province, qui compte au nord une population de quelques centaines de milliers de francophones, ont profané le drapeau du Québec en marchant dessus lors d'une manifestation. Cet incident prit une ampleur démesurée à cause de la diffusion répétée *ad nauseam* à la télévision de ces images provocantes. Et ce durant plusieurs jours. D'ailleurs, certains médias durent faire leur mea-culpa. On assista alors à une réplique virulente de la part d'exaltés québécois qui s'empressèrent de brûler le drapeau unifolié du Canada.

De nos jours, les esprits se sont apaisés, et le fleurdelisé rassemble la majorité des Québécois au cours des manifestations populaires, en particulier lors de la fête nationale, le 24 juin.

Mais dans certaines régions du Québec, l'ouest de Montréal et une partie des Cantons de l'Est, le long de la frontière américaine, l'on a encore un aperçu de cette « guerre des drapeaux ». Le drapeau du Canada flotte au mât de nombre de résidences habitées par des citoyens souvent anglophones et qui revendiquent avant tout leur identité canadienne. De fait, la préséance d'un drapeau sur l'autre ou l'absence de l'un peut aussi être une indication de l'option politique. Les partisans d'un Québec souverain ignorent l'unifolié. Une partie des nationalistes québécois non souverainistes choisissent le fleurdelisé, les autres placeront les drapeaux côte à côte, et les fédéralistes les plus combatifs refusent de voir flotter le fleurdelisé au-dessus du Québec. Un étranger qui débarque dans la belle province et qui se laisse berner par la simplicité des rapports découvrira au fil du temps qu'il est dans un pays où la complexité se cache dans les détails et les symboles. Le Québécois pratique l'art de « s'enfarger » dans les fleurs du tapis. À preuve, j'ai vécu une situation amusante chez une amie française qui avait exprimé le désir de faire une fête pour les Québécois à l'occasion de la visite officielle du Premier ministre de l'époque, Jacques Parizeau. C'était en 1995.

La visite officielle se termina, et une trentaine d'amis français et québécois attendaient joyeusement le Premier ministre. J'arrivai à l'avance chez mon amie, architecte d'intérieur possédant un immense loft d'un goût sans faille et qui avait dressé une longue table en mettant les petits plats dans les grands. Au premier coup d'œil, je sursautai. La table était couverte de petits drapeaux du Canada. « Mais c'est impossible. Tu t'es trompée de drapeau. Il faut tout enlever, dis-je. – T'es dingue, c'est votre drapeau. J'ai parcouru tout Paris pour dénicher ces miniatures. » Je réussis à la convaincre de peine et de misère, car comme beaucoup de ses compatriotes peu au fait de la politique, et ce malgré le Québec libre du général de Gaulle*, le Canada et le Québec se confondent. Ma passionnée et tonitruante amie n'a tout de même pas résisté à accueillir le Premier ministre Parizeau avec un petit unifolié à la main. Ce dernier, grand seigneur, a contenu sa surprise. « Chère amie, a-t-il dit sans ironie, merci de cette délicatesse. » Les hommes politiques savent feindre, cela est bien connu, mais Jacques Parizeau est un gentleman grand admirateur de la politesse à l'anglaise.

E

Enfant (L')

Jadis obéissant, vouvoyant ses parents, participant aux travaux de la ferme dans le bas âge, l'enfant québécois appartenait à sa famille nombreuse. Membre d'une fratrie de dix, douze ou quinze enfants, son moi s'épanouissait ou se délitait dans le nous. Lors d'un reportage télévisé, j'ai même rencontré une famille de vingt-six enfants, « du même lit », précisa la mère qui avait été enceinte pendant plus de vingt ans, car quelques couples de jumeaux se trouvaient dans la liste. « Ça fait trois fois le même repas chaque jour », avait-elle ajouté en riant curieusement. Pendant ce temps, le mari se berçait sans mot dire, illustration vivante du dicton québécois qui dit : « Grand parleur, petit faiseur. » Céline Dion*, la quatorzième et dernière enfant de sa famille, aime à croire que l'apprentissage de la vie est plus rapide lorsque, comme elle, l'on a passé ses premiers mois à dormir dans un tiroir de commode, faute d'espace. Car dans les grandes familles, l'espace, il fallait sortir du foyer pour le trouver.

Il existe sans doute un lien de cause à effet entre les familles nombreuses d'antan et la chute vertigineuse du nombre d'enfants après guerre, surtout dans les ultimes décennies du siècle dernier. L'industrialisation et la pilule anticonceptionnelle ont révolutionné la société partout en Occident. Par contre, les filles de ces familles québécoises surdimensionnées n'ont guère voulu imiter leur mère. La mienne était la benjamine d'une fratrie de onze, elle a eu trois enfants, j'en ai un. La démographie qui fut salvatrice pour l'avenir collectif est un combat terminé. Avec l'immigration, notre disparition comme peuple francophone n'est peut-être que momentanément ralentie.

L'enfant-roi d'aujourd'hui est souvent un enfant unique ayant peu en commun avec l'enfant que furent ses parents, ses grands-parents et ceux qu'il croit être du temps des dinosaures, ses arrière-grands-parents.

Si les Québécois sont des gens aux manières dégagées, joviaux et avec un langage direct, voire revendicateur, les enfants-rois sont élevés dans une absence de barrière intergénérationnelle. Ils tutoient tous les adultes, sont de redoutables négociateurs, autant pour des bonbons que pour un appareil électronique ou leurs notes en classe, du primaire à l'université. On leur apprend en bas âge qu'ils ont des droits, et ils ne tardent pas à s'en servir à bon et mauvais escient. Et, surtout, leurs parents leur attribuent une compétence dans tous les domaines. D'où ils concluent que leurs opinions valent celles des adultes. Alors les enfants s'expriment, contestent les décisions les concernant, et contredisent publiquement et frontalement les adultes, leurs parents et leurs enseignants avant tout.

Mais l'enfant québécois est débrouillard, exprime ses angoisses ; un bambin de quatre ans vous dira qu'il est super stressé. Il est joyeusement ou impoliment frondeur et dit tout ce qu'il pense. « Té grosse et laide », lança sans agressivité le petit-fils d'une copine à l'amie de cette dernière effectivement « grosse et laide ».

Les petites filles, héritières d'un féminisme sans complexe, se jouent des garçonnets de leur âge. Elles les rabrouent, se moquent d'eux, les insupportent ouvertement. Un documentaire pour la télévision sur l'homme québécois m'a menée dans une école primaire privée réservée aux garçons. Une école axée sur la performance scolaire et sportive. J'ai interviewé les enfants sur leur école sans filles. « Les filles de mon ancienne école étaient cruelles avec moi, m'a avoué un garçon de neuf ans, rondelet, gauche, à l'évidence trop sensible. Ici mes notes ont remonté. Je ne me sens pas jugé par les filles. »

Par ailleurs, nombre de garçonnets se défendent d'être machos, élevés par des mères dans une rectitude politique à laquelle seuls échappent les nouveaux petits machos élevés par des mères monoparentales. Ces derniers sont souvent des garçons crâneurs, turbulents ou couvés jusqu'à en être insupportables. Des enfants qui décident du menu, du restaurant, du lieu des vacances, de la marque de l'auto et des films à voir.

L'enfant québécois surprend les étrangers par la place que lui concèdent les adultes et par son ignorance des codes de relations. Pas de bonjour madame, pas de poignée de main, pas d'au revoir, et surtout pas d'intérêt visible pour les propos des adultes qui l'entourent.

Enfin, l'enfant québécois n'a pas froid aux yeux, se perçoit l'égal de l'adulte et supporterait mal d'être soumis à l'autorité telle qu'on l'observe en France et ailleurs dans les pays francophones. En un sens, l'enfant du Québec est à l'image de la « souplesse » du surmoi d'une société aux institutions plus fragilisées que dans le vieux continent ou dans les sociétés traditionnelles.

Érable (L')

Les Québécois, qui usent de l'hyperbole pour tout ou rien, vous parleront du sirop d'érable comme de l'or liquide du Québec. Or, avec une production qui tourne autour de 200 000 barils par an, les producteurs, environ 15 000, sont loin d'être des émirs en raquettes. La production annuelle de sirop représente cependant 80 % de la production mondiale.

L'érable est un arbre qui s'inscrit dans notre culture. Sa feuille apparaît sur les pièces de monnaie et orne le drapeau canadien. Nos poètes l'ont chanté, et les artisans, ébénistes, charpentiers, apprécient grandement ses qualités.

Mais c'est avant tout au printemps, dans les cabanes à sucre, que les Québécois profitent de ses bienfaits. Les nostalgiques regretteront les cabanes à sucre d'antan où les familles se réunissaient à la fois pour participer à la corvée du ramassage des bacs d'eau recueillie en entaillant les arbres mais aussi pour fêter avec excès d'alcool, de nourritures grasses, sucrées et hypercaloriques la fin de l'hiver.

Les cabanes d'aujourd'hui ne sont plus au fond des bois au milieu des érablières mais au bord de routes, car l'engouement populaire a permis la multiplication d'établissements désignés encore du nom de cabanes à sucre mais qui sont en fait des restaurants ouverts à longueur d'année, à la décoration plus ou moins rustique et dont certaines servent même de salles de réception, pour des fêtes, des mariages ou des enterrements.

Les producteurs de sirop d'érable, progrès oblige, se sont reconvertis en entrepreneurs avisés. Fini, les chaudières métalliques pour recueillir la sève. Fini, les traîneaux tirés par les chevaux pour transporter la précieuse eau à la cabane afin de la faire bouillir selon le procédé ancien. De nos jours, des tuyaux relient les arbres entre eux, et la sève est propulsée jusqu'aux réservoirs métalliques qu'on appelle des évaporateurs et dans lesquels on la fera bouillir jusqu'à la température de consistance du sirop, c'est-à-dire de 104 °C.

La nourriture traditionnelle de la cabane à sucre ne cherche pas à séduire les épicuriens, les végétariens, ni ceux qui ne mangent pas de porc. L'on sert des œufs bouillis dans le sirop, des tranches de lard grillées appelées « oreilles de crisse » – car on n'est jamais loin de l'éducation catholique –, des fèves au lard, sorte de cassoulet bien arrosé de sirop, de la soupe aux pois où flottent de gros morceaux de lard entrelardé, comme disaient les anciens, des crêpes, des « pets de sœur », petits beignets en boule imbibés de sirop. Et l'on arrose le tout de caribou, de l'alcool blanc à 40 %, auquel l'on ajoute du vin rouge sucré et du sirop d'érable. L'origine de cette boisson viendrait de l'époque des coureurs des bois, aussi chasseurs, et qui mélangeaient le sang du caribou avec un alcool blanc à faire exploser le cervelet.

Mon mari anglais est devenu un accro du sirop d'érable qu'il utilise, contrairement aux Québécois, avec parcimonie dans son gruau (porridge), sur des fruits ou de la glace. À chaque printemps, un producteur artisan m'expédie les trois gallons annuels nécessaires à la satisfaction de la dent sucrée du natif de Liverpool.

Escaliers extérieurs de Montréal (Les)

Les Montréalais ne les voient même pas et ont tendance à les découvrir à travers les yeux des étrangers qui s'en émerveillent. Joyau du patrimoine architectural de Montréal, les escaliers extérieurs, en fer forgé ou en bois, ont pignon sur rue dans plusieurs quartiers populaires. C'est une esthétique spectaculaire car, reliant le trottoir aux habitations, ils ont été construits par des artisans, souvent doués, et leur diversité, leur flamboyance parfois, leur élégance en font des trésors à admirer.

En échelle, en colimaçon, en spirale, en forme de S, de T, s'entrecroisant, les escaliers de Montréal illustrent l'architecture urbaine. Mais comment en est-on venu à imaginer ces constructions dans un pays recouvert de neige durant plusieurs mois ? Car ces escaliers de quinze, voire de vingt marches menant au deuxième étage des immeubles qui en comptent souvent trois sont un défi au bon sens. L'hiver, recouverts de neige au point de faire disparaître les marches, ils obligent les habitants à pelleter, parfois durant plusieurs heures d'affilée, ce qui, là, est un défi aux cardiaques. Et rares sont les Montréalais qui n'ont pas un jour déboulé l'escalier, sur les fesses, un moindre mal, ou cul par-dessus tête, ce qui est plus embêtant.

Vers la fin du XIXe siècle, l'arrivée massive des cultivateurs à la ville où ils vont se prolétariser a obligé la construction de logements modestes afin de permettre aux familles nombreuses d'avoir un toit. C'est ainsi que, dans certains quartiers, l'on a bâti rapidement et à moindre coût des immeubles en rangées. Il s'agissait d'économiser le chauffage car les vents d'hiver ne s'écrasaient que sur les façades construites étroites et en profondeur, et les murs arrière. Mais un élément écologique a joué un rôle dans ce choix architectural. Une loi municipale obligeait les propriétaires à réserver un espace vert devant les immeubles. D'où cette idée de construire les escaliers à l'extérieur afin d'augmenter l'espace intérieur où se retrouvaient des familles de sept ou dix enfants et d'économiser les frais de chauffage d'un escalier intérieur. Bien entendu, entre le deuxième et le troisième étage, on construisait un escalier intérieur en échelle, c'est-à-dire droit.

Mais cette singularité dans ces quartiers a provoqué à l'époque une querelle des Anciens et des Modernes, les uns dénonçant ces « laideurs », les autres les louangeant. Hélas, en 1940, des élites bourgeoises ont réussi après bien des luttes à faire interdire ces « constructions de ferraille ». Et il a fallu attendre 1980 pour que ce règlement de « l'esthétisme » soit abrogé.

Montréal l'a échappé belle car certains détracteurs de ces échelles parées de dentelles et de balcons dignes de *Roméo et Juliette* auraient bien aimé les mettre à la casse.

Aujourd'hui, les Montréalais les découvrent, les apprécient, et les habitants de ces immeubles en éprouvent de la fierté et les entretiennent avec respect. Ce qui ne les empêche pas de lancer quelques jurons lorsqu'une tempête les oblige à déneiger.

Été (L')

Bienvenue chez les maringouins et les mouches noires dites mouches à chevreuil. La chaleur au Québec a un prix : les moustiques. Bien évidemment, ce ne sont pas les brochures touristiques qui vont en parler. Mais les Québécois, à l'exception des urbains irréductibles vivant en permanence avec la climatisation, ont une connaissance intime des moustiques. On les nomme, on les distingue, on les hait, surtout les suceux maringouins qui, à l'instar de Dracula et ses compères, s'installent sur la peau et se gorgent de sang, inspirés sans doute par les cliniques de la Croix-Rouge. Les sportifs du plein air, pêcheurs, joggeurs, amateurs de canoë, ne survivent en forêt que badigeonnés de produits antimoustiques. Et pour le malheur des écologistes adeptes de la citronnelle et autres vaporisateurs aussi inoffensifs pour la nature que pour les ailés bourdonnants, seuls les produits polluants se révèlent vraiment efficaces. Par respect pour mère Nature, j'ai tenté l'expérience des crèmes « douces » lors de voyages de pêche dans le nord du Québec mais j'ai rapidement été couverte de piqûres qui provoquent de petites bosses, y compris sur les parties intimes, et qu'on gratte jusqu'au sang tellement les démangeaisons sont intenses. Dans ces conditions, il est quasiment impossible de s'adonner à nos plaisirs estivaux.

Mais les moustiques ont la vie courte. Dès qu'une chute de température survient, ils disparaissent, et l'on peut alors profiter de quelques semaines de chaleur où les gens envahissent les lacs, descendent les rivières, se languissent jusque tard dans les parcs et ne vivent plus que sur les terrasses des restaurants ou dans leurs cours herborées, derrière leur maison unifamiliale avec piscine hors terre.

Et l'été, c'est aussi la vie de chalet. Pour toutes les catégories sociales, de la cabane de planches aux propriétés cossues ou aux roulottes installées à demeure dans les campings, parfois avec vue sur les autoroutes, les

Québécois vivent quelques jours par semaine à l'extérieur des villes. Avec ou sans lac, ils ont le choix du décor. Et il y a ceux qui préfèrent les maisons de campagne d'antan hors des villages, le long des rangs, ces tracés de l'époque de la Nouvelle-France avec son système cadastral typique du Québec. Au chalet, l'on vit à l'extérieur afin de profiter d'un climat dont on sait à quel point il est éphémère.

Il existe aussi une culture du BBQ. Les grillades sont à l'honneur. À vrai dire, sur le barbecue tout finit par goûter la même chose. Steaks, côtelettes de porc et d'agneau, poulet, poisson, la carbonisation finit par en masquer les saveurs originales. L'on mange aussi le blé d'inde par goût et par tradition. Mais la saison du maïs est courte, si bien que les gens, dont je suis, s'en gavent. On se réunit entre amis pour des épluchettes de blé d'inde où il n'est pas rare de voir de gros mangeurs en dévorer une douzaine avec enthousiasme. Mais ce maïs n'a rien à voir avec celui qu'on offre dans les rues, à Paris par exemple. Le maïs tendre, sucré, qui éclate sous la dent et qu'on roule dans la motte de beurre est un des délices de l'été.

L'été, nombre de gens préfèrent travailler et garder leurs précieux congés pour des vacances d'hiver dans le Sud. Car en été, la bonne humeur des Québécois s'exprime dans la rue comme au bureau. Vivre à la température de son corps est un luxe pour les gens des pays de froidure. L'été est si court et l'hiver si long que cela incite à couper l'hiver en deux, comme on le dit couramment.

F

Femmes québécoises (Les)

Les Québécoises, à l'image du climat, sont à la fois démesurées, excessives, affirmées et omniprésentes. Au Québec, contrairement à ce qui existe dans la plupart des pays, les femmes furent plus instruites que les hommes. Ces derniers faisaient leur classe dans les chantiers comme bûcherons ou sur les terres qu'ils s'échinaient à défricher et à labourer. Les femmes éduquaient les enfants, étaient maîtresses d'école, et si elles furent si longtemps tenues à l'écart de la politique, n'obtenant le droit de vote au Québec qu'en 1940, elles régnaient sur leur nombreuse progéniture. Dans la littérature québécoise traditionnelle, la femme s'active, pèse de tout son poids moral sur la famille, et les hommes, qui souvent apparaissent lâches, alcooliques et irresponsables, se taisent. Parfois, sous l'effet du caribou, l'alcool maudit, ils cognent.

À vrai dire, au Québec, il existe une forme de matriarcat. Dans le passé, l'Église a toujours su s'appuyer sur les femmes pour imposer la morale. La hiérarchie catholique avait compris que les femmes, des maîtresses femmes, exerçaient sur leurs hommes une influence incontestable. La piété féminine, encouragée par les prêtres, déteignait sur leur mari et leurs fils, de tous temps plus réticents à jouer les grenouilles de bénitier et à être des « mangeux » de balustrades. Et le clergé, protecteur de la langue, devait s'appliquer aussi à encourager la revanche des berceaux afin que les femmes consentent à « faire leur devoir », c'est-à-dire à mettre au monde tous les enfants que le bon Dieu leur envoyait, comme le disait l'expression consacrée. De là l'exploit québécois du taux de natalité le plus élevé chez les Caucasiens au tournant du XXe siècle.

De nos jours, le taux de natalité est un des plus bas en Occident. Les Québécoises des nouvelles générations ont hérité de leurs aïeules la force et vivent les retombées du féminisme. Rien ne les arrête. Elles semblent croire qu'elles peuvent être à la fois les dignes filles de leur mère mais aussi de leur père. Leur champ d'activités s'est élargi, recouvrant aussi bien les rôles masculin que féminin. Plusieurs jeunes filles s'illusionnent, estimant que le combat pour l'égalité des sexes est dépassé, mais lorsque l'enfant paraît, un seul pour beaucoup d'entre elles, les conflits entre leurs ambitions professionnelles et familiales surgissent, ce qui crée forcément des tensions dans le couple. Qu'à cela ne tienne, les filles d'aujourd'hui ne reculent pas devant la rupture, et elles en sont souvent les instigatrices. Elles ne sont donc pas étrangères au nombre très élevé de divorces, la moitié de tous les mariages, un record en Amérique du Nord. Ces battantes, aussi séductrices, ne cèdent pas devant le mâle qui tergiverse ou s'agite.

Les Québécoises d'antan ont tenu dans leurs mains, si l'on peut dire, l'avenir des Canadiens-français en acceptant de mettre au monde ces familles de dix, quinze enfants. La dénatalité dramatique qui a suivi la Révolution tranquille*, liée en bonne partie à l'avènement de la pilule anticonceptionnelle, de même que le féminisme revendicateur exprimé parallèlement ont transformé de façon radicale la société. Les femmes non seulement font peu d'enfants, mais plusieurs revendiquent leur droit à ne pas en avoir. L'on pourrait estimer que le Québec s'est simplement mis à l'heure de l'Occident, mais son avenir en tant que peuple francophone minoritaire en Amérique du Nord demeure incertain. Ses immigrants de plus en plus nombreux, venus des quatre coins du monde, peuvent-ils prendre le relais du combat pour la langue et la culture françaises ? En clair, les femmes qui ont assuré la survivance durant des siècles en multipliant les enfants, comme Jésus multiplia les pains, choisissent désormais de ne plus se sacrifier pour la patrie.

Les Québécoises actuelles sont des revendicatrices permanentes. Ayant l'égalité des sexes tatouée dans le cœur, elles ont peu de complexes par rapport à leur propre sexe. Elles affichent leur indépendance même si elles la vivent sur un mode plus contradictoire qu'elles ne le prétendent. En fait, la tête enracinée dans le XXIe siècle et le cœur dans le XIXe siècle, avec les hommes elles peuvent être tour à tour frondeuses, enjôleuses, dures, maternelles, injustes ou mantes religieuses. Leurs relations avec le sexe fort se déroulent souvent sur le mode frontal. Fini, la soumission du temps de leurs ancêtres, ce qui évidemment ne les met pas à l'abri des déboires amoureux. Elles se consolent mutuellement, car l'amitié féminine, à tous âges, est devenue le ciment affectif qui les relie et les aide à vaincre la peur de la solitude, risque inhérent qui guette les femmes affranchies.

Les Québécoises n'ont pas la langue dans leur poche. Elles parlent désormais comme les hommes. Elles jurent comme eux, elles engueulent comme eux, la grossièreté verbale ne les effarouche guère, et elles revendiquent la vulgarité. Elles parlent dru, cru, sans état d'âme. Même les bourgeoises instruites se sont mises aux « sacres ».

Et la Québécoise frappe aussi par son allure physique. Elle s'habille avec élégance et sait doser la provocation. Elle joue de ses charmes d'une façon plus directe que la Française, par exemple. Avec des mots et par son attitude. De quoi désarçonner les hommes habitués à faire le premier pas. Les filles plus jeunes savent jouer les macho-girls tout en dénonçant les machos, car nous ne sommes pas à un paradoxe près en la matière. Elles se rient volontiers des garçons qui les draguent en gonflant le torse. Elles, si « libérées », n'ont pas tendance à se laisser séduire par les garçons trop gentils et polis, préférant parfois les « voyous » qui les malmènent un peu et leur crèvent le cœur. Car malgré tout, nombre d'entre elles, aussi extraverties et tonitruantes qu'elles soient, conservent un côté fleur bleue qui porte ombrage à leur assurance affichée.

Au volant, elles sont même nombreuses à avoir le pied lourd, conduisant comme des cow-boys, au grand déplaisir des hommes plus âgés qu'elles court-circuitent, eux qui n'ont cessé depuis des décennies de subir des bouleversements dans leurs rapports aux femmes dont ils n'ont jamais été les initiateurs.

Les Québécoises usent également de l'humour comme d'une arme. Pour séduire ou déstabiliser les hommes. Elles y ont recours aussi pour dédramatiser leur vie car les soubresauts des changements permanents qui ont eu cours au Québec pèsent souvent sur leur vie amoureuse. Et il serait faux de croire que la complexité actuelle des relations hommes-femmes n'altère pas la quête d'une forme de bonheur. Difficile d'être heureuse sachant la précarité de l'amour, de la famille voire de l'amitié dans une société jadis définie par une stabilité sociale, critiquable indubitablement mais d'une certaine façon rassurante. Au Québec, pays de la bonne humeur affichée, les femmes rient pour se protéger, pour s'encourager et pour défier le destin. Et elles se réjouissent de bon cœur de leur réussite d'être à la fine pointe du féminisme moderne.

Dans l'avenir, les femmes seront plus instruites et plus riches que les hommes. Cette tendance actuelle semble irréversible compte tenu du fait que les garçons décrochent du système scolaire dans une proportion trois fois plus importante que les filles. Au niveau universitaire, les filles sont désormais majoritaires en médecine, en éducation, en droit, en sciences sociales, dans ces professions jadis réservées aux hommes. En un sens, la société québécoise s'est féminisée dans ses valeurs et ses institutions. Le matriarcat, appelons-le psychologique, fut un terreau favorable au féminisme revendicateur. Faut-il s'étonner que, dans le Québec de demain, ce soit les femmes qui soignent les malades et sauvent les vies, ce soit elles qui fassent appliquer et respecter la loi et elles qui transmettent le savoir pendant que les hommes se replieront dans les secteurs techniques, mécaniques et financiers ? Et la politique, désormais déconsidérée, pourrait devenir le nouveau terrain de pouvoir des femmes.

En 2012, le Québec a élu Pauline Marois première femme Première ministre. Le plafond de verre s'est fêlé. Demain s'annonce rose dans le Québec du drapeau bleu et blanc.

Fermont (Le mur de)

Le Grand Nord québécois attire davantage les étrangers que les habitants du Québec. Les Québécois s'y installent avant tout pour y gagner leur vie. Ces grands espaces aux épinettes rabougries sont donc des lieux méconnus, sauf pour les Blancs prêts à se soumettre à des températures sous la barre de moins 50 °C pendant les longs mois d'hiver qui s'échelonnent sur des périodes de sept ou neuf mois. Seuls les animaux dont les caribous, les loups et les ours y vivent dans leur élément. Et l'été, précisons-le, ne dure que quelques semaines, en juillet et au début août.

Il existe une ville minière, Fermont, à seize heures de voiture de Montréal, trois heures d'avion, et située au

52e parallèle (le pôle Nord est au niveau du 60e parallèle), où les habitants non seulement ont pris racine mais défient le climat à leur manière en dignes descendants des colons de jadis.

Fermont fut créé de toutes pièces dans les années soixante-dix au prix de 100 millions de dollars. Comme son nom l'indique, l'on y a développé des mines de fer. En s'inspirant des constructions du Suédois Ralph Erskine, l'on a imaginé un mur-écran de 1 kilomètre de long et de 15 mètres de haut dont l'architecture est en forme de flèche, afin d'atténuer les vents dominants du Nord. Les gens de Fermont défient ainsi la nature avec ce mur aussi métaphorique que réel. Bien sûr, le mur, comme on l'appelle simplement, ne se compare ni à celui de Berlin ni à la muraille de Chine, comme l'affirment certains bluffeurs de touristes. Il ressemble plutôt à un centre commercial, avec des commerces et des appartements. Ainsi, on va à l'hôtel de ville dans le mur, à l'école dans le mur, et la caserne des pompiers est dans le mur. Au sud de la ville, l'on a construit environ mille maisons, mais aucun commerce ne dessert cette partie de Fermont. C'est dans le mur que la vie sociale se déroule.

Il est toujours surprenant pour les visiteurs de Fermont, ce lieu exentrique à l'écart de toute civilisation, de découvrir que les habitants partent le week-end pour se réfugier dans « leurs » camps, des constructions primitives sans eau courante ni toilettes intérieures souvent, qu'ils installent à des kilomètres de leur lieu d'habitation. « On est tranquilles dans not' camp la fin de semaine », diront-ils. À croire que pour ces gens du Grand Nord l'isolement n'a pas de limites.

Leurs bonheurs secrets résident dans les beautés insoupçonnées de la nature. Il m'est arrivé quelquefois dans le Grand Nord de passer de longs moments étendue sur un lac gelé, emmitouflée à n'en plus respirer, à observer la Voie lactée, des aurores boréales aux couleurs vertes, jaunes, rouges, un éblouissement si puissant que l'on en perd la notion du temps, un danger permanent lorsque oscille le thermomètre entre moins 40 et moins 50 °C.

Dans les dernières années, le développement de nouvelles mines a permis une recrudescence de travailleurs qui ne font que des sauts au nord et qu'on qualifie de « *fly in / fly out* ». Mais les vrais habitants, eux, ne descendent en « bas » qu'une ou deux fois par an afin de visiter leurs familles et d'acheter les biens introuvables chez eux.

À Fermont, il n'y a pas de cimetière. Les vieux descendent au sud pour finir leurs jours, et les morts sont enterrés dans les villes et villages d'où les familles sont originaires. La solitude et l'isolement sont un choix de vivants qui se refusent à laisser leurs proches disparus dans ce dur pays glacé et toujours silencieux.

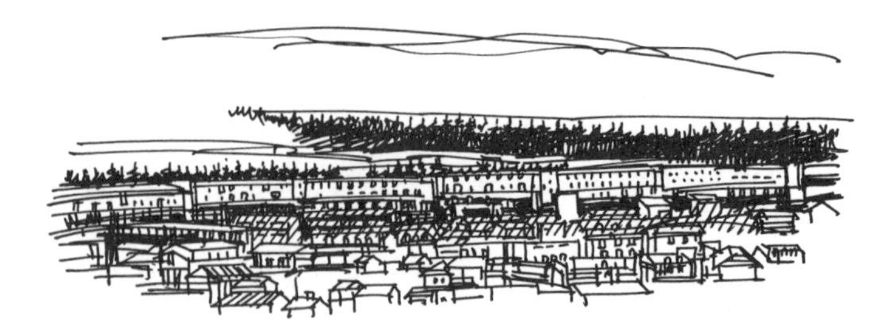

Festivals (Les)

Le Québec bat les records d'engouement pour les festivals. L'on en recense plus de six cents annuellement. L'été en particulier, ces activités s'enchaînent, se compétitionnent, s'excluent et s'additionnent. À l'évidence, le nombre semble trop élevé compte tenu de la faiblesse de la population. Qu'à cela ne tienne, chaque village revendique son droit à un festival : du festival du Rire au prestigieux

festival du Jazz ; du festival d'Été de Québec, à Québec, aux activités diverses qui transforment la vieille ville en terrain de jeux, piste de danse, salle de concert extérieure sur les Plaines d'Abraham*, aux festivals locaux – celui de la poutine*, de la mouche noire ; du coloré et vivant festival Western de Saint-Tite, reconnu aussi pour son rodéo, à celui de la gibelotte aux poissons dans les îles de Sorel ; de ceux des produits de l'érable*, de la galette de sarrasin à Louiseville, à celui qui se décrète Le Mondial du cidre de Rougemont, il faut en conclure que les Québécois sont « des gens de party », comme on dit. Il faut dire qu'on retrouve dans les *Relations des Jésuites*, en 1636, une référence à la fête du solstice célébrée le jour de la Saint-Jean-Baptiste le 24 juin, avec un feu de joie, et alors que deux cents colons seulement peuplaient la ville de Québec.

Les festivals d'hiver sont moins nombreux. À Montréal, en février, se tient le festival Montréal en lumières, et à Québec le fameux carnaval. On comprendra que rien n'arrête les amateurs de motoneiges, de quads, de traîneaux à chiens, de sculptures sur glace, d'organiser aussi des manifestations où les festivaliers n'hésiteront pas à braver le froid et les tempêtes de neige pour passer des heures à l'extérieur à s'amuser, à boire le caribou traditionnel, mélange savant d'alcool éthylique, appelé « whisky blanc », et de vin cuit qu'on ingurgite chaud, pour se réchauffer, croit-on, mais qui, on le sait, refroidit le corps. Surtout vu la quantité avalée. De là l'expression « être réchauffé » pour désigner une personne qui a trop bu.

Ces festivals sont d'autant plus populaires qu'ils ont eu tendance à remplacer le perron de l'église d'antan. Les grands concerts extérieurs, par exemple, servent de grand-messe où communie un public aussi jeune qu'enthousiaste. Lorsque les chanteurs sont engagés et font appel à la fibre nationaliste, l'on y déploie le drapeau du Québec, et les héritiers de la Révolution tranquille* des années soixante se serrent les coudes et vibrent de la même fierté québécoise.

Les festivals sont devenus au fil des ans des activités touristiques très populaires. À Montréal, l'été, plusieurs festivaliers y occupent leurs vacances et voyagent en musique, en chansons, en humour, par le théâtre, le cirque, la danse. Ces divers événements hautement subventionnés sont de plus une distraction à caractère thérapeutique qui fait oublier, le temps d'un été, la morosité sociale occidentale. « Ça change le mal de place », comme on dit chez nous.

Fête nationale (La)

Depuis des siècles, l'on a fêté la Saint-Jean-Baptiste en Nouvelle-France. En fait, les premiers colons français célébraient la Saint-Jean, comme en France sous l'Ancien Régime où c'était une fête très populaire avec ses grands feux auxquels on a donné le même nom. L'on trouve dans les *Relations des Jésuites* des références à des célébrations à Québec même, vers 1636, à l'initiative du gouverneur de l'époque, Montmagny.

La tradition du défilé qui se poursuivra jusqu'à la Révolution tranquille* des années soixante prit son envol dès 1842, et c'est l'occasion pour les Canadiens, comme on les désignait à l'époque, d'afficher leurs profondes convictions religieuses. D'ailleurs, en 1908 le pape Pie X décréta officiellement saint Jean-Baptiste patron des Canadiens-français.

Ce fut donc jusqu'à la Révolution tranquille une fête où l'Église et l'État se retrouvaient côte à côte lors du défilé traditionnel à Montréal. Enfant, j'adorais cette parade, comme on l'appelait. Pour les fanfares qui la composaient mais surtout pour le dernier char allégorique qui clôturait l'événement. C'était le plus fleuri et le plus attendu des chars. Sur un trône blanc et bleu en rappel du drapeau québécois, saint Jean-Baptiste, personnifié par un garçonnet blond aux cheveux très bouclés, souriait béatement. Un petit mouton blanc à la laine aussi bouclée que les cheveux du petit Jean-Baptiste reposait à ses pieds. Cette scène représentait l'apothéose de cette journée où s'exprimait la ferveur à la fois religieuse et patriotique.

Durant des décennies, personne ne trouvait à redire à cette procession à l'image du Québec, docile, replié sur lui-même, bon enfant et pieux. Certains artistes, des intellectuels, critiquaient ce nationalisme de droite, dégoulinant de religiosité, mais ils étaient condamnés à vivre dans une marginalité dans laquelle ils se complaisaient eux-mêmes.

Il a fallu attendre le grand coup de vent des années du réveil pour que la fête nationale se transforme en une journée d'affirmation nationale.

Le nouveau nationalisme, plus combatif, plus progressiste socialement, s'exprime à travers la création d'un mouvement, le Rassemblement pour l'indépendance du Québec, qui attire une nouvelle génération, idéaliste, tapageuse, qui carbure à l'anticléricalisme et abhorre ce défilé à la gloire d'un enfant blond et de son mouton symbole, affirment plusieurs des Canadiens-français dociles. En 1965, *exit* le garçonnet et l'agneau. C'est une statue d'une hauteur de 10 pieds, soit environ 3 mètres, représentant un Jean-Baptiste adulte à la tête plutôt bourrue qui ferme alors le cortège, au grand dam des nostalgiques.

En 1968, le jour de la Saint-Jean se terminera en émeute à la suite de la décision de Pierre Elliott Trudeau*, le flamboyant pourfendeur des indépendantistes, d'assister au défilé, depuis la tribune des dignitaires laïcs et religieux. Un groupe d'agitateurs cherchant à en découdre avec P. E. Trudeau l'interpellèrent en scandant des « Trudeau le traître » et autres noms d'oiseaux. Des bouteilles, des pierres et autres objets dangereux furent lancés en direction du futur Premier ministre du Canada qui sera de fait élu dès le lendemain. L'on vit alors les dignitaires paniqués quitter en courant les gradins pendant que P. E. Trudeau refusait de s'enfuir, accroché à son siège et évitant les objets qui atterrissaient autour de lui. Les policiers, une fois leur stupeur passée, foncèrent dans la foule immense, et la fête nationale vira à l'émeute.

L'année suivante, des manifestants s'attaquèrent à la gigantesque statue de saint Jean-Baptiste et réussirent à la jeter par terre sous les cris et les bravos. J'étais présente lors de cette mise à mort où Jean-Baptiste fut décapité. J'ai ramassé un de ses doigts en carton recouvert de plâtre que j'ai gardé comme une relique de cette période iconoclaste du Québec en marche vers son affirmation.

Depuis plusieurs décennies, la fête nationale s'est transformée au goût du jour, pourrait-on dire.

Il y eut des 24 juin électrisants sur les Plaines d'Abraham* à Québec et sur le Mont-Royal* à Montréal, avec les chanteurs mythiques du Québec contemporain : Félix Leclerc*, Gilles Vigneault*, Claude Léveillée, Claude Dubois, Diane Dufresne, Robert Charlebois*, Paul Piché, Ginette Reno, et bien sûr Céline Dion*. D'autres fêtes nationales plus conviviales se dérouleront désormais dans les quartiers de Montréal où, à l'image de la société en mutation, se côtoient désormais les Québécois de toutes origines. Le fleurdelisé claque au vent, mais les chansons québécoises font désormais face à la concurrence des chansons en anglais, une hérésie aux yeux de ceux qui savent que, sans vigilance, le combat pour la langue pourrait être perdu. La fête nationale est soulignée aussi par toutes les minorités culturelles. C'est devenu une fête multicolore, multiethnique sous la bannière du drapeau fleurdelisé.

Floride (La)

Peuple du nord de l'Amérique du Nord, les Québécois se tournent l'hiver venu vers le sud du Sud américain. S'ils se rendent en touristes dans les Caraïbes, au Mexique ou à Cuba, c'est en Floride qu'ils établissent leurs quartiers d'hiver. Plus de 200 000 Québécois y résident durant six mois moins un jour, la limite au-delà de laquelle ils perdent leur couverture médicale. On les a baptisés oiseaux des neiges (*snowbirds*) bien que leur migration, concentrée en novembre et décembre, soit plus tardive que celle de nos oies blanches, canards et autres espèces du Canada qui partent dès septembre vers la chaleur. Seuls les moineaux increvables et quelques autres spécimens à plumes plus endurcis sont sédentarisés.

À cette transhumance qui descend en auto, en camping-car, en roulotte, en avion, voire à moto, s'ajoutent quelque 300 000 autres *snowbirds* qui ne résistent pas aux plages et au soleil à trois heures quinze minutes de vol des moins 30 °C, des tempêtes de neige qui paralysent le pays et des vertigineuses chutes de température qui sévissent durant l'hiver.

Les *snowbirds* sont pour la plupart des retraités. D'ailleurs, nombre d'entre eux prennent la peine de l'indiquer sur une plaque à l'avant de leur véhicule. Quant aux Québécois toujours actifs, leur nombre croît d'année en année, et, grâce à l'existence d'Internet, c'est en maillot de bain, une bière à la main qu'ils « travaillent à distance », leur téléphone collé à l'oreille. Avec un malin plaisir, ils interrogent leurs interlocuteurs nordiques sur les conditions météorologiques qui sévissent au Québec, histoire d'épicer un peu plus le plaisir d'échapper au vent glacial qui brûle la peau sans la bronzer.

Les Québécois unilingues français sont nombreux en Floride mais ils trouvent toujours un compatriote pour les dépanner au cas où on ne les comprenne pas. Et, depuis quelques années, ils fraternisent avec les Haïtiens, désormais très présents, que l'on retrouve comme employés dans de nombreux commerces. Comme m'a dit un jour, assez fort pour qu'on l'entende, une caissière haïtienne alors qu'une file d'Américains attendait derrière moi : « C'est bien de se parler en français car les Américains ne nous comprennent pas. » Qui peut prétendre que la francophonie n'est pas aussi affaire de connivence affective ?

Les Québécois se sentent chez eux en *Florida*, comme ils disent. En partie parce qu'ils y vivent entre eux. Dans des parcs roulottes, dans des *gate communities*, ces ghettos non sans avantages ni attraits pour les gens de cinquante-cinq ans et plus. Même les très riches Québécois, milliardaires que l'on désigne par l'expression « Québec Inc. », ont tendance à se regrouper. Au nord de Palm Beach entre autres, loin de la québécitude voyante et parfois tonitruante d'Hollywood ou Hallandale, entre Miami et Fort Lauderdale. À vrai dire, les Québécois, toutes classes sociales confondues, ne fréquentent guère les autres Américains des États du Nord, *snowbirds* comme eux. Le soleil seul les réunit car personne ne vient en Floride pour des échanges culturels autres que « *Thank you* », « *How much ?* ».

De fait, le seul véritable choc culturel des Québécois est de découvrir le prix qu'il en coûte d'être canadien. En Floride, tout est moins dispendieux qu'au Québec et dans le reste du Canada évidemment. Non seulement la nourriture – à moins de choisir les produits de luxe comme le stone crab, le bœuf Angus ou l'agneau frais du Wisconsin –, mais aussi tout le reste, électroménager, voitures, essence et vêtements. Les gigantesques magasins d'usine, où l'on trouve le haut de gamme, Saint Laurent Haute Couture, Jean-Paul Gaultier, Fendi pour des prix ridicules, sont des temples de la désacralisation de la « guenille de luxe ». Lorsqu'on paie 225 dollars un imper Prada dont l'étiquette indiquait 2 800 au départ, on se métamorphose. On refuse dès lors de se comporter en consommateurs idiots. Les Québécois magasineux qui ne pratiquent pas la simplicité volontaire considèrent donc la Floride comme le paradis sur terre. Ils oublient sans doute qu'il y a un prix pour vivre au Québec, en social-démocratie avec carte d'assurance maladie, frais de scolarité à l'université les plus bas au Canada, allocations familiales et pension de vieillesse universelle à soixante-cinq ans. Quand ils se croisent dans les magasins, ils s'interpellent souvent : « Ça a pas de bon sens comme c'est pas cher », diront les uns ; « On se fait voler tout rond chez nous », affirment les autres. Mais ils s'empressent de remonter au nord dès les premiers jours du printemps. Pour retrouver la famille, les amis et leur « chez-eux » où il y a un prix à payer pour être une société distincte en Amérique du Nord car la fiscalité est aussi plus élevée au Québec que dans le reste du Canada.

Français, Québécois : les clichés

Les Français ont longtemps cru que les Québécois n'étaient que des Français surgelés. Nous parlions la même langue, nos repères communs nous distinguaient des Anglo-Saxons, et malgré l'accent existait une certaine consanguinité entre les descendants de Jacques Cartier*, de Samuel de Champlain* et ceux du vieux pays. Le Français qui débarque à Montréal avec en tête ces comparaisons déchante rapidement.

Le langage demeure un guide efficace et surtout révélateur des différences de mentalités et de culture entre nous. Par exemple, en France, l'on parle du panier de la ménagère alors qu'au Québec l'on fait référence au panier d'épicerie. Car si en France il va de soi que les courses sont avant tout l'attribut de la ménagère, au Québec il n'est pas question d'en faire une activité réservée aux femmes.

Les Français trouvent les féministes québécoises « séduisantes malgré tout » alors que les Québécois estiment plutôt que les Françaises sont séduisantes, « même si elles ne sont pas féministes ». La Française considère les « bûcherons » québécois séduisants et parfois séducteurs alors que la Québécoise trouve le « paysan » français, vigneron avant tout, trop séducteur et de ce fait peu séduisant.

Le Français croit que le Québécois ignore à quel point il a un GROS accent alors que le Québécois se rit du Français qui ne se rend pas compte qu'il a UN accent. Le Français juge le Québécois provincial, trop gentil, pas dégrossi, inculte et niais, et le Québécois estime que le

Français est chauvin, imbu de lui-même, prétentieux et hautain.

Parfois, les Français se comportent comme s'ils étaient seuls au monde, sans besoin des autres, alors que les Québécois ont aussi l'impression d'être seuls au monde mais ils sont à la recherche constante de l'approbation des autres. Les Français méprisent copieusement les Américains tout en les imitant. Les Québécois, eux, critiquent les Américains à qui ils ressemblent mais tentent souvent par leur façon d'agir de s'en distinguer. Enfin, les Françaises portent le nom de leur mari, voire de leur ex-mari qu'elles détestent, et les Québécoises depuis 1983 portent officiellement leur nom de jeunes filles. Ainsi elles évitent de disparaître socialement derrière l'époux et de perpétuer un lien marital qui n'a plus sa raison d'être.

Le Français n'estime pas qu'une femme qu'il invite à dîner doive, de ce fait, coucher avec lui, alors que la Québécoise qui accepte de se faire inviter par un homme se sent obligée de le récompenser en nature. La Française se laisse courtiser, minaude et fait languir son partenaire. En fait, la Française pratique l'approche circulaire avec le mâle alors que la Québécoise pratique la séduction de manière frontale. Elle ne cache guère son jeu et n'hésite pas à exprimer son désir. De là le débalancement subi par des Français de passage ignorant ces mœurs des Québécoises affranchies et qui provoque un choc quasi anthropologique.

À l'évidence, dans les relations amoureuses franco-québécoises, l'homme québécois trouve la Française plus reposante que la Québécoise, même si elle lui complique la vie par ses feintes et son mystère qu'elle entretient à la manière d'un jardin exotique. Le Québécois, grand défenseur du féminisme de ses compatriotes, sera même tenté de se laisser aller vers une régression machiste afin de profiter de sa Française. Celle-ci met son homme en valeur, lui donne le sentiment qu'il est le plus fort et surtout ne le contredit jamais devant des tiers, un sport de contact que pratiquent les Québécoises avec leur homme.

La Québécoise amoureuse d'un Français apprécie la capacité de celui-ci à lui « chanter la pomme », c'est-à-dire à lui faire la cour avec des mots ; elle sera sensible à ses manières enveloppées de politesse mais elle déchantera lorsque le coq gaulois cocoriquera, révélant son vieux fond machiste. Elle aura du mal à retenir son besoin de lui porter la contradiction. Elle devra capituler ou détaler si elle croit qu'elle peut transformer un Français en Québécois. Car le meilleur des deux mondes, entre l'amour à la française ou à la québécoise, n'existe pas.

Frères enseignants célèbres (Des)

Chaque famille canadienne-française modeste a donné des fils à l'Église, jusque dans les années soixante. Le recrutement se faisait surtout dans les campagnes, et nombre de cultivateurs étaient heureux et fiers d'être les parents d'un frère. Heureux, car cela signifiait une bouche de moins à nourrir dans les grandes familles, et fiers, car un fils religieux, même frère, fut longtemps considéré comme un signe d'élévation sociale.

Comme plusieurs religieuses, les frères recevaient une formation sommaire en vue d'enseigner dans le primaire et le secondaire. Les frères des écoles chrétiennes, les Frères maristes, les frères du Sacré-Cœur n'avaient aucun problème de recrutement, et les jeunes candidats étaient choisis dès la fin de l'adolescence. Leur formation, inférieure à celle des prêtres, les destinait à enseigner aux garçons des milieux plutôt pauvres à qui ils apprenaient à lire, à écrire et à s'exprimer avec un minimum de correction. Les frères ont toujours fait profil bas. Ces religieux qui ne pouvaient bénéficier du statut de prêtre étaient d'une certaine façon soumis comme les religieuses au pouvoir des clercs tout-puissants. Être frère révélait l'origine sociale modeste et être prêtre signifiait l'élévation sociale vers la bourgeoisie. Pas surprenant que, lors de la Révolution tranquille*, des frères quittèrent en grand nombre leurs communautés et se recyclèrent immédiatement dans l'enseignement avec des salaires afférents, avant de trouver femme et de fonder une famille.

Les Québécois sont friands des histoires scabreuses qui se déroulaient dans les institutions dirigées par les frères. À l'évidence, ces religieux, entrés dans les ordres à dix-sept, dix-huit ans, ne recevaient aucune éducation sexuelle autre que des mises en garde contre le péché de la chair, l'obsession nationale. Parmi les baby-boomers, nombreux sont ceux qui dans leur jeunesse recevaient à la fin de l'année le « trophée du poignet d'or » décerné par le « frère mets ta main ». Ce genre de blague a perduré jusqu'à ce que les communautés se retrouvent exsangues, faute de candidats et selon la règle de l'attrition.

Cependant, ces blagues douteuses recouvrent une réalité plus dérangeante. Comme dans tant de sociétés catholiques, ces collèges, et ceux dirigés par des prêtres également, étaient un terrain de chasse de prédateurs sexuels. Ces hommes entrés dans les ordres sans aucune expérience, dans la fleur de l'âge, et qui avaient vécu à l'écart des femmes, hormis de leur mère et leurs sœurs, car les écoles primaires et secondaires ne sont devenues mixtes que dans les années soixante au Québec, ces hommes étaient trop souvent laissés à eux-mêmes face à leurs pulsions sexuelles. Ils furent nombreux à assouvir leurs désirs sur de jeunes garçons sur lesquels ils exerçaient une autorité morale, spirituelle et intellectuelle. Depuis quelques années, d'anciennes victimes se sont manifestées, et par des règlements de cour ou hors cour, certaines communautés ont déboursé des dizaines de millions de dollars de « dédommagement », cet euphémisme pour décrire le viol souvent répété de garçonnets traqués, honteux, dégoûtés et enfermés dans un silence qui a plombé leur vie d'adulte.

Les Québécois, assoiffés de transparence, craignent moins de nommer les choses, de dénoncer l'intolérable et de démasquer les coupables. Mais les frères enseignants, malgré les dérives d'un trop grand nombre, ont accompli une œuvre d'éducation et de scolarisation dans des milieux très modestes où l'importance de l'éducation n'était pas une priorité. Ils ont aussi contribué à la formation des garçons dans les écoles publiques. Mais c'est grâce à l'action spectaculaire de l'un de ces frères enseignants, Jean-Paul Desbiens, de l'ordre des Frères maristes, que les frères ont trouvé leur icône intellectuelle.

En 1960, Jean-Paul Desbiens, frère Pierre-Jérôme, écrit sous l'anonymat un brûlot aussi brillant que provoquant : *Les Insolences du frère Untel.* Dans cet ouvrage coup de poing, cet homme encore jeune et très lettré décrit l'échec du système scolaire. Il y dénonce en particulier « le joual* », déformation du mot cheval, cette langue désossée parlée par une race servile, écrit-il, et qui à ses yeux symbolise notre ignorance collective.

Son ouvrage, vendu à plus de 100 000 exemplaires, a l'effet d'une bombe. « Nos élèves parlent joual parce qu'ils pensent joual et ils pensent joual parce qu'ils vivent joual. [...] C'est toute notre civilisation qui est joual. On ne réglera rien en agissant au niveau du langage lui-même », écrit le frère. Ce dernier, qui n'a certes pas évalué la force de frappe de son pamphlet, en subit les contrecoups. Sa communauté l'expatrie en Suisse dès l'année suivante, où il poursuivra des études de philosophie et de théologie. Le frère Desbiens, forte tête mais respectueux de ses vœux, ne cherche nullement à ébranler l'ordre des Frères maristes. D'ailleurs, il ne quittera jamais sa communauté. À son retour au Québec en 1964, il fera une incursion au ministère de l'Éducation, devenant ainsi un des architectes de la réforme scolaire. Puis il occupera le poste prestigieux d'éditorialiste du journal *La Presse* à Montréal, mais ne se sentira guère à l'aise dans ce monde des médias qu'il quittera sans regret pour devenir directeur d'école puis observateur vitriolique de ce Québec qui le fait souffrir. Jean-Paul Desbiens, en déplorant l'ignorance crasse de ses compatriotes, ouvrira un débat sans fin sur la langue, et qui connaîtra son apogée avec la revendication du joual comme identité et langue distincte du français par nombre d'écrivains et d'intellectuels à la fin des années soixante. Cet homme éclatant d'intelligence, ours solitaire, mourra dans l'amertume avec le sentiment d'un échec de la Révolution tranquille et du combat pour la défense et l'illustration de la langue française. Celui qui avait tant crié à tue-tête les vertus de la culture et du respect de la langue mourra, quelle ironie, d'insuffisance respiratoire…

Un autre frère, illettré et plus qu'effacé celui-là, le frère André, né André Bessette en 1845, portier au collège Notre-Dame de Montréal, propriété à l'époque de la communauté des frères de Sainte-Croix, est parvenu au sommet de la gloire en étant canonisé par le pape Benoît XVI en 2010. On lui attribue de nombreuses guérisons, et son « don » attirera durant des décennies des milliers de malades à la porte de son collège. Sa communauté décidera en 1914 de construire une basilique, achevée en 1956 et copie du Sacré-Cœur de Montmartre à Paris. Cet oratoire Saint-Joseph, nom dont on baptisera la basilique à cause de la dévotion du petit frère pour l'époux de Marie, attirera des millions de touristes canadiens, américains et sud-américains.

Une de mes tantes adorées avait consulté le frère dans les années trente (il est mort en 1937) suite au décès de son père, car des crises d'asthme la terrassaient. Cette tante, iconoclaste de tempérament, obéit au frère qui lui suggéra de se départir de son alliance en allant la déposer devant la statue de sainte Philomène dans son église paroissiale. Plusieurs années plus tard, l'église fut débaptisée officiellement car l'existence de Philomène en tant que martyre fut mise en doute. En 1961, la sainte fut rayée du calendrier liturgique, et ma tante, devenue catholique sceptique, emportée par le courant de la décatholisation, regrettera son alliance et doutera du frère André. Elle avait constaté au cours des ans que l'alcool calmait son asthme, et c'est sans remords qu'elle s'éloigna de l'Église et de ses saints.

Hiver (L')

Les Québécois facétieux assurent que l'hiver dure six mois. À vrai dire, certaines années, lorsque la première neige surgit fin octobre dans les Laurentides, au nord de Montréal, et que certaines bordées tombent fin avril à 50 kilomètres de la ville, l'on n'est pas loin du compte.

Devant des étrangers, sauf devant les habitants des régions de froid comparable, les Québécois aiment crâner en jouant les endurcis. Façon d'exercer un ascendant sur les frileux de la planète. Il est vrai que le froid, le vrai, celui qui pétrifie, qui engourdit les extrémités, constitue un défi à relever pour les Québécois qui aiment l'idée de ne pas être des « p'tites natures ».

Les gens de ma génération allaient en classe, marchant souvent sur de longues distances, même si le thermomètre indiquait moins 25 °C. De nos jours, l'on ferme les écoles, et les médias font peur au monde lorsqu'on annonce moins 15 °C. Et à la moindre chute de neige importante dans la ville, tout s'arrête. À mon époque, les enfants se précipitaient à l'extérieur dès l'annonce d'une tempête. Et l'on espérait toujours qu'elle serait la tempête du siècle.

Les premières neiges sont applaudies par les enfants, par les adeptes des sports d'hiver, ski, patinage, hockey, par les amateurs du froid, cela existe, et les amoureux de la beauté hivernale. Car l'automne, en déplumant les arbres, en raccourcissant les jours, plonge le pays dans la grisaille, et les après-midi entre chien et loup provoquent le cafard. Lorsque enfin la neige recouvre ces paysages tristes, elle dégage une lumière qui s'intensifie la nuit et qui éblouit tout en réchauffant les cœurs.

Les villes sont inadaptées face aux chutes de neige qui ralentissent le rythme des activités. Notre culture de l'impatience et de l'efficacité supporte mal la désorganisation qu'entraînent les tempêtes, personne ne tolérant un centimètre de cette poudre blanche et licite sur les trottoirs. Si bien que les coûts de déneigement ont grimpé de façon vertigineuse d'année en année, et qu'on estime aujourd'hui à près de 150 millions de dollars les frais de déneigement d'une ville comme Montréal.

L'hiver est donc une saison dispendieuse. En frais de chauffage, en congés maladie avec les grippes et autres afflictions ORL, en vêtements également. Lors de mon premier séjour prolongé en France, je fus étonnée de constater que le Français moyen n'avait qu'une garde-robe, rajoutant des pulls en hiver sous un imperméable ou un blouson quatre-saisons. Au Québec, sans vêtements chauds, il faudrait hiberner comme des ours. Seuls les ados, tête nue, mains nues, en baskets, les jupes aux fesses et le col ouvert s'élancent à l'extérieur – avant d'atterrir quelques jours plus tard au fond du lit la gorge en feu et au bord du délire avec 40 °C de fièvre. L'hiver est dur sur le corps et les nerfs des parents souvent incapables de contrôler leurs enfants téméraires dont la devise se résume par : « C'est mon droit de faire ce que je veux. »

Les prosélytes des salades n'ont aucun succès durant cette saison car froid se conjugue alors avec gras. L'hiver, sauf pour les obsessionnels de la silhouette, la nourriture prend un sens précis. En d'autres termes, l'on mange pour lutter contre le froid. C'est la saison des plats traditionnels, les rôtis de porc, le ragoût de boulettes et de pattes de cochon, les crêpes au sirop d'érable, de vraies tartes anglaises (*pies*) et non ces tartes aux fruits françaises trop légères, des gâteaux (*cakes*) aussi rehaussés de crème fouettée. L'on fait donc provision de protéines et de sucre pour se récompenser de traverser les mois où les oscillations de température font subir à l'organisme des chutes ou des augmentations de 15 ou 20 degrés en une nuit parfois. Et que dire des records de moins 38 °C à Montréal durant plusieurs semaines comme à l'hiver 2013-2014 !

Sur les routes, on fait fondre la neige au sol avec un mélange savant de calcium et de sel, si bien que les voitures, atteintes de corrosion, ont une vie utile plus courte que dans les pays tempérés. Et les Québécois pestent en marchant dans la *slush*, cette neige fondante grise et sale qui s'attaque aux bottes de cuir en les mouillant de telle sorte qu'en séchant une traînée blanche les recouvre. L'hiver, aux arrivées de l'aéroport Charles-de-Gaulle, il suffit de jeter un œil sur les pieds des voyageurs pour y reconnaître sans risque d'erreur les Québécois qui débarquent.

Pourtant, quiconque n'a pas marché sur un lac gelé recouvert d'une fine couche de neige immaculée avec comme musique les crissements de la glace ignore un des sentiments de la plénitude hivernale. Et quiconque n'a jamais eu le bonheur d'observer la beauté et la diversité des cristaux de neige – environ quatre-vingts types de cristaux ont été répertoriés à ce jour, et c'est Descartes, au XVIIe siècle, qui aurait été le premier à faire une description exacte de ceux qu'il pouvait observer à l'œil nu – méconnaît ce cadeau de la nature.

Les Québécois n'ont eu de cesse de chanter l'hiver en le sublimant, en en éprouvant de la nostalgie, en le redoutant également. « Mon pays ce n'est pas un pays, c'est l'hiver », chante Vigneault*, le poète de Blanc-Sablon. « Mon pays, c'est froid, c'est seul, c'est long à finir, à mourir », enchaîne Claude Léveillée. « Demain l'hiver, je m'en fous, je m'en vais dans le sud au soleil », entonne Robert Charlebois* qui, dans un sursaut d'ennui, compose aussi « Je reviendrai à Montréal... j'ai besoin de revoir l'hiver, j'ai besoin de cette lumière descendue droit du Labrador et qui fait neiger sur l'hiver des roses bleues, des roses d'or ».

L'hiver est donc inscrit dans l'ADN québécois. Pour être un « vrai » Québécois, il faut avoir traversé l'hiver. D'ailleurs, c'est sans doute l'épreuve la plus redoutable à laquelle sont confrontés ceux que l'on appelle les nouveaux arrivants originaires de pays sans neige qui ignorent les thermomètres où le mercure indicateur du degré est à plat. On les reconnaît à la façon dont ils se comportent au volant en roulant sur cette ouate redoutable qui peut recouvrir la glace noire. Car sans l'expérience de ces conditions de route précaires, un immigrant ne peut se réclamer du titre de Québécois tant ces derniers éprouvent une fierté à dompter les pièges, parfois mortels, de l'hiver.

La crise du verglas

L'année 1998 restera à jamais marquée dans l'histoire du Québec contemporain alors que s'abattit en janvier, sur le territoire, une tempête de verglas considérée à ce jour comme l'un des désastres météorologiques les plus importants en Amérique du Nord. Les pluies verglaçantes tombèrent sur la Nouvelle-Angleterre, le nord de l'État de New York frontalier du Québec, mais c'est dans ce que l'on a baptisé le « triangle noir », à savoir un corridor situé entre Ottawa en Ontario, Montréal et Sherbrooke dans les Cantons de l'Est, que ce verglas fut le plus ravageur. Durant cinq jours d'affilée, il fit rage sur cette partie du Québec et la plongea dans l'obscurité à cause des pannes de courant généralisées, de l'écroulement des pylônes et des lignes à haute tension qui transportent le courant depuis les immenses barrages de la baie James* dans le grand nord du Québec.

Chacun a vécu son histoire du verglas. J'ai dû quitter ma résidence après vingt-quatre heures où j'avais fait crépiter les foyers de cette demeure quasi centenaire, car le majestueux érable qui bordait l'entrée s'abattit sur le porche, précipitant dans sa chute les fils électriques. Les policiers nous obligèrent à partir car mon fils résistait, se refusant à abandonner son chat dans le froid glacial de la maison.

Durant trois jours, nous avons vécu dans un grand hôtel du centre-ville avec un chat clandestin, et j'ai hébergé une amie dans l'impossibilité de trouver une chambre pour se loger. Plongée dans le noir quasi absolu du haut du dix-huitième étage de l'hôtel, nous regardions la ville avec effroi. Comme dans ces films de catastrophes naturelles ou surnaturelles.

Ce fut une longue parenthèse où la convivialité reprit ses droits. Avec une partie du territoire inaccessible, Montréal était devenu une ville fantôme, sans transports autres que les voitures de police et de la sécurité nationale, et sans communications avec l'extérieur. Aéroports, écoles, services hospitaliers, transports en commun, bureaux, commerces étaient fermés. Les Québécois ont donc retrouvé cette solidarité traditionnelle souvent perdue dans l'anonymat des métropoles. Dans notre hôtel, comme dans les autres d'ailleurs, les enfants jouaient au hockey dans les corridors, les clients donnaient un coup de main au personnel retenu sur place, et après quelques jours tout le monde s'interpellait. L'hôtel Reine-Élizabeth avait des airs de pension de famille.

Hors de Montréal, certains citoyens ne retrouvèrent le courant qu'un mois plus tard. Avec cette crise, l'ancien temps du Québec rural ressuscita. L'hiver, saison où l'on s'encabane au point de ne croiser nos voisins dans les rues qu'au printemps suivant, nous avait cette fois rapprochés dans une fraternité dont plusieurs ont gardé la nostalgie. Et jamais le pays ne connut une telle sidérante beauté alors que la glace translucide faisait éclater le cœur des arbres qui s'effondraient dans des craquements semblables à des râles, et que les lignes électriques, symboles du génie québécois, s'envolaient comme des fétus de paille. La glace écrasait de son poids l'orgueil de l'homme moderne obsédé par le contrôle de la nature. Ce verglas fut aussi une grande leçon d'humilité.

Durant cette parenthèse où la vie trépidante s'arrêta et où les Québécois se redécouvrirent dans une convivialité renouvelée, la vie reprit ses droits. Neuf mois plus tard naissaient ceux que l'on a baptisés « les bébés du verglas ».

Hockey – Les Canadiens de Montréal

Le hockey sur glace, sport national, n'a pas échappé à la turbulence politique, résultat du vieux contentieux anglais-français au Canada. Le sport se pratiquait déjà au Québec et en Nouvelle-Écosse au XIXe siècle, mais c'était un sport d'extérieur. En 1875, des étudiants de l'Université McGill à Montréal organisèrent le premier match codifié au Victoria Skating Ring, une patinoire intérieure située dans le quartier luxueux de la grande bourgeoisie anglophone. Ce fut le début du jeu moderne. Les joueurs de l'époque se recrutaient chez l'élite anglo-protestante plutôt que chez les Canadiens-français ou les Irlandais catholiques qui, eux, ne semblaient guère s'intéresser à ce nouveau sport. L'on peut penser aussi que ces derniers ne se sentaient guère bienvenus chez les riches.

Les Canadiens de Montréal, la plus vieille équipe de hockey au monde encore active, vit le jour en 1909.

Maurice Richard, le héros et l'icône du hockey, était l'incarnation de la modestie. Cet homme de peu de mots, au vocabulaire restreint, à la timidité maladive, était habité par un désir de dépassement incandescent. L'homme, gauche, effacé, se consumait sur la patinoire. Le dieu du stade provoqua, bien malgré lui, une émeute monstre à Montréal en 1955, émeute qu'alimentaient les humiliations historiques subies par les Canadiens-français.

Au cours d'un match sur la patinoire des Bruins de Boston trois jours auparavant, Maurice Richard frappa un juge de ligne. Par la suite, le président de la Ligue nationale de hockey (LNH), Clarence Campbell, dont le prononcé du nom suscite encore une émotion chez tous les contemporains de l'incident, le suspendit pour le reste de la saison, l'excluant *de facto* des séries éliminatoires de la Coupe Stanley. Quatre jours plus tard, les Canadiens furent de retour au Forum de Montréal pour un match régulier. Campbell, drapé dans sa suffisance, son mépris et son inconscience, était déterminé à y assister, malgré la réticence de la police. Les supporters montréalais qui avaient si mal accepté cette suspension deviendront féroces.

Le soir du match, il régnait au Forum situé dans l'ouest de la ville, un quartier très majoritairement anglophone, une atmosphère d'autant plus explosive que Campbell avait annoncé sa présence sur un ton de défiance. Très rapidement, un spectateur lança une bombe lacrymogène en direction du dirigeant assis dans les gradins, ce qui entraîna l'évacuation des lieux. La suite fut longue et dramatique. Voitures brûlées, vitrines de commerce fracassées, pillage systématique dans ces rues où les francophones mettaient rarement les pieds et où il était quasi impossible d'être servi en français dans les magasins et les restaurants. L'agitation se poursuivit à travers les médias et dans l'arène politique. Les rancœurs passées, les frustrations, les humiliations furent exprimées et analysées publiquement. Maurice Richard, demeuré silencieux et plus que discret le soir de l'émeute, dut intervenir sous la pression des autorités. Le 18 mars, à la radio, il s'adressa aux auditeurs afin de calmer les esprits. Il s'engagea à revenir au jeu la saison suivante, afin, précisa-t-il, d'« aider » l'équipe. L'agitation cessa.

Cet épisode fut sans conteste annonciateur des changements politiques, sociaux, religieux des années soixante. Mais en 1955, ces étincelles de révolte se transformèrent en braise. Le peuple reprit sa routine. Certains affirment qu'il courba de nouveau le dos, mais il s'agissait d'un dernier sursaut de soumission populaire. Maurice Richard retrouva son équipe, mais jusqu'à sa retraite, en 1960, les amateurs de hockey et leur idole cicatrisèrent mal leur blessure d'amour-propre.

Les dieux du stade sont idolâtrés dans chaque pays, et à travers le sport les peuples expriment leur espoir, leur détermination, leur déception et leur solidarité nationale.

Les Américains sont fans de basket-ball, de football, de base-ball et de hockey. Plusieurs sports les réunissent et les départagent. Il en est de même dans les pays européens. Or, au Québec, l'on assiste à un phénomène social de tout autre nature. Les Québécois vivent le hockey comme une religion.

À travers leur histoire, les Canadiens de Montréal ont remporté vingt-quatre coupes Stanley, le trophée sacré pour les équipes membres de la LNH. À l'exception de l'équipe de Montréal, la ligue ne regroupe que des clubs américains et canadiens-anglais. Les « Canadiens » (ou « Habs », contraction du mot « habitants », terme qui désignait les anciens Canadiens qui défrichaient la terre pour s'y installer) ont longtemps été la seule institution qui procuraient des victoires à un peuple à l'histoire définie par des défaites, la première étant celle de la Nouvelle-France aux mains des Anglais.

L'identification des Québécois à leur club a certes évolué au fil du temps, et aujourd'hui cet attachement n'est plus de même nature qu'à l'époque où de nombreux hockeyeurs des Canadiens de Montréal étaient francophones. C'était l'époque du nationalisme défensif, et les héros francophones sur patins incarnaient la réussite, l'excellence, le courage et la détermination. Les hommes étaient humbles, issus du petit peuple, et plusieurs d'entre eux étaient peu scolarisés. Un des entraîneurs vedettes de l'équipe de Montréal, Jacques Demers, nommé plus tard sénateur au Parlement canadien, fit un « coming-out » dramatique il y a quelques années. Il confessa être analphabète, ce qui provoqua une vague supplémentaire de sympathie de la part du grand public dans une société où 800 000 personnes seraient des analphabètes effectifs.

Les joueurs des Canadiens de Montréal, à l'image de la société québécoise actuelle, présentent une image multiethnique. Les francophones sont très minoritaires, et les superstars ne s'appellent plus Tremblay, Béliveau, Plante et même Johnson. Les professionnels du sport sont apatrides, en quelque sorte. Certains font profession de foi québécoise, mais une foi œcuménique. Il n'en demeure pas moins que, en dépit de la commercialisation à outrance du sport professionnel, de longues grèves déclenchées par des joueurs millionnaires, de la minorisation des francophones dans l'équipe, les amateurs de hockey, et plus largement les Québécois, sacralisent encore ce sport. Ils se révèlent imbattables sur sa philosophie, ses règles, sa doctrine, ses dogmes, ses mythes et ses saints héros. Le centre Bell où se déroulent les matchs est un lieu de ferveur, d'exaltation, d'adoration et même de miracles. Il est plus fréquenté, à n'en point douter, que les églises d'antan, aujourd'hui désertées.

Hommes forts

À travers leur histoire, les Québécois se sont entichés de la force de certains colosses du cru, émules de Samson et d'Hercule, et en ont fait des figures légendaires qui demeurent dans la mémoire populaire.

Le plus fort de ces héros nationaux, Louis Cyr, né en 1863, fut sacré l'homme le plus fort du monde en 1889 par le magazine américain *The National Police Gazette.* La société Saint-Jean-Baptiste, temple du nationalisme canadien-français, l'honora alors en lui offrant la ceinture Fortissimo. Un film québécois produit en 2013, racontant l'histoire de ce fils béni de la nation, a battu tous les records d'entrées et, grâce aussi à ses qualités cinématographiques, il fut encensé par la critique. L'acteur principal Antoine Bertrand a même reçu le jutra (l'équivalent d'un césar) pour sa performance dans le rôle de Louis Cyr pour lequel le jeune acteur déjà bien dodu avait pris plusieurs kilos supplémentaires.

Du plus loin que je m'en souvienne, Louis Cyr occupait les conversations lorsqu'il s'agissait de vanter la force des Canadiens-français, ceux du moins du temps des bûcherons et des cultivateurs. Dans un ouvrage[1] sur un autre homme fort, Victor De Lamarre, publié en 1724, l'auteur C. de La Roche écrit : « Notre race canadienne-française, surtout dans nos campagnes, est demeurée une race robuste et forte parce qu'elle est une race jeune, frugale, profondément morale et chrétienne. » Des muscles contre des messes, il fallait y penser.

1. *Victor De Lamarre, le roi de l'haltère.*

Cyprien-Noé Cyr est né dans une famille de cultivateurs et de bûcherons. À quinze ans, il émigre avec ses parents aux États-Unis où les Canadiens-français croient trouver la richesse. Le jeune homme, retiré de l'école à douze ans, est analphabète mais compense son « infirmité » par une force qui commande déjà le respect et l'admiration. C'est aux États-Unis qu'il change de prénom, Louis étant plus pratique que Cyprien-Noé. Sa carrière débute à seize ans alors qu'il pèse 90 kilos. À trente ans, l'homme qui mesurait 1,78 mètre avait atteint 136 kilos.

Louis Cyr parcourra les États-Unis et fera courir les foules, bluffées par ses exploits. Comme celui de soulever avec ses épaules une plate-forme sur laquelle prenaient place seize hommes corpulents ou de retenir quatre chevaux à bout de bras. L'Hercule canadien-français s'enrichira d'autant plus que sa réputation l'amènera en Europe où il multipliera ses prouesses. Il bat tous les records reconnus en Europe, en Angleterre en particulier, mais ceux qui osent l'affronter ne sont pas nombreux. Louis Cyr a vite fait de comprendre que plusieurs supposés hommes forts ne sont que des fumistes qui ont recours à des stratagèmes pour leurrer le public. Il déploie aussi ses talents sous les chapiteaux des grands cirques de l'époque comme le Ringling Bros ou le John Robinson Circus, mais l'homme au cœur sensible est horrifié par les défilés de « phénomènes humains » qui lui laissent une impression de dégoût et de tristesse. Côtoyer des siamoises, des hommes à trois jambes, un Asiatique de 2,5 mètres le plonge dans tous ses états. Louis Cyr est un bon croyant, pieux, un mari fidèle, et cette vie de bête de cirque qu'il mène lui pèse. D'autant que, à trente-six ans, il souffre de plusieurs maux, en particulier de douleurs aux jambes et au dos qui deviennent chroniques. Le Canadien-français, l'homme le plus fort du monde à son époque, s'éteint en 1912, terrassé par une maladie rénale. Ses funérailles à Montréal furent l'occasion pour tout un peuple, ses élites en tête, d'honorer ce héros national.

Un autre homme fort a réussi à s'inscrire dans la mémoire collective, Jos Montferrand, qu'immortalisera Gilles Vigneault* dans une chanson qui porte son nom et l'auteur Paul Ohl qui publiera en 2008-2009 un cycle romanesque en deux volumes : *Montferrand* : vol. 1, *Le Prix de l'honneur*, vol. 2, *Un géant sur le pont*.

Jos Montferrand n'est pas un contemporain de Louis Cyr puisqu'il est né soixante ans plus tôt, en 1802, et qu'il décéda en 1864. C'est un des personnages légendaires les plus colorés de la petite histoire du Québec, et à travers sa personne il est difficile de départager la réalité du mythe. L'homme, tour à tour bûcheron, draveur, semait la débâcle partout où il sévissait. Ses exploits étaient connus et commentés dans tout le Canada et jusqu'aux États-Unis.

Jos Montferrand n'est pas un peureux. Avec ses 2 mètres, « le coq du faubourg Saint-Laurent » né à Montréal apprend à boxer au début de son adolescence. Il aime la bagarre, peut rosser cinq types à la fois, c'est pourquoi l'on dit de lui qu'il « frappe comme une ruade de cheval et manie la jambe comme un fouet ». Et il lève le coude, comme on dit au Québec, dans toutes les tavernes du pays.

Mais ses exploits les plus époustouflants, ceux qui font vibrer le patriotisme canadien-français, se déroulent dans des affrontements avec les fiers-à-bras irlandais, ennemis des Canadiens-français. Les deux groupes sont en compétition pour des emplois dans l'industrie forestière de la vallée de l'Outaouais, dans le Nord-Ouest québécois. L'historien Benjamin Sulte a décrit ce fait d'armes sans précédent qui eut lieu sur le pont entre Hull et Bytown : « Montferrand fit quelques enjambées rapides pour se rapprocher de ses agresseurs (150 environ) ; l'un d'eux plus exposé tomba aux mains du Canadien, qui le saisit par les pieds et s'en fit une massue avec laquelle il coucha par terre le premier rang puis, ramassant ces malheureux comme des poupées, il les lança à droite et à gauche dans les bouillons blancs de la rivière. »

Jos Montferrand sévit durant une période très agitée de l'histoire du Canada qui connaîtra son point culminant au moment de la rébellion des Patriotes en 1837. Dans une société comme le Québec à l'histoire sans véritables victoires collectives, le personnage qu'est Jos Montferrand devient mythique. Il compense le sentiment d'infériorité si palpable même de nos jours chez les Québécois qui vivent dans l'ombre de deux empires, la France pour la culture et les États-Unis pour l'économie. Louis Cyr, Jos Montferrand et quelques autres hommes forts, boxeurs ou lutteurs célèbres et admirés, sont un baume à l'âme pour les Québécois inquiets et incertains de leur avenir collectif. « On est capables » est un slogan populaire qui recouvre ce vieux complexe de minoritaires. Dans sa chanson « Jos Monferrand », Vigneault écrit : « Le cul su'l bord du Cap Diamant, les pieds dans l'eau du Saint-Laurent [...] Jos dis-moi comment t'es devenu aussi grand, que t'es devenu un géant. »

Cette interrogation est toujours d'actualité.

Hommes québécois (Les)

Les étrangers qui débarquent au Québec sont vite étonnés et souvent décontenancés par la dynamique des rapports homme-femme. D'entrée de jeu, il est évident que les hommes québécois sont parmi les plus féministes en Occident, au sens où ils ont intégré les valeurs d'égalité des sexes. Durant les années soixante-dix, en pleine effervescence sociale, nombre d'hommes se sont sentis bousculés, voire rejetés dans leur masculinité par un discours féministe où l'idéologie prenait le pas sur la réalité. L'image de l'homme fut dévalorisée, et la relecture de l'histoire inspirée en partie par la rectitude politique si présente en Amérique du Nord a contribué à déboulonner la statue du Québécois.

Or, il est impensable de raconter le passé sans mettre en lumière le courage de tous ces Québécois pauvres, peu instruits, qui subissaient, comme les femmes, le joug d'une élite cléricale, elle-même tributaire d'une éducation bornée. Les hommes bâtisseurs, défricheurs, pourvoyeurs s'éreintèrent à la tâche pour arriver à nourrir leur dizaine d'enfants. L'écrivain populaire Claude-Henri Grignon,

chantre de la vie rurale, se fait prosélyte de cette dure vie mettant à l'avant les avantages de la nature, de la forêt, du travail sur la terre, de la famille nombreuse, en insistant sur la liberté qui découle des valeurs paysannes qu'il oppose aux valeurs urbaines corruptrices. Les Québécois d'antan étaient soumis à leur mère l'Église, à leur propre mère et, une fois mariés, à leur épouse. Cette trinité maternante a modelé le caractère masculin, et il serait imprudent d'affirmer que ce trait a disparu du seul fait de la perte de pouvoir de l'Église.

D'ailleurs, nombre d'hommes des générations précédentes s'adressaient à leur épouse en les appelant maman, et personne ne semblait s'en formaliser.

Le machisme à la québécoise s'est depuis transformé en une version édulcorée de ce que l'on retrouve ailleurs, en France par exemple.

Les hommes québécois ont adhéré à cet objectif de l'égalité des sexes par amour de leur femme et de leurs filles. Sensibles aux injustices sociales, désirant l'épanouissement des femmes de leur vie, beaucoup d'entre eux s'affichent féministes et n'acceptent plus les comportements d'irrespect et de harcèlement sexuel que pratiquent allégrement les mâles, sous couvert de séduction.

Les hommes québécois n'ont pas vécu cette révolution, car c'en est une à n'en point douter, sans heurts, sans affrontements ni blessures. Les petits garçons apprennent dès leur jeune âge à ne pas se comporter comme les hommes du passé. Je me souviendrai toujours de la remarque du fils d'une amie alors âgé de dix ans devant un panneau routier où il était écrit « Hommes au travail ». « C'est contre les femmes d'écrire ça », me dit-il. Ce garçonnet éduqué au cours primaire exclusivement par des maîtresses, féministes et à l'évidence sans nuance, avait intégré une notion du bien et du mal semblable dans son dogmatisme à celle du temps du catéchisme. Car le combat pour l'égalité des sexes fut mené non seulement tambour battant mais en ne tenant compte souvent que des desiderata des femmes, et sans y reconnaître la contribution à la fois intellectuelle et affective des hommes.

Dans le Québec du féminisme bien compris, les femmes ne sont pas seules à dénoncer les discriminations et les violences dont elles sont encore victimes. Nombre d'hommes les soutiennent et luttent à leurs côtés pour que disparaisse cette conception archaïque de la nature et du rôle de la femme. Au Québec, les machos affirmés ou camouflés sous un discours politiquement correct qui ne se vérifie guère dans les faits sont souvent dénoncés par les femmes et par les hommes. Le harceleur sexuel au travail n'est pas toléré par ses confrères qui interviendront si nécessaire.

L'homme québécois a dû réapprendre à séduire la femme en n'usant plus des vieux stratagèmes du temps du machisme rampant. Plusieurs avouent ne plus tenter de faire le premier pas par crainte de subir une fin de non-recevoir. Car l'ébullition des dernières décennies où la guerre des sexes a sévi les a rendus moins fonceurs. Cependant, tout homme lucide admettra que ce sont les femmes en dernier ressort qui choisissent les hommes. En Occident évidemment. Les hommes québécois, eux, seraient peut-être plus humbles face aux femmes. Plus attentifs à leurs désirs, plus empathiques et à l'évidence plus fragiles. Le bûcheron d'aujourd'hui consent à mettre ses tripes sur la table et à traduire en mots ses émotions. Le coureur des bois transformé en coureur de jupons semble plus inquiet de subir un rejet ou, pire, de provoquer des rires chez sa « proie » potentielle.

Enfin, les hommes québécois n'hésitent plus à partager les tâches quand ils vivent en couple. Ce qui ne signifie pas qu'en la matière l'égalité soit acquise. Mais bien que les hommes contribuent activement à la transformation des relations traditionnelles entre les sexes, beaucoup de Québécoises persistent à croire que leurs compagnons ne sont jamais à la hauteur de leurs expectatives. De là, le malaise du mâle québécois qui s'exprime chez les jeunes générations par des comportements adolescents jusque tard dans la trentaine, et qui se manifeste par la peur de l'engagement dans la relation amoureuse.

Les Québécois détiennent le record des unions libres en Amérique du Nord. Et la plupart du temps, ce sont les hommes qui refusent de se marier. Sans doute pour se bercer de l'illusion d'une liberté plus caractéristique de l'adolescence que de l'âge adulte.

Humour au Québec (L')

Les Québécois ont toujours été « ricaneux », « étriveux », c'est-à-dire taquins. Ils aiment se moquer des autres, un peu moins d'eux, surtout ils s'exaspèrent si les moqueurs sont étrangers et en particulier français.

L'humour à la québécoise s'est aussi calqué sur l'évolution du Québec. Et, surtout, l'humour s'est transformé en une industrie culturelle grâce à Gilbert Rozon, fondateur du festival Juste pour rire en 1983, et le maître d'œuvre de ce qui est toujours son empire du rire. D'ailleurs, l'École nationale de l'humour, fondée en 1988 par le groupe Juste pour rire et devenue autonome en 1993, forme des humoristes qui se retrouvent souvent dans le giron du festival du même nom à la sortie de l'école.

L'économie culturelle québécoise est donc en partie dépendante de Gilbert Rozon et ses entreprises. Cet homme hyperactif, insolent, séduisant, visionnaire, touche-à-tout a même songé, sérieusement cette fois-ci, à se présenter à la mairie de Montréal.

Est-ce un hasard si Rozon a lancé son festival Juste pour rire en 1983, trois ans après la défaite du premier référendum sur la souveraineté alors que le non l'avait emporté et que personne n'avait le cœur à rire ? Depuis ce temps, les humoristes poussent comme des champignons au Québec grâce en grande partie à cette École nationale de l'humour dont on souhaiterait qu'elle influence légèrement l'École nationale d'administration publique (ENAP) qui forme les fonctionnaires.

Non seulement les humoristes se sont surmultipliés au Québec, mais les plus populaires d'entre eux atteignent des réussites financières à faire caracoler d'envie les artistes de la scène théâtrale ou de la danse, parents pauvres de l'économie culturelle. Les humoristes ont la cote dans les médias, et même des émissions dites sérieuses recourent à eux comme animateurs. Comme Dieu jadis, ils sont partout. En un sens, ils ont remplacé les curés d'antan en offrant le ciel sur la terre cette fois, et, comme on dit au Québec « on rit à s'en confesser ».

Et l'on rit fort, à gorge déployée, jaune parfois. On rit pour ne pas pleurer à n'en point douter, on rit trop, mal, on rit de plaisir, de joie, on rit par manque de vocabulaire, pour se défouler, pour se détendre la rate, on rit dans sa barbe, même les femmes, et on rit en souriant. Car des humoristes, le Québec en a pour tous les goûts. Désormais, l'humour a tendance à s'éloigner de la politique, et en ce sens les humoristes reflètent les valeurs de leur génération. Cela donne beaucoup de c…, de matières fécales, de blagues potaches, de jurons, de noms d'oiseaux, mais aussi de finesse d'esprit, de jeux de mots hilarants, de sentiments contradictoires, d'engouements, et chez certains issus de l'immigration, de rectitude politique *a contrario* ou de regards décalés, joyeusement déstabilisants.

À travers l'humour des dernières décennies, c'est la dépolitisation de la société québécoise qui ressort. L'individualisme triomphe *via* des thèmes ronronnant autour de l'épanouissement du moi, ou des histoires de « gars mal pris », c'est-à-dire coincés à cause de leurs blondes. Les humoristes femmes, si rares dans le passé et dont la figure dominante demeure Clémence DesRochers, émergent, mais chez les plus jeunes elles sont souvent tentées de céder à la vulgarité sans filtre et de parler à la manière des hommes. Enfin, trop d'humoristes s'appliquent à déconstruire la langue, appauvrie, clanique, ce qui est un phénomène particulier que l'on ne retrouve ni aux USA, ni en Angleterre, ni en France où l'indigence langagière ne fait pas rire. Cependant, tous les humoristes, les plus doués comme les moins habiles, vénèrent leur maître à tous, Yvon Deschamps, celui qui fut dans la foulée de la Révolution tranquille* le plus implacable, le plus génial et le plus dévastateur des humoristes de l'histoire du Québec.

Yvon Deschamps

Aucune personnalité politique au Québec n'a mieux réussi à définir l'inconscient collectif qu'Yvon Deschamps, le créateur de ce slogan lapidaire en réponse à la question « Que veulent les Québécois ? » : « Un Québec indépendant dans un Canada fort ! » L'humoriste le plus percutant des années de la grande récréation sociale du Québec contemporain n'a eu de cesse de nous ramener à nos démons, nos faiblesses, et paradoxalement il a réussi à nous obliger à nous aimer collectivement.

Pratiquant l'ironie à la limite du tolérable, il fut le thérapeute d'un peuple si facilement culpabilisable, porté à l'autoflagellation et prêt à courber l'échine. Dans son premier monologue présenté dans le cadre de *L'Osstidcho*, une revue musicale de 1968 où étaient réunis aussi Louise Forestier, la chanteuse éblouissante de Lindberg et Robert Charlebois*, il fera un tabac avec *Les unions, qu'ossa donne* ?[1]

« Une fois, ma femme était tombée malade d'urgence, ça fait que l'hôpital a téléphoné. Y était deux heures et

1. « À quoi servent les syndicats ? »

quart (p.m.). C'est le boss qui a répondu. Y vient me voir, y dit : "Ta femme est tombée malade d'urgence, ils l'ont rentrée." Y dit : "Voyons, énerve-toi pas avec ça ! Fais comme si de rien n'était, continue ton ouvrage. Si y a quelque chose, j'te l'dirai." Pas n'importe quel boss qui aurait fait ça. »

Cette ironie, il la pratiquera à la limite de la capacité du public à saisir son véritable objectif, ce qui entraînera des réactions violentes parfois. Ses monologues sur l'intolérance où il tient des propos racistes et antisémites à la recherche d'une réaction cathartique sont des armes périlleuses dont il a usé en toute conscience. Cinquante ans plus tard, l'exercice serait impossible car perçu comme sacrilège. Et pourtant, Yvon Deschamps, grand défenseur des droits de l'homme et des femmes violentées, a réussi à sensibiliser les Québécois aux injustices par son humour extrême.

Il fut aussi un éclaireur dans les années où une forme de désespérance sociale a vu le jour telle qu'exprimée dans *Le Confort et l'Indifférence*, documentaire de Denys Arcand* suite au NON du référendum de 1980. À vrai dire, les deux hommes partagent une sensibilité qui en fait des révélateurs sociaux. Yvon Deschamps, par son style et sa proximité quasi épidermique avec le public, provoquera une reconnaissance plus spontanée que Denys Arcand, dont la manière et le regard intellectualisés susciteront des réactions d'envie, à cause des honneurs, l'oscar d'abord, dont on le comblera, mais aussi parce que son franc-parler sans complaisance sera insupportable chez ceux trop nombreux qui se méfient des intellectuels, qui plus est créateurs.

Yvon Deschamps offre à travers ses monologues un miroir très peu déformant de l'âme de son peuple. Son influence se perpétue car ils sont enseignés dans les écoles. Comment comprendre les Canadiens-français d'hier, humiliés et ignorants, ceux de la fin du XXe siècle décontenancés devant les échecs référendaires et ceux du XXIe siècle qui peinent à reconnaître l'apport des ancêtres à la survivance collective dont ils s'éloignent, croyant en être affranchis ? Sans l'œuvre d'Yvon Deschamps, le Québec ressemble à un casse-tête sans solution.

Hymne national (L')

Le Québec n'a pas d'hymne national distinct puisqu'il n'est pas un pays. C'est *Ô Canada* qui est donc l'hymne national. Or la version française originale fut au départ un chant patriotique canadien-français composé en 1880 par sir Adolphe-Basile Routhier pour les paroles et Calixa Lavallée pour la musique. *Ô Canada* retentit pour la première fois le 24 juin de la même année, jour de la Saint-Jean-Baptiste, patron des Canadiens-français, durant leur congrès national dans la ville de Québec.

Il faudra attendre cent ans exactement pour que *Ô Canada* devienne l'hymne national officiel du Canada, non sans des modifications significatives apportées au cours du XXe siècle dans sa version anglaise, modifications ratifiées par un comité mixte du Sénat et de la Chambre des communes en 1968.

Jusqu'en 1980, le *God Save the Queen* servait d'hymne national au Canada, soulevant des vagues parmi les francophones et même parmi les nationalistes canadiens-anglais désireux de rompre le lien avec l'Empire britannique.

Dans les années soixante, je me trouvais dans un cinéma de l'ouest de Montréal, peuplé en majorité d'anglophones, en compagnie d'un ami de cœur, originaire de Bristol, en Angleterre. Comme le voulait la tradition, au lever de rideau, avant la projection du film, le *God Save the Queen* retentit. Tous les spectateurs, mon amoureux le premier, se levèrent d'un bond. Sauf moi. Je crus que le pauvre, frappé de stupeur, allait s'effondrer. Il me tira sans ménagement par le bras afin que je m'exécute, mais je résistais tout en subissant aussi les insultes des gens qui m'entouraient. Les turbulences politiques faisaient déjà rage au Québec, et je commettais un crime de lèse-majesté. J'ai oublié jusqu'au titre du film et l'état d'esprit dans lequel je l'ai regardé, mon copain n'ayant pas daigné me frôler ne fût-ce que la main durant la projection. Le lendemain, c'était un dimanche, il m'accompagna, lui l'anglican, à la grand-messe. Au moment de l'élévation de l'hostie, il refusa de s'agenouiller. Je tentai, dans les secondes qui s'écoulent entre l'élévation de l'hostie et du calice, de l'obliger à se mettre à genoux. En vain. Lorsque je fus de nouveau assise, il me glissa à l'oreille : « Tu ne respectes pas ma reine, je ne respecte pas ton pape ! » Il repartit trois jours plus tard pour Bristol, et j'en eus le cœur serré. Mais pour peu de temps.

L'auteur de *Ô Canada* est un ultramontain habité par le nationalisme messianiste catholique de l'époque, et sa prose baigne dans la foi. Jamais cet avocat n'aurait pu imaginer que son poème deviendrait l'hymne national d'un pays majoritairement anglais et protestant.

Ô Canada se chante dans toutes les cérémonies officielles et dans les stades où se déroulent les joutes de hockey. Mais les Canadiens-anglais et français ne chantent pas à l'unisson. Qu'on en juge.

Ô Canada, version française originale (1880) :

Ô Canada ! Terre de nos aïeux,
Ton front est ceint de fleurons glorieux !
Car ton bras sait porter l'épée,
Il sait porter la croix !
Ton histoire est une épopée
Des plus brillants exploits.
Et ta valeur, de foi trempée,
Protégera nos foyers et nos droits
Protégera nos foyers et nos droits.

Sous l'œil de Dieu, près du fleuve géant,
Le Canadien grandit en espérant,
Il est né d'une race fière,
Béni fut son berceau ;

Le ciel a marqué sa carrière
Dans ce monde nouveau [...].

Et voici la version anglaise officielle de 1968 qui est chantée depuis 1980 après un vote à la Chambre des communes à Ottawa :

Ô Canada, notre patrie et pays natal
Objet de l'amour patriotique de tous tes fils
Le cœur heureux, nous te regardons grandir
Pays du Nord, puissant et libre
De loin et de partout,

Ô Canada
Nous sommes prêts à tout pour toi
Dieu garde notre patrie glorieuse et libre

Ô Canada, nous sommes prêts à tout pour toi
Ô Canada, nous sommes prêts à tout pour toi.

Le Québec francophone et le Canada anglais non seulement ne chantent pas le même hymne, mais, en français, l'on se rappelle le passé de nos ancêtres, « cette race fière », alors que les Canadiens-anglais, eux, sont prêts à tout pour ce « pays du Nord, puissant et libre », qu'ils regardent grandir.

Pour le Québec, donc, les racines, et pour le Canada anglais, la puissance et l'avenir. Deux visions, deux cultures, deux langues, pour appréhender la réalité du pays continent à la géopolitique plus subtilement opposée que plusieurs ne l'imaginent…

I

Indiens (Les)

Huit mille ans avant Jésus-Christ, les traces des Amérindiens sont présentes sur le territoire québécois. Ils chassaient le caribou, pratiquaient la pêche et la cueillette, fabriquaient des outils en pierre, en bois et en dents de castor. Sept mille ans plus tard, ils cultivaient le maïs. C'est le début de l'agriculture qui entraînera une expansion démographique. Lorsque les Français débarqueront officiellement en Nouvelle-France au XVIe siècle, ils seront confrontés à une réalité à laquelle ils devront faire face. Aux yeux des Indiens, ce sont des envahisseurs, alors que, pour les découvreurs, ces tribus doivent être soit chassées ou éradiquées, soit converties au catholicisme. L'avenir des relations entre les autochtones et les Blancs sera marqué au fer rouge de cette dynamique empoisonnée.

Les quelque 90 000 autochtones du Québec sont perçus à travers le prisme déformant de la folklorisation, des préjugés ou de la rectitude politique. D'ailleurs, durant longtemps on les a appelés les sauvages, sans autre distinction. Car peu de Québécois savent que sous l'appellation « Indien » l'on retrouve dix nations dont la langue, la culture et l'histoire sont différentes et qui se regroupent dans deux grandes familles : les Algonquiens et les Iroquoiens.

Les Algonquiens regroupent les Abénakis, installés à côté de Trois-Rivières entre Montréal et Québec, les Algonquins, dont plus de la moitié vit en réserve et qu'on retrouve en Abitibi-Témiscamingue, les Attikamekws, dans la région de la Mauricie, vivent à plus de 80 % sur leurs réserves, les Cris, installés dans neuf villages autour de la baie James* au nord sont regroupés en Grand Conseil des Cris et sont intégrés comme les Inuits* dans les structures politiques et économiques prévues dans la Convention de la baie James et du Nord-Québec qu'ils ont eux aussi signée. Il existe aussi une petite nation, les Malécites, dont la population compte quelque sept cents personnes qui vivent toutes hors réserve mais disposent d'un petit territoire près de Rivière-du-Loup. La chef de la tribu, Anne Archambault, est une femme remarquable qui a fait des études universitaires. Quant aux Micmacs, dont la moitié vit en réserve, ils sont éparpillés dans les provinces maritimes mais se retrouvent également en Gaspésie. S'ajoutent à la liste les Innus, qu'on appelait jadis les Montagnais. Ce sont les plus nombreux des Indiens du Québec avec près de 16 000 personnes, et leurs communautés s'échelonnent le long de la côte nord, non loin de la ville minière de Schefferville. La très grande majorité vit aussi en réserve, et ils sont également signataires de la Convention de la baie James.

La famille des Iroquoiens comprend deux nations seulement. Les Hurons-Wendat et les célèbres Mohawks. Les premiers furent les précieux alliés des Français au début de la colonie. Sédentaires, regroupés autour du lac Huron, ils servaient d'intermédiaires entre les Français et les tribus qui échangeaient des fourrures et des marchandises françaises. Attaqués par les Iroquois qui voulaient les décimer, ils se replièrent près de Québec, assurés de la protection de leurs alliés français. Ils y sont toujours dans la réserve de Wendake, et leur ex-chef légendaire Max Gros-Louis les a fait connaître en Europe, en France en particulier où il ne résistait pas à porter ses plumes pour impressionner les cousins français en pâmoison. Les Hurons des nouvelles générations, prospères et peu folklorisés, n'appréciaient pas avec autant d'enthousiasme la théâtralisation indienne de ce personnage par ailleurs attachant et moins bon enfant qu'il ne l'affichait lorsqu'il négociait avec ses alliés historiques, les Blancs québécois.

Enfin, il y a les Mohawks, appelés jadis Agniers par les Français, irréductibles ennemis de ces derniers et des Algonquins qui eux traduisent leur nom par « mangeurs d'homme ». De nos jours encore ce sont des trouble-fête et de redoutables bagarreurs de leurs droits. Leurs chefs successifs n'ont jamais eu la réputation d'être des enfants de chœur. Ils sont plus de 11 000 au Québec et vivent dans des réserves, dont Kahnawake aux portes de Montréal et Oka dans les Laurentides. Les Mohawks sont mal perçus par les Blancs car ils ne dédaignent pas l'affrontement, et surtout ils pratiquent le commerce illégal des cigarettes, vivent des revenus du jeu plus ou moins licites comme ces Poker Palace, qui sont en fait des tripots quasi illégaux, et ils s'adonneraient au trafic des armes. Ils sont essentiellement anglophones, antifrançais, et leur combativité légendaire a plongé le Québec dans une crise sans précédent en 1990.

Car les Mohwaks ont alors déclaré la guerre aux Blancs à Oka afin de prendre leur revanche sur leurs ancêtres spoliés de leur territoire. Les Warriors, la branche armée des Mohawks, défient alors la loi, bloquent les routes et occupent un terrain qu'ils avaient déjà vendu aux Blancs contre argent sonnant mais qu'ils revendiquent de nouveau. L'armée canadienne donne l'assaut après plusieurs semaines de siège où les Warriors cagoulés défient les autorités en s'affichant avec leur panoplie d'armes automatiques, des AK-47, des M 16 et des mitrailleuses Browning M-2. D'ailleurs, un caporal de la Sûreté du Québec sera tué. Cette crise d'Oka a eu des répercussions très négatives dans la population, convaincue, avec raison, que le gouvernement n'aurait pas fait preuve de cette tolérance si des Blancs avaient agi de la sorte. La majorité des Québécois pour qui le respect de la loi et la négociation sont les assises de la culture démocratique du pays ont été choqués par cette crise où il est devenu évident que les responsables politiques ont manqué de courage en laissant s'envenimer la situation.

Les Mohawks ne reculent devant aucun coup d'éclat, et en 2010 le Conseil de bande de Kahnawake prend la décision d'expulser de leur territoire quiconque n'est pas mohawk, ce qui inclut les conjoints de ces derniers. Ils interdisent de plus à tout « étranger » de s'y installer. Dans le paradis des droits de la personne, cette décision hautement discriminatoire ne sert qu'à alimenter les préjugés contre les autochtones, alors qu'une partie de la population a tendance à généraliser à l'ensemble des Indiens les comportements de cette minorité. Mais les Mohawks, ces irréductibles guerriers, ne cherchent guère le bon entendement avec les Blancs, d'autant qu'ils ne respectent pas les frontières canado-américaines et nient la légitimité du pays des Blancs. Leur « exception culturelle » les ghettoïse, ce qui est leur choix, et ils usent de la rectitude politique ambiante pour culpabiliser les « colonisateurs ». Dans leur cas, la phrase du grand historien anglais Arnold Toynbee, « la loi du nombre est incontournable », ne s'applique pas. Les Mohawks, minoritaires en nombre, utilisent le rapport de forces en leur faveur. Sans oublier les avantages monétaires qu'ils retirent de leurs activités plus que douteuses.

Les réserves

La grande majorité des Indiens du Québec vivent sur des terres de compétence fédérale à leur usage et leur bénéfice exclusifs. Les Conseils de bande ne peuvent en réglementer l'usage car c'est le gouvernement fédéral qui administre ces terres et offre les services aux différentes communautés. Seuls les Inuits vivent sous un régime municipal qui relève exclusivement du gouvernement du Québec.

En clair, les réserves sont en quelque sorte des ghettos officialisés, pourtant la majorité des Indiens non seulement s'en accommodent mais ne souhaitent pas leur abolition. Car l'Indien en réserve y trouve de nombreux avantages fiscaux, ils sont exempts de taxes et d'impôts s'ils travaillent sur la réserve. Leur prise en charge sociale, économique et éducative est entièrement assumée par les gouvernements également propriétaires de leurs maisons. Cette situation découle de l'héritage historique des Blancs culpabilisés et de leurs politiques discriminatoires à l'endroit des premiers habitants du pays. Les discours vertueux recouvrent une incapacité à admettre l'échec de ces solutions à coups de milliards de dollars de fonds publics investis pour régler la problématique indienne faite de pauvreté, de déculturation, d'isolement et d'aliénation. Mais les Indiens sont aussi victimes de la trahison de leurs propres élites dont le discours n'a cessé d'accuser les Blancs de tous leurs malheurs. Trop de chefs indiens ont aussi fait perdurer des situations intolérables au nom de leurs traditions séculaires et par intérêts personnels. Lors d'un séminaire dans une réserve indienne de la Colombie-Britannique, j'ai entendu des discours dissonants et dissidents de la part de représentants des Premières Nations, dont une proportion de diplômés universitaires intellectuellement courageux. « Si nos traditions, assurait l'un d'eux, ne pavent pas la voie à la liberté et la modernité, ce ne sont pas des traditions que l'on doit conserver. » Cette manière de penser brise en quelque sorte l'enfermement idéologique qui maintient les autochtones dans une infériorité endémique. Comme le soulignait le chef de bande Clarence Louie, d'Osoyoos, dans la vallée de l'Okanagan : « Pourquoi les Indiens devraient-ils être pauvres, assistés sociaux ou chômeurs ? » À ses yeux, le développement social et économique est une condition *sine qua non* à l'autonomie indienne. Sa bande en est la preuve puisqu'elle est une des plus prospères au Canada et que dans sa réserve le taux de chômage est à peu près nul, et la scolarité progresse plus qu'ailleurs dans les communautés indiennes du Canada. Une statistique s'impose : il y a cinquante ans, on ne trouvait que cinquante Indiens dans les collèges et universités à travers le Canada. En 2014, ils sont 50 000.

Au Québec, la situation varie selon les diverses communautés, mais personne n'a encore trouvé l'équilibre qu'il doit y avoir entre la modernité à laquelle aspirent les jeunes Indiens et un mode de vie ancestral. Entre la protection et la perpétuation des langues anciennes dont les locuteurs diminuent de façon dramatique car les jeunes, même en réserve, ne parlent souvent plus la langue de leurs ancêtres.

Au Québec, les revendications des Québécois en matière de langue et de culture devraient permettre plus de compréhension et d'empathie vis-à-vis les nations indiennes. Or, sauf chez certains fonctionnaires et quelques anthropologues spécialistes de ces cultures, les Québécois qui ont peu de contacts avec les Indiens expriment au mieux de l'indifférence et au pire confortent leurs préjugés. Et à l'endroit des Mohawks avant tout.

Quelques Indiens ont cependant percé cette frontière avec les Blancs. La cinéaste abénaquise Alanis Obomsawin, élevée dans la réserve d'Odanak, a réalisé plusieurs documentaires pour l'Office national du film dont l'un sur la crise d'Oka. Alanis Obomsawin est une pasionaria de la cause de son peuple. Florent Vollant, le chanteur innu né au Labrador et vivant à Maliotenam, a connu du succès d'abord avec le groupe Kashtin qui s'est produit aussi aux

USA et en France, et par la suite comme chanteur solo. Florent Vollant chante dans sa langue maternelle, en français et en anglais.

Enfin Kateri Tekakwitha, une jeune Indienne morte en 1680 à l'âge de vingt-quatre ans, était l'autochtone la plus connue des Québécois jusqu'à la disparition de l'enseignement religieux. Considérée comme un modèle de courage et de pureté, elle nous fut donnée en exemple par les religieuses. Leonard Cohen y fait même référence dans son roman *Beautiful Losers.* Kateri, surnommée le lys des Agniers car son père était mohawk et sa mère algonquine, convertie au catholicisme, est une figure marquante de notre histoire religieuse.

Orpheline à quatre ans, elle sera élevée par un oncle et une tante. Mais elle refusera le mariage proposé par le chef amérindien et exigera de se convertir au catholicisme, comme sa mère. Rejetée par sa tribu adoptive, elle se réfugiera à la mission Saint-François-Xavier, à quelques kilomètres du territoire mohawk de Kahnawake. Dans notre histoire du Canada teintée de religiosité, l'on admirait Kateri pour sa piété exemplaire, sa pureté absolue et la trempe avec laquelle elle combattait les Iroquois. Dans les *Relations des Jésuites*, l'on rend hommage à Kateri. Hélas, fragile de santé, elle mourra prématurément. Il y a de la Thérèse de Lisieux chez Kateri Tekakwitha. Et elle sera canonisée. Comme la petite Thérèse morte en 1887 et qui a accédé à la sainteté en 1925. Mais dans le cas de Kateri Tekakwitha, il a fallu attendre trois cent trente-deux ans avant que le pape Benoît XVI ne la proclame sainte en 2012. Comme quoi les Blancs ont encore des avantages surprenants sur les Indiens.

Inuits (Les)

Mon premier contact avec ceux que nous appelions les Esquimaux, ce qui signifie « mangeur de viande crue », remonte à ma petite enfance. Mon père avait travaillé quelques années dans le Grand Nord québécois dans les années trente, avant d'épouser ma mère. Il en avait rapporté des centaines de photos dont l'une représentait une vieille Inuit au physique impressionnant et rebutant à la fois, enveloppée dans son amauti (parka des femmes) en peau de phoque, et qui fixait l'objectif avec des yeux qui me troublaient. Cette femme avait survécu sur une plaque de glace qui s'était détachée de la banquise où elle chassait le phoque avec son mari et son fils. On l'avait retrouvée quelques semaines plus tard, seule, entourée des restes de son mari et de son fils décédés l'un après l'autre, et dont elle s'était nourrie pour survivre. Cette histoire racontée par mon père m'a hantée longtemps, et il m'arrivait d'ouvrir l'album paternel afin d'impressionner mes petits voisins à qui je faisais découvrir ma vieille Esquimaude et son histoire horrible. En grandissant, je trouvais à cette survivante des airs de ma propre grand-mère, une maîtresse femme à l'allure bourrue et intimidante. La très grande majorité des Québécois ont croisé des Indiens dans leur vie, mais très rarement des Inuits. Ce peuple réparti à l'extrême nord du territoire du Québec est composé d'environ 11 000 personnes et vit dans une quinzaine de villages distants parfois de centaines de kilomètres les uns des autres, et qui sont situés sur les littoraux du détroit d'Hudson, de la baie d'Hudson et de la baie de l'Ungava.

L'Américain Robert J. Flaherty, explorateur, géologue et cartographe, se rend dans la région de la baie d'Hudson pour travailler dans les mines au début du XXe siècle, et, au fil des ans, il s'intéresse particulièrement à ce peuple. Muni d'une caméra, il filme non seulement la nature terrifiante de beauté mortelle qui l'entoure mais également la vie des habitants de ces territoires infinis qui le fascinent. Flaherty révélera alors au monde les Inuits, ces rois du Grand Nord, dans un film de 1922, *Nanook of the North* (*Nanouk l'Esquimau*), qui connaîtra un succès retentissant auprès d'un public sous le choc et sous le charme.

Les Inuits ont vécu jusqu'à ces dernières décennies selon un mode de vie traditionnel reposant sur la chasse aux mammifères marins – phoques, bélugas, baleines franches –, la chasse au caribou, à l'ours, et sur la pêche – omble chevalier, morue polaire, saumon. C'est une alimentation très riche en protéines animales qui serait catastrophique pour la santé des Blancs et qui provoquerait chez eux des troubles causés par l'acide urique, mais les Inuits mangent la graisse des mammifères marins en même temps que la viande maigre, ce qui entraîne une baisse de la concentration des protéines dans l'organisme. De plus, ces lipides contiennent une importante proportion d'acides gras insaturés, lesquels n'ont qu'une très légère incidence sur le taux de cholestérol. En fait, c'est l'abandon de cette tradition alimentaire au profit des aliments des Blancs, fritures, trans gras, pâtes et produits transformés, qui a contaminé les Inuits en les rendant friands de « *junk food* ». C'est ainsi que leur santé s'en voit altérée.

En signant la Convention de la baie James* et du Nord-Québec en 1975, les Inuits ont choisi d'être rattachés aux institutions québécoises et ne sont pas régis par la loi sur les Indiens. Contrairement à ces derniers qui, lorsqu'ils vivent en réserve, ne paient ni impôts ni taxes de vente, les Inuits ont adopté le régime fiscal des Blancs et ne bénéficient donc d'aucune exemption particulière. Cependant, la Convention de la baie James leur a procuré des compensations financières de centaines de millions de dollars, ce qui permettra à l'État québécois de construire les grands barrages hydroélectriques sur leurs terres ancestrales.

Les Inuits sont ignorés des Québécois, sauf de quelques anthropologues et de hauts fonctionnaires qui se sont pris de passion pour leur culture et leur histoire. Un seul écrivain québécois, Yves Thériault, personnage flamboyant et abrasif, a puisé son inspiration des Inuits. Son roman *Agaguk*, publié à Paris, chez Bernard Grasset, en 1958, a connu un succès mondial et fut traduit en plusieurs langues. L'écrivain prolifique qui aimait ferrailler loin de la rectitude politique a même occupé de 1965 à 1967 le poste de directeur des Affaires culturelles au ministère des Affaires indiennes et du Grand Nord canadien à Ottawa. C'est donc grâce à Yves Thériault que les écoliers québécois ont pu lire ce roman suivi de *Tayaout, fils d'Agaguk* (1969), où le monde magnifié des rois du Grand Nord leur fut révélé.

Je ne suis allée chez les Inuits qu'à une occasion, à la fin des années soixante-dix. C'était dans le village de Fort-Chimo, rebaptisé depuis Kuujjuaq, au Nouveau-Québec, aujourd'hui le Nunavik. Nous débarquions chez les Inuits après bien d'autres équipes de télévision, et l'on avait la même impression que celle qu'ont les étrangers lorsqu'ils mettent pied dans une contrée où ils deviennent le centre d'intérêt alors qu'ils sont plutôt venus en voyeurs. C'était en février, et nous, les Blancs, étions sidérés de voir les jeunes se promener le blouson ouvert, sans gants ni chapeau, à des températures frôlant les moins 35 °C. Nous éprouvions aussi une gêne à interroger les Inuits qui déjà avaient abandonné leurs igloos pour des maisons en dur, signe d'une sédentarisation qui s'accentuera avec les années.

Mais quelle émotion cependant de pénétrer dans l'école où dans les petites classes les cours se déroulent en inuktitut. À l'époque, la majorité des Inuits choisissaient l'anglais comme langue seconde, mais aujourd'hui, environ la moitié des parents ont opté pour que les enfants apprennent le français.

Les Inuits, qui ont peu de contacts avec les Indiens, ont à faire face aux mêmes problèmes cruciaux. D'abord, accéder à la vie moderne qui ne leur est plus étrangère grâce aux nouvelles technologies de communication. L'on assiste donc à un choc culturel violent entre les vieux et les jeunes. Depuis longtemps, la motoneige a remplacé le traîneau à chiens ; le fusil, le harpon ; et dans leurs villages, les Inuits cohabitent désormais avec des « étrangers », des Blancs venus là pour le travail. Leur mode de vie traditionnel s'est altéré, et ils ont perdu cette autosuffisance basée sur la chasse et la pêche qui a assuré leur survivance. Étonnamment, leur taux de natalité demeure très élevé, si bien que les jeunes de moins de vingt-cinq ans représentent plus de la moitié de la population inuit du Québec.

Les jeunes sont perturbés par les bouleversements qu'entraîne la modernité. La drogue, l'alcool et leur cortège de violence sévissent, les femmes en étant les premières victimes, au sein des communautés où, jadis, cette violence était socialement réprouvée. L'on assiste donc à une déstructuration de l'organisation sociale alors que dans le passé la solidarité était une valeur phare de la culture inuit. Les familles se réunissaient jadis en groupes de chasse, et elles usaient de nombreux moyens pour maintenir la cohésion de leur groupe. Les mariages étaient organisés dès l'enfance, même s'ils n'avaient jamais lieu, et les parents des enfants promis étaient dès lors unis par un lien de parenté. Il y avait aussi échange de conjoints, ou encore un enfant pouvait être adopté et alors recevoir le nom d'un autre adulte ; cet enfant dépendait ainsi de deux familles à la fois. Dans le passé, les enfants inuits recevaient beaucoup d'affection, et il était inacceptable de les frapper ou les réprimander. Chez les adultes, se mettre en colère était honteux, et les sautes d'humeur provoquaient les moqueries du groupe. La mise au ban par le groupe pesait lourd sur les membres tentés de briser la cohésion sociale.

Malgré les dérives, les jeunes Inuits, déchirés entre tradition et modernité, et tentés par l'attrait du Sud, souhaitent conserver leur héritage culturel par l'apprentissage de la langue des ancêtres. Mais le désir d'une éducation formelle n'est hélas pas un objectif pour un grand nombre d'entre eux.

Les Inuits du Québec, peu nombreux, certes, mais habités par une culture ancestrale qui les a transformés en résistants permanents éparpillés sur des territoires gigantesques et soumis à un climat qui défie l'imagination, ont obligé les Québécois à reconnaître que cette partie du Québec, le Nunavik, est leur pays et qu'ils sont seuls dépositaires de sa mémoire.

James (La baie)

La démesure québécoise est marquée d'abord du sceau de sa géographie. Le territoire de la baie James se situe entre le 49e parallèle au sud et le 55e parallèle au nord, et couvre 350 000 kilomètres carrés. Il s'agit du cinquième de la superficie totale du Québec dont ses habitants aiment à rappeler qu'il contient trois fois et demie la France.

La baie James fut désignée en 1971 comme le lieu du projet le plus titanesque du siècle : l'aménagement du potentiel hydroélectrique appelé aujourd'hui le complexe de La Grande, du nom de l'une des immenses rivières qui serpentent la taïga québécoise. Un homme a rêvé cet exploit. Il s'agit de feu le Premier ministre libéral du Québec Robert Bourassa. D'ailleurs, La Grande-2, qui comporte un barrage, une centrale et un réservoir, a été rebaptisée de son nom deux jours après son décès en octobre 1996. Robert Bourassa le visionnaire avait compris que le Nord québécois – on parle ici plutôt du Moyen Nord, et, au-delà du 55e parallèle, se situe le Grand Nord – contribuerait à la prospérité économique de la province. « Il ne sera pas dit que nous vivrons pauvrement sur une terre aussi riche », avait-il déclaré aux Québécois en lançant ces grands travaux d'Hercule. Car ces barrages, ce sont nos cathédrales à nous. Ils furent conçus et construits par les ingénieurs et les travailleurs du Québec, ces 185 000 hommes et quelques milliers de femmes qui sont montés là-haut, dans ce pays de froid extrême et d'isolement, et qui eurent le sentiment d'être chacun à leur façon des pionniers et des bâtisseurs.

J'avoue que je n'étais jamais allée à la baie James mais que ce sont les impératifs de la préparation de ce dictionnaire qui m'y ont entraînée. L'Hydro-Québec, une des institutions mythiques du Québec qui fut nationalisée au début des années soixante, gère ce territoire, où vivent environ 14 000 Indiens cris avec lesquels le gouvernement du Québec a signé des ententes, dont celle de la Paix des Braves à la fin du siècle dernier. On peut s'y rendre en voiture ou en avion. L'aéroport se trouve à Radisson, village de trois cents personnes et en fait le seul village blanc du nord du 53e parallèle pouvant accueillir les visiteurs. À 1 400 kilomètres de Montréal, l'auto ne semble pas un choix judicieux, d'autant que sur plus de 700 kilomètres asphaltés à partir de Matagamie, dans la région de l'Abitibi dans le nord-ouest de la province, ou au départ de Chibougamau au nord du Saguenay-Lac-Saint-Jean, situé à 430 kilomètres de route en gravier jusqu'à Radisson, le paysage est immuablement le même. La taïga québécoise du bouclier canadien, ce sont des arbres rabougris, épinettes noires ou blanches, mélèzes, saules ou bouleaux, et du lichen et de la mousse sur lesquels l'on a l'impression de marcher sur des éponges et qui servent de nourriture aux caribous. Cette uniformité du paysage finit par nous rendre, sinon fous, du moins très las, et c'est donc en avion (une heure quinze de vol du départ de Montréal) qu'il est conseillé de s'y rendre. D'autant que du haut des airs l'on est à même de constater que le million de lacs du Québec n'est pas une légende urbaine ou une vantardise de chauvins.

L'aménagement du complexe hydroélectrique de La Grande s'étale sur 800 kilomètres. Durant les travaux qui durèrent un quart de siècle, ce fut le plus grand chantier au monde. Les rivières furent harnachées, certaines dérivées de leur cours, treize barrages furent construits de mains d'hommes. Ces barrages ferment le lit de la rivière, rehaussent le plan d'eau et créent des chutes. Le complexe de La Grande, plus important complexe hydroélectrique d'Amérique du Nord, produit la moitié de l'électricité consommée au Québec.

La centrale Robert-Bourassa est la plus grande centrale souterraine au monde. L'on y pénètre à bord d'un bus qui s'engouffre dans un large couloir rocheux et nous dépose devant des portes métalliques, nous plongeant, tout novice, dans une autre dimension. Le bruit des turbines y est intolérable mais la surprise vient de l'absence de personnel. La technologie se suffit à elle-même, en quelque sorte. Des armoires métalliques trapues à la surface desquelles clignotent des lumières rouges ou vertes sont disposées le long d'une des deux parois rocheuses, d'où l'on aperçoit des écrous disposés à une distance égale et enfoncés dans la pierre, pour nous rappeler que le bouclier canadien pourrait céder à quelque cataclysme.

Durant les deux jours où j'ai vécu dans ces décors de minéraux, d'acier, de pylônes à hauteur vertigineuse, de bruit de turbines, de rivières aux abords rébarbatifs longues comme des fleuves et de paysages figés par le climat extrême, même en septembre, je fus plongée dans un dépaysement que je ne retrouve plus au cours de mes voyages autour du monde.

Le génie humain exprimé à travers ces ouvrages à dimension mégalomane dans cette immensité déstabilise et éblouit à la fois.

Les Québécois ont eu tendance à se dévaloriser dans le passé, habités par un complexe d'infériorité. Conquis d'abord, puis humiliés, minoritaires de par la langue, la pauvreté comme héritage, les Anglais nous ont modelés, humbles, taiseux, inquiets et naïfs durant plusieurs décennies. Or, ces réalisations où l'ingénierie le dispute à l'esprit des pionniers et la maîtrise de la nature devinrent un objet de fierté au Québec. Depuis, les écologistes ont jeté un pavé dans la mare, et les plus extrémistes s'insurgent contre cette « violation » de la nature à leurs yeux intouchable. Le développement futur du

Nord québécois devra dorénavant prendre en compte cette dimension politique. Pendant ce temps, dans cette sauvagerie harnachée par l'homme où, selon la légende, même les moustiques sont recouverts de fourrure à cause du froid, les rares habitants des lieux regardent le Sud en plaignant ceux qui y habitent.

Joual (Le)

Le mot *joual* est une déformation de la prononciation du mot *cheval*. Le terme joual est devenu la façon de décrire la langue populaire du Québec que le frère Jean-Paul Desbiens, dit le frère Untel, a vigoureusement dénoncé dans son pamphlet, *Les Insolences du frère Untel*, publié il y a tout de même plus de cinquante ans ! Le courageux frère s'était attaqué à cette langue à la limite de la créolisation et qui à ses yeux empêchait l'évolution culturelle de la société québécoise.

Je suis issue d'un milieu où l'on parlait joual. Dans ma famille maternelle, mes tantes adorées, de même que ma grand-mère, s'exprimaient en joual, ce mélange d'archaïsmes, de jurons, d'éclatements syntaxiques et d'anglicismes. Une langue pour moi affective contre laquelle ma mère m'a mise en garde puisqu'elle l'associait à l'ignorance et à l'indigence intellectuelle. D'où ces cours de diction où elle m'inscrivit dès l'âge de trois ans et demi.

Le joual a atteint son apogée, si l'on peut dire, lorsque les artistes et les intellectuels au nationalisme vibrant l'ont transformé dans les années soixante en symbole politique de l'identité québécoise. Cette valorisation quasi religieuse de cette langue incompréhensible en dehors des frontières du Québec fut au cœur de la redéfinition de l'identité québécoise. Aux yeux des tenants du joual, il fallait rompre avec le colonialisme culturel français dont étaient atteintes les élites québécoises.

Le joual nous a divisés, déchirés par des débats passionnels où chacun choisissait son camp. Les linguistes eux-mêmes se sont affrontés, certains que l'on qualifierait aujourd'hui de fondamentalistes affirmant que le joual était la langue québécoise, affranchie de la langue française. Les créateurs parmi les plus talentueux s'emparèrent, ou plutôt s'approprièrent cette langue, et les années soixante-dix furent celles de la création en joual, sur les scènes québécoises et dans les feuilletons télévisés.

Une anecdote personnelle illustre de façon éclairante l'impact du joual au théâtre. J'avais invité ma tante préférée – ouvrière toute sa longue vie dans une manufacture de vêtements où elle s'épuisait à repasser avec un fer à vapeur de 2 kilos huit heures par jour – à assister aux *Belles-Sœurs*, la pièce de Michel Tremblay*. Ma tante était accompagnée d'une amie qui comme elle s'exprimait en joual, mais en saupoudrant ses phrases de jurons spectaculaires. Avec elle, ça « décocrissait », c'étaient des « hosties toastées », ça « tabarnaquait ».

Les deux femmes se faisaient une fête d'aller au théâtre, c'est-à-dire, dans leur esprit, de pénétrer dans un lieu sacré qu'elles associaient à une classe sociale supérieure.

À la fin de la pièce, les deux amies étaient traumatisées. « C'est écœurant de parler un "chuton[1]" pareil. C't un enfant de chienne celui qui a écrit ça. » En fait, il leur avait été intolérable de subir cet effet de miroir en entendant sur une scène des personnages s'exprimer dans cette langue qui était la leur. C'est donc en joual qu'elles se scandalisaient de cette langue recréée par le très talentueux Michel Tremblay, notre plus célèbre dramaturge.

Les débats sur le joual se sont estompés, mais subsiste une allergie, même parmi les élites culturelles, à s'exprimer dans une langue soutenue où l'accent est moins prononcé. « Vous êtes née en France » est une remarque que j'entends régulièrement au Québec du simple fait de mon niveau de langage et d'une articulation plus marquée que la moyenne des Québécois. Mais, en France, il m'arrive très souvent de provoquer une déception chez mes interlocuteurs. « Dommage, vous n'avez pas l'accent. – Si vous êtes gentil avec moi, je l'aurai », que je réponds. Mais je ne suis pas dupe et je refuse en tant qu'intellectuelle d'être enfermée sous l'étiquette folklorique. Car malgré l'évolution pour sortir du chauvinisme et d'une forme glamourisée d'impérialisme culturel, l'intelligentsia parisienne dédaigne ou se moque du parler « québécois ». « Si ça n'était pas toi qui m'assurais que ce metteur en scène, ton compatriote, est instruit et cultivé, je le croirais ignare et demeuré, à cause de la façon dont il s'exprime », m'avoua un jour un ami, membre à plein temps de la faune germanopratine.

1. *Chuton* pourrait se traduire par « débile », « ignorant », « pas éduqué »…

Mais le joual se révèle utile, et il m'a même servi en France dans des conversations avec des compatriotes pour confondre des Français. Jolie revanche contre ceux qui m'ont si souvent seriné que, lors de séjours au Québec, ils n'avaient absolument rien compris de ce que les Québécois leur racontaient.

Juifs hassidiques de Montréal (Les)

Le Québec compte un peu moins de 100 000 Juifs concentrés presque exclusivement à Montréal. Les Ashkénazes venus d'Europe centrale sont des Québécois de vieille extraction, si l'on peut dire. Ils représentent près des trois quarts de la communauté, et l'anglais est leur langue. S'ajoutent à eux les Séfarades, 25 000 environ, venus du Maghreb et parlant français, ce qui simplifie leur période d'adaptation. Car la plupart d'entre eux sont débarqués au Québec depuis les années cinquante. Enfin, près de 12 000 Juifs hassidiques sont les plus remarquables parce que visibles avec leurs boudins et leurs habits noirs d'un autre siècle.

À Montréal, les juifs hassidiques sont regroupés dans quelques rues d'Outremont, le quartier de la bourgeoisie francophone. Ils appartiennent au paysage urbain. Les femmes portent perruque, sont couvertes d'amples vêtements plus que modestes, ce qui les fait ressembler aux religieuses d'après Vatican II lorsqu'elles avaient troqué leurs longues robes noires et leurs cornettes contre des vêtements civils, ternes et sans attrait. Mais ces femmes juives nous ramènent aussi au passé de la revanche des berceaux avec leurs nombreux enfants. Il n'est pas rare de croiser de jeunes mères entourées de trois enfants en bas âge et de deux bébés en poussette. Comme dans le Québec d'antan, les hassidiques acceptent tous les enfants que le bon Dieu leur envoie.

L'été, la ville est transformée en plage, et les Québécoises se dénudent sans complexe dans le quartier d'Outremont comme ailleurs. Nous assistons alors à des scènes surréalistes où des jeunes et vieux hassidiques revêtus de leurs habits religieux marchent sur les trottoirs, la tête basse en croisant à longueur de journée des nymphes aux longues jambes et au décolleté plongeant qui incarnent le péché de la chair tel que les jeunes Canadiens-français le vivaient eux-mêmes dans le Québec de l'obsession sexuelle. Quelle épreuve charnelle pour ces jeunes Juifs n'ayant pas d'autre choix que de circuler à pied, ne serait-ce que pour se rendre à la synagogue ou dans leurs commerces tous situés dans le quartier.

Des frictions entre ces ultra-religieux et les Québécois sont survenues dans les dernières années du mouvement de laïcisation. Mais historiquement, les hassidiques ont toujours vécu sans problème au sein de la ville. Les Québécois francophones, leurs voisins, semblent cependant ne pas comprendre leur fermeture aux relations de bon voisinage. Certains sont déçus de ne pouvoir échanger avec eux, leur offrir des gâteaux, faire la conversation à bâtons rompus. L'émancipation religieuse des Québécois en a rendu plusieurs allergiques, pour ne pas dire intolérants, aux expressions religieuses, particulièrement celles qui heurtent la modernité. Traumatisés par le poids de l'Église sur leur culture, nombre de gens se méfient des ultra-religieux. S'ajoute au malaise le fait que ces Juifs ne connaissent pas le français, utilisant le yiddish entre eux et l'anglais avec les gentils. Chez les Séfarades, l'on compte désormais des ultra-religieux, lesquels, s'exprimant dans la langue officielle du Québec, sont davantage en mesure d'être des ponts entre leur communauté et la majorité québécoise.

Au Québec, contrairement à ce qui existe dans la plupart des pays occidentaux, y compris aux États-Unis, les écoles juives sont financées entièrement par l'État, ce qui crée des tensions avec le ministère de l'Éducation car certaines de ces écoles, les ultra-religieuses, refusent d'appliquer le programme du ministère en ce qui concerne les sciences, l'histoire et les cours de sexualité et d'éthique.

J'ai été élevée dans le culte des Juifs que je croyais tous hassidiques. Deux tantes maternelles parlaient yiddish ; ignorant le mot, elles disaient qu'elles parlaient « juif ». L'une et l'autre avaient travaillé pour des patrons juifs, la première dans une manufacture de vêtements et la seconde en tant que bonne dès l'âge de douze ans. C'était dans une famille orthodoxe au début du XXe siècle. Ma tante avait adoré l'aïeule, une « femme intelligente, autoritaire », qui elle-même s'était entichée de cette petite Canadienne-française néanmoins catholique. Elle appréciait sa vaillance, son fort tempérament, son intelligence si vive qui lui avait permis d'apprendre rapidement le yiddish. Elle offrit donc à ma grand-mère de payer des études à ma tante, ce que celle-ci rejeta, insultée de se « faire faire la charité ». Jusqu'à la fin de sa vie, celle qui m'avait appris des mots yiddish, qui m'avait décrit le bonheur qu'elle avait ressenti en servant cette famille « pas catholique mais mauditement généreuse » répétera qu'elle aurait souhaité être juive. « Je serais pas une ignorante comme les Canadiens-français. J'aurais réussi dans la vie. »

Grâce à mes expériences familiales, mon regard sur les Juifs a échappé aux stéréotypes de ma culture catholique. Lorsqu'en classe on m'enseigna que c'étaient les Juifs qui avaient tué Jésus, je me souviens encore d'avoir levé la main. « Qu'avez-vous à dire, ma fille ? » demanda la sœur. J'avais sept ou huit ans, et je m'entends encore répondre : « Mais Jésus était un Juif. Donc, ça veut dire que les Juifs ont tué un Juif, pas un catholique. » La sœur rougit et me gronda devant la classe. Ma tante aurait été fière de moi.

Julien (Pauline)

Le mot excessive lui collait à la peau comme un gant. Pauline Julien, chanteuse et comédienne, appartient à cette catégorie de Québécoises sans peur – mais non sans reproche parfois. Dans les années cinquante, elle se retrouve à Paris où elle chante dans les boîtes de Saint-Germain-des-Prés. Et ses fréquentations s'appellent entre autres Ferré, Gréco, Mouloudji, Aznavour ; ils deviendront des amis du Québec de Pauline. Car son tempérament, sa fougue, sa vérité et son engagement politique en faveur de la libération du Québec en font une chanteuse inclassable et attirante.

Avec une voix qui porte ses tripes en bandoulière, une voix qui fausse parfois sans jamais trahir l'émotion qu'elle exprime, une voix qui transporte son public souvent conquis d'avance, Pauline Julien a chanté tous les grands du Québec contemporain et ses propres chansons, plus d'une vingtaine écrites dans l'urgence de vivre, d'aimer et de revendiquer pour son Québec tant aimé une indépendance qu'elle verra progressivement échapper à son rêve.

Pauline Julien, au physique délicat, maniait le verbe avec une mitraillette. Sous le coup de la colère, elle pouvait invectiver ses interlocuteurs. Elle se prenait aux cheveux avec les adversaires de la souveraineté. Combien de fois l'ai-je vue engueuler, insulter – avec les jurons québécois qu'elle prononçait avec un accent français, et cela sonnait étrangement comique – des gens qui avaient le malheur de critiquer le Québec ? En février 1969, à Niamey, au Niger, lors d'une rencontre des ministres francophones de la Culture et de l'Éducation, et où était présent André Malraux, l'envoyé spécial du général de Gaulle, Pauline Julien assistait aux séances en tant qu'invitée. Mais le protocole lourd de ce genre de rencontre ne l'impressionnant guère, elle apostropha pendant une intervention le représentant canadien. Ce ne sera pas son dernier esclandre.

C'était une féministe impénitente mais aussi une grande amoureuse. Elle a formé avec le poète Gérald Godin, ministre de la Culture dans le gouvernement de René Lévesque*, un couple passionnel vivant en montagnes russes leur amour aussi fulgurant que déchirant. Des soirées chez eux où débarquaient poètes, journalistes et politiques, l'on ressortait étourdi autant par les mots que l'alcool qui coulait à flots, et l'on était convaincu d'avoir vécu durant quelques heures une page de la petite histoire du Québec lyrique.

Pourtant, la Pauline enragée politique, en quelque sorte, était une femme inquiète, à fleur d'angoisse, dont on pouvait croire que sa voix enrouée trahissait aussi l'état de son cœur. Celle qui a écrit : « Ce soir j'ai l'âme à la tendresse » a également rendu hommage aux femmes amoureuses dont le mari partait bûcher des mois durant dans les forêts du Nord.

J'sais que t'es parti pour travailler
J'tiens la maison, j'fais pas la folle
J'sais que t'es parti pour travailler
Mon désennui c'est d'm'ennuyer.

La solitude des femmes qu'elle décrit dans ce texte poignant « Ah que l'hiver » annonçait son destin. Elle survivra à Gérald Godin, décédé des suites d'une tumeur au cerveau en 1994. Mais quelques années plus tard, la pasionaria perdra l'essence de sa vie : les mots chantés. Atteinte d'aphasie dégénératrice, enfermée dans le silence, elle se donnera la mort en 1998 à l'âge de soixante-dix ans.

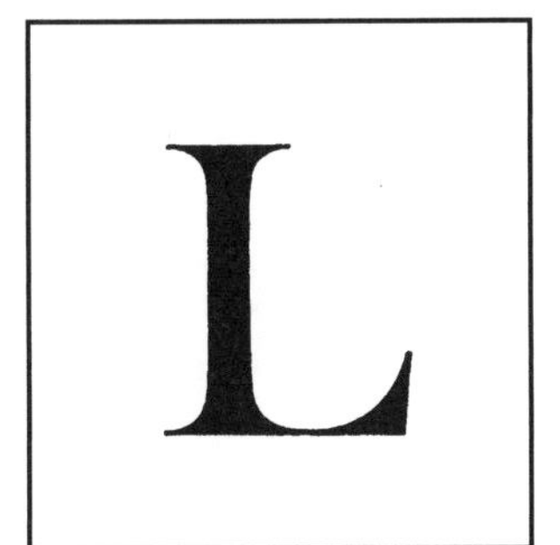

Langue française (La)

Pour un Québécois, parler français est un acte politique, et selon les générations l'acuité de cette réalité est plus ou moins intense. J'appartiens à la génération qui s'est battue pour imposer le français à Montréal, ma ville natale. Dans l'enfance, j'accompagnais ma mère dans les magasins de la rue Sainte-Catherine ouest où elle devait parler anglais aux vendeurs unilingues. Elle ne s'en plaignait guère, trop heureuse de pratiquer cette langue qu'elle parlait couramment. J'ajoutais quelques mots afin que l'employé admire mon savoir-faire. Des années plus tard, je comprendrai la honte inconsciente d'être francophone qui m'avait habitée enfant. Ma mère, elle, deviendra souverainiste et applaudira à l'adoption à l'Assemblée nationale de la loi 101, le 26 août 1977, faisant du français la seule langue officielle du Québec.

Très jeune, j'ai hérité de l'amour inconditionnel que ma mère portait à la langue. À trois ans et demi, malgré un maigre budget familial, je fus inscrite dans une école de bon parler français. Dans ma famille modeste, ma mère affirmait que la langue française était notre richesse, qu'il fallait la respecter, d'autant plus, assurait-elle, qu'elle était la plus belle au monde. « Si tu es riche et tu parles mal français, t'es pauvre », répétait-elle comme un leitmotiv.

Je ne suis pas sûre que les jeunes générations apprennent à aimer le français avec une pareille passion. D'ailleurs, j'observe le même phénomène en France. La complaisance face à l'anglais n'augure pas des lendemains qui chantent face à l'avenir du français. Nous aurons l'occasion d'y revenir.

La langue française ne s'offre pas spontanément au désir du locuteur. Elle oblige à un apprivoisement qui exige effort, patience et volonté. « C'est une langue belle à qui sait la défendre », comme le chante Yves Duteil. Et les Québécois sont parmi ses plus ardents défenseurs. Normal, puisqu'ils protègent ainsi leur identité de minoritaires en Amérique du Nord. Le Québec, en ce sens, demeure un rempart du français sur le continent. Et cette langue française véhicule un autre regard sur le monde, une autre géographie et à l'évidence une autre histoire.

La langue française est notre fleuve. Elle nous permet de déboucher vers la mer, c'est-à-dire le monde. La langue française est moins un instrument de communication qu'un vecteur d'émotions, d'affectivité, d'idées et de réel. Avec elle, grâce à elle, les Québécois héritent d'un passé glorieux et prestigieux. De Diderot à Stendhal, de Voltaire à Camus, de Montesquieu à Maupassant en passant par Proust, ces écrivains nous appartiennent en propre.

La langue française nous distingue mais elle nous isole. Or cet isolement stimule notre créativité. Nos écrivains, nos dramaturges, nos acteurs s'alimentent de cette langue qui, en traversant l'Océan et les siècles, s'est fortifiée et affirmée d'une autre manière que dans la mère patrie.

Je ne suis pas d'accord avec ces Québécois qui opposent la langue française et la langue québécoise. Il n'y a qu'une langue française, universelle, qui appartient à tous ses locuteurs qui la cajolent, l'honorent et lui font cadeau des mots enracinés dans leur culture propre. La langue québécoise n'est qu'un concept idéologique, une fiction syntaxique et, surtout, une distance infranchissable avec les francophones de la planète.

Les Québécois parlent français. Un français standardisé ou soutenu, semé d'archaïsme et de néologismes, un français coloré par la nature, dru comme l'eau des chutes, cru comme le climat hivernal, une langue qui trahit les origines paysannes anciennes et prolétaires du XXe siècle, une langue qui révèle la culture religieuse et le complexe de minoritaire. Une langue enfin qui nous rassemble et nous ressemble, nous, les « cousins d'Amérique ».

Leclerc (Félix)

À la fin de sa vie, Félix Leclerc gardait enfouie en lui une sourde blessure. Celui qui est devenu un monument de la chanson québécoise s'est toujours souvenu que la reconnaissance de son talent lui est venue d'abord de la France qui l'accueillit en décembre 1950 à l'A.B.C., l'ex-grand music-hall de Paris, avec un enthousiasme qui se transforma vite en triomphe. Félix, l'incarnation d'un Québec à la fois poétique, lyrique, enraciné dans le sol et révolté, n'obtint l'accueil de son peuple qu'une fois revenu dans son pays qu'il avait quitté, partagé entre l'espoir de réussir dans la mère patrie et le regret d'être incompris chez lui. Mais le vieux sage n'ignorait guère que « nul n'est prophète en son pays ».

Félix Leclerc, l'homme du « Petit bonheur » de « L'hymne au printemps », de « Notre sentier », ces chansons de la quotidienneté poétique et terrienne, fera place peu à peu au chanteur engagé, troubadour de l'indépendance du Québec avec *L'Alouette en colère* (1972), *Le Tour de l'île* (1975). Car le chanteur, depuis son refuge dans son île d'Orléans au milieu du Saint-Laurent, à proximité de Québec, ville du début de la colonie française en terre d'Amérique, vivait au rythme de la modernité québécoise alors grisée par sa révolution moins tranquille qu'on aime à le croire.

J'ai réalisé quelques longues entrevues télévisées avec l'homme, taillé d'une seule pièce comme on le dit dans le langage populaire. Félix impressionnait certes, mais ce qui déstabilisait le plus chez lui était cette angoisse créatrice palpable. Le géant éprouvait le trac devant la caméra. J'avais l'impression qu'il souffrait. « Le monde aimera peut-être pas ça », disait-il, jusqu'à ce que, à l'occasion du dernier entretien qu'il m'a accordé, déjà malade mais sa voix rocailleuse toujours aussi veloutée, il se laissa convaincre de chanter. Nous étions à la veille des fêtes de fin d'année, et il avait apporté sa guitare « au cas où ». Félix Leclerc ignorait la vanité car l'orgueil, ce péché capital comme on le lui avait enseigné dans le Québec de la catholicité régnante, l'habitait. Mais l'orgueil de celui qui tutoie les hivers, la forêt et le fleuve, sa source d'inspiration.

Le chanteur à chemise à carreaux et en bottes de bûcheron fut le patriarche de la chanson québécoise en devenir (à ses débuts on la disait canadienne) en ouvrant la voie à tous les chanteurs qui lui succédèrent, témoins vivants de l'évolution du Québec. Son originalité, son authenticité combinées à une personnalité aussi déconcertante que chaleureuse a aussi influencé les Georges Brassens, Guy Béart et Jacques Brel, ses cadets qui lui vouèrent une admiration affectueuse et sincère. « Le Canadien », comme on le baptisa à ses débuts en France, demeure dans la mémoire francophone le chantre inégalé d'un pays plus poétique que politique qui se révélera plus rêvé que réel. Le Félix Leclerc des années soixante-dix ne chantera pas « Je suis révolté » mais « J'ai un fils révolté » dans *L'Alouette en colère*. Il écrira aussi que la meilleure façon de tuer un homme est de le payer à ne rien faire, exprimant alors une critique sociale à l'endroit d'une conception douteuse de l'État-providence.

En 1988, le troubadour entré de plain-pied dans son mythe depuis longtemps s'est endormi pour ne plus se réveiller au matin du 8 août. Sa mort provoqua des marées de tristesse. Des jours durant, les médias se mirent en berne, consacrant des pages et des heures d'antenne à la vie et l'œuvre du poète national, l'ambassadeur en France et dans l'ensemble de la francophonie d'une certaine idée de son pays, le Québec. Ses mots rugueux, ironiques, empreints de légèreté et de gravité, chantés avec l'accent d'un terroir dont il était roi et maître, résonnèrent aux quatre coins du Québec. Ces journées de deuil collectif, on ne les revivra qu'à la mort de René Lévesque, le Premier ministre adulé mais à qui les Québécois refusèrent de donner le mandat en 1980 de réaliser l'indépendance.

Légende vivante : la Corriveau

Parmi les légendes vivantes qui traversent l'histoire du Québec, celle qu'on a surnommée la Corriveau continue d'inspirer les créateurs. Marie-Josephte Corriveau, née en 1733 près de Québec, est un personnage qu'ont récupéré pour leur cause des générations de Québécois. Pour les uns, elle fut victime des Conquérants puisque reconnue coupable de la mort de son deuxième mari, Louis Dodier, par un tribunal militaire composé de douze officiers anglais. Mais la Corriveau est réhabilitée avant tout par les féministes qui ont tendance à la considérer aujourd'hui comme une victime du machisme de l'époque.

La Corriveau, empoisonneuse et tueuse en série de sept maris, comme le veut la légende, fut à n'en point douter l'assassine de son deuxième mari. Mais la mort soudaine et prématurée de son premier mari demeure toujours un mystère. À l'époque, la rumeur populaire l'accusait d'avoir versé du plomb dans les oreilles de ce dernier, une fausseté mais qui avait du panache, on en conviendra.

La mauvaise réputation de la Corriveau la classe dans la catégorie des misérables femmes, telle la Voisin, une empoisonneuse pendue à Paris en 1680. La malice de la Corriveau a enflammé l'imaginaire d'écrivains québécois. Aubert de Gaspé la met en scène dans son ouvrage *Les Anciens Canadiens*, publié en 1863, et l'historien Louis Fréchette, sous le coup de la fascination, raconte, dans un article qui date de 1898, la vie de la Corriveau, où réalité et fiction se confondent.

La légende de cette « sorcière » québécoise fut alimentée par la découverte d'une cage de fer dans un cimetière de Lauzon, en banlieue de Québec, autour de 1850. Il est avéré que le corps de Marie-Josephte fut effectivement mis en cage de fer car l'encagement se pratiquait en Angleterre, surtout dans les campagnes. Au Québec, deux cas seulement dont celui de la Corriveau ont été recensés sous le règne des Britanniques.

C'est autour de cette cage retrouvée aux États-Unis et rapportée au musée du Québec il y a peu que les esprits de l'époque s'enflammèrent. Une rumeur persista, reprise par les écrivains, que l'on entendait la trépassée hurler aux loups et menacer les bonnes âmes.

Le groupe de jeunes Mes Aïeux, très populaire au Québec, a composé en 2001 « La corrida de la Corriveau », une preuve que la légende perdure. Ainsi est assurée la pérennité de Marie-Josephte, l'encagée pour cause de meurtres de maris.

C'est la corrida des maris de la Corriveau
Qui maniait son jupon comme un torero
Messieurs mettez-vous en ligne, prenez un numéro
Goûtez délices et supplices de la Corriveau.

Dans le Québec du matriarcat psychologique et de la percutance du discours féministe, la Corriveau est assurée d'un énorme bassin d'admiratrices.

Lemelin (Roger)

Il a raconté le Québec d'avant la Révolution tranquille*, celui de la catholicité agissante, de la piété, de la modestie, du petit monde qu'on qualifie au Québec « de vrai monde » et qui n'avait pas de secret pour lui. Roger Lemelin, né en 1919 et mort en 1992, demeure un des grands romanciers populaires du Québec contemporain. Tour à tour flamboyant, roublard, émotif, généreux, Roger Lemelin est immortalisé par son roman *Les Plouffe* (1948), adapté pour la télévision avec un succès retentissant et dont l'action se déroule à Québec, sa ville natale.

Touche-à-tout, polémiste, provocateur, bon vivant et naïf invétéré, il fut aussi éditeur et éditorialiste du quotidien *La Presse* où il ferraillait vivement avec ses « amis » les séparatistes.

Fasciné par les grands de ce monde, par l'argent dont il faisait généreusement profiter ses amis, il aurait aimé être né prince, car il avait un penchant pour les honneurs, le luxe, les attributs extérieurs de la richesse, et les grands crus français l'enivraient, au propre comme au figuré.

Dans son œuvre, *Au pied de la pente douce* (1944), *Les Plouffe*, ou *Fantaisies sur les péchés capitaux* (1949), il se révèle un critique social sans complaisance. Son premier roman, *Au pied de la pente douce*, écrit alors qu'il n'a que vingt-trois ans, rompt avec les romans du terroir. Car c'est un roman urbain dont l'action se déroule à Québec dans un quartier populaire. L'on y retrouve tous les thèmes chers à l'auteur : la remise en question de l'Église dominante, les affrontements politiques entre les Canadiens-français, l'ignorance du peuple et le péché omniprésent. Ce roman d'émancipation populaire parut aussi en France chez Flammarion et fut traduit dans plusieurs langues.

Roger Lemelin adorait la France, comme beaucoup de Québécois de son époque. Il fut ému de recevoir la médaille de la langue française de l'Académie française en 1965 et s'amusait d'avoir été élu membre canadien de l'académie Goncourt, un titre purement honorifique. C'était avant que la francophonie ne s'affiche en permettant à des écrivains de langue française mais non français de s'imposer en France. Mais Roger Lemelin n'était pas dupe. « J'aime ça être au Goncourt. J'assiste à leurs engueulades et je mange avec eux ensuite », me confiait ce membre, sans droit de vote et de parole mais dont la culture n'avait rien à envier à celle de certains messieurs du Goncourt de l'époque, chauvins et à l'esprit colonisateur.

Lévesque (René)

Deux hommes à la personnalité radicalement opposée ont incarné chacun à leur manière le Québec moderne. L'un, René Lévesque, en rêvant de souveraineté pour le Québec, et le second, Pierre Elliott Trudeau*, en rêvant plutôt de transformer le Canada afin que le Québec s'y sente chez lui. Les deux hommes incarnent les deux pôles de la division et de l'affrontement des Québécois. Ces chefs charismatiques soulevaient les foules, provoquaient l'adhésion quasi amoureuse ou le rejet violent. Les frères ennemis furent transformés en messies de la cause à laquelle ils ont consacré leur vie. Durant la période de leur vie politique où ils se retrouvèrent simultanément Premier ministre, l'un du Québec, l'autre du Canada, le pays vécut dans des montagnes russes où le peuple assistait euphorique, galvanisé par l'un ou l'autre, à une tragédie à la grecque. René Lévesque, le brillant et brouillon journaliste transformé involontairement en héros, ne sut convaincre son peuple de la nécessité de l'indépendance. « À la prochaine fois », lança-t-il le soir de la défaite du référendum de 1980, ignorant que cette prochaine fois en 1995, après sa mort, les Québécois refuseront de réaliser son rêve. Son adversaire historique, Pierre Elliott Trudeau, ne résistera pas à humilier René Lévesque en rapatriant de Londres, sans l'accord du Québec que dirigeait toujours René Lévesque, la Constitution canadienne. Les deux hommes ne s'étaient jamais aimés, si bien que leur relation fut toujours passionnelle, à l'image de celle des Québécois entre eux, ces Latins nord-américains.

À vrai dire, tout séparait les deux hommes. René Lévesque est né à New Carlisle en Gaspésie, dans une ville partagée entre francophones et anglophones descendants des loyalistes qui s'étaient opposés à la révolution américaine. Ces anglos-là jugeaient les Canadiens-français avec le regard que portaient sur les Noirs les Rhodésiens blancs en Afrique du Sud. Mais René Lévesque ne transformera pas son expérience de cohabitation en sentiment de haine à l'endroit des anglophones, comme on le retrouve trop souvent hélas parmi les nationalistes.

Son père qui exerçait la profession d'avocat était un lettré épris de culture et il devint rapidement un modèle pour son fils, lequel demeura toute sa vie un lecteur aussi boulimique qu'éclectique. Ce qui ne l'empêcha pas d'abandonner rapidement ses études de droit afin de devenir journaliste, le plus respecté et le plus adulé des journalistes. Grâce à sa curiosité intellectuelle et son ouverture sur le monde, il devint le vulgarisateur le plus génial de la télévision. Il réussissait à expliquer avec rigueur, retenue, clarté et passion les enjeux de la fin des années cinquante, à savoir la guerre froide et la décolonisation des peuples. Il se rendit entre autres en Algérie en pleine guerre et exposa aux téléspectateurs québécois les enjeux du drame.

Il avait connu le baptême du feu en 1943 lorsqu'il fut recruté comme correspondant de guerre par l'armée américaine qui se déployait en Europe. Son entrée avec les troupes dans le camp de Dachau marquera à jamais l'homme. Immunisée contre les dérives des idéologies, sa conception de la démocratie exclura tout extrémisme, toute intolérance et tout populisme.

Le futur Premier ministre du Québec quitta le journalisme en 1960 pour une carrière de ministre dans le gouvernement libéral, qui fut initiateur de la Révolution tranquille*. Son nationalisme progressiste l'entraîna à quitter le Parti libéral trop fédéraliste pour aller fonder le Parti québécois, à la fin des années soixante.

René Lévesque, dont l'intégrité, la droiture, le pragmatisme et la modération commandaient le respect, était aussi un homme tourmenté, inquiet, complexé sans doute, comme beaucoup d'hommes de petite taille. Allergique aux intellectuels, dilettantes, et aux grands bourgeois qu'incarnait son contemporain Pierre Elliott Trudeau, il insupportait les courtisans de tout genre et les adorateurs de veau d'or. Les Québécois l'appelaient affectueusement Ti-Poil, une référence à sa quasi-calvitie qu'il tentait en vain de masquer en ramenant quelques mèches longues et clairsemées au-dessus de son crâne.

Les Québécois se reconnaissaient en lui car, si l'orgueil l'habitait, la modestie l'enveloppait. Il n'était pas à l'aise sous les ors des palais, et les cérémonies officielles l'ennuyaient. Il aurait pu passer pour rustre et antisocial. Mais la finesse de sa pensée politique, le raffinement dans sa relation avec le peuple à qui il vouait un respect de même qualité que celui qu'il commandait lui-même en faisaient un personnage complexe et intimidant. Peu de gens osaient le tutoyer dans le pays du tutoiement généralisé.

Ses adversaires politiques l'épargnaient de leurs sarcasmes, sauf les zélotes du fédéralisme à tous crins. Par ailleurs, les indépendantistes purs et durs n'ont pas toujours été tendres avec leur chef dont ils déploraient le louvoiement et sa tendance à diluer l'option souverainiste que la formulation de la question référendaire de 1980 illustre de façon spectaculaire.

> *Le gouvernement du Québec a fait connaître sa proposition d'en arriver, avec le reste du Canada, à une nouvelle entente fondée sur le principe de l'égalité des peuples ; cette entente permettrait au Québec d'acquérir le pouvoir exclusif de faire ses lois, de percevoir ses impôts et d'établir ses relations extérieures, ce qui est la souveraineté, et, en même temps, de maintenir avec le Canada une association économique comportant l'utilisation de la même monnaie ; aucun changement de statut politique résultant de ces négociations*

ne sera réalisé sans l'accord de la population lors d'un autre référendum ; en conséquence, accordez-vous au gouvernement du Québec le mandat de négocier l'entente proposée entre le Québec et le Canada ?

Cette question surréaliste permet de pénétrer l'âme québécoise, son ambivalence, ses peurs et ses complexes. René Lévesque, le héros politique qui a donné son aval à une telle formulation, n'agissait pas par fourberie, comme l'ont prétendu ses adversaires de l'époque. C'était une question qui portait en elle-même le désir d'un oui et d'un non, l'envie de rompre avec le Canada et le refus inconsciemment exprimé d'abandonner le Canada, territoire des ancêtres français, à ces Anglais qui ne le méritaient pas. On peut rétrospectivement y voir de la peur, de l'ambivalence et des relents de complexe d'infériorité. Le refus d'un oui à une telle question nous révèle l'âme tourmentée des Québécois qu'incarnait René Lévesque dans sa propre personne.

Ce grand homme a voulu transformer profondément la société québécoise. En la démocratisant afin de la mettre à l'abri de la corruption qui y régnait et en la menant à une souveraineté quasi indissociable d'une association avec le Canada. Il a transformé l'éthique politique avec sa loi sur le financement des partis politiques et les dépenses électorales, mais n'a pu parvenir à mener son peuple à la souveraineté, ce rêve lancinant comme un rappel de l'impossible mouvement collectif.

M

Madeleine (Les îles de la)

Sur des hauts fonds, au centre du golfe Saint-Laurent, là où le fleuve se marie avec la mer, les îles de la Madeleine, plus grand cimetière marin d'Amérique du Nord à cause des pièges mortels de la navigation et du déchaînement des tempêtes, sont paradoxalement un havre de paix, de beauté austère et de chaleur humaine. Les habitants sont presque tous d'origine acadienne, et ils ont conservé un parler du XVIIIe siècle et un vocabulaire de gens de bateaux.

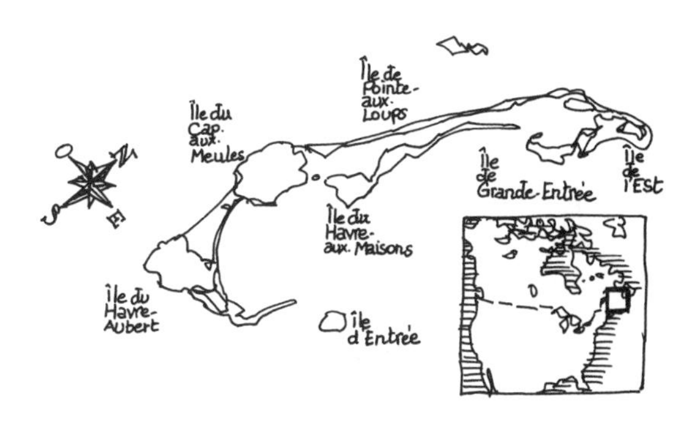

Les Madelinots vivent dans « des vents à écorner les bœufs », évitent de *forlaquer*, c'est-à-dire de manquer à leurs devoirs moraux. Sébastien Cyr, dans son glossaire *Le Sel des mots* (AbeBooks.fr/1997), démontre bien que les insulaires ont élaboré un dialecte inspiré du parler acadien, lequel comprend de nombreux anglicismes transformés par leurs soins. Fiers de leur distinction culturelle et forts de leurs traditions, les Madelinots n'ont pas de complexe d'infériorité. Eux qui se *coltaillent* (« affrontent ») avec le déchaînement des éléments que leur impose la géographie sont en quelque sorte les propriétaires marins du golfe Saint-Laurent.

La population d'environ 15 000 personnes se répartit sur des îles reliées entre elles par de sidérantes dunes de sable miel. Les îles aux noms évocateurs, île d'Entrée, Havre-aux-Maisons, Anse-au-Loup, Cap-aux-Meules, ont accueilli tour à tour Jacques Cartier* (1534), Samuel de Champlain* (1629), mais les Indiens Micmacs les avaient explorées en venant pêcher et chasser le phoque. Aujourd'hui, on ne compte dans les îles aucun descendant des Micmacs.

Les Madelinots s'insurgent contre leur réputation de tueurs de phoques, source de revenus importante pour les chasseurs. Ils n'aiment guère les écologistes qui débarquent chez eux après les commandos, protecteurs des animaux venus ferrailler avec eux au cours des ans. Et ils enragent lorsqu'on les représente comme les tueurs de bébés phoques alors que cette chasse est interdite depuis des décennies. D'ailleurs, ils désignent du nom de chiots ces bébés à connotation trop humaine. En clair, les Madelinots ne sont pas les amis de Brigitte Bardot.

Fils et filles des Acadiens victimes de la déportation par les Anglais en 1755, ils ont pris racine aux îles, et leur isolement leur a permis de consolider leur culture et leur langue, une langue plus à l'abri de l'anglais que celle des Acadiens du Nouveau-Brunswick qui n'ont de cesse de se battre pour protéger leur envahissement par l'anglicisation.

Les Madelinots vivent de la pêche – celle du homard, leur diamant à eux. J'ai séjourné dans ces îles tout un mois de mai, durant la période de pêche. Devant la fenêtre, attablée devant mon manuscrit, je guettais les homardiers qui rentraient au port au petit matin, et je me précipitais au quai pour choisir mon bétail car depuis des lunes j'ai découvert les vertus des gros homards boudés par les supposés connaisseurs qui estiment leur chair coriace. Les Madelinots et tous les amateurs de homards savent que les homards vivant sur des fonds rocheux sont les meilleurs, même les gros, les 4 ou 5 livres, et que les autres, petits ou obèses qui traînent dans la vase ou le sable, ont une chair moins fine lorsqu'elle n'est pas tout simplement vaseuse.

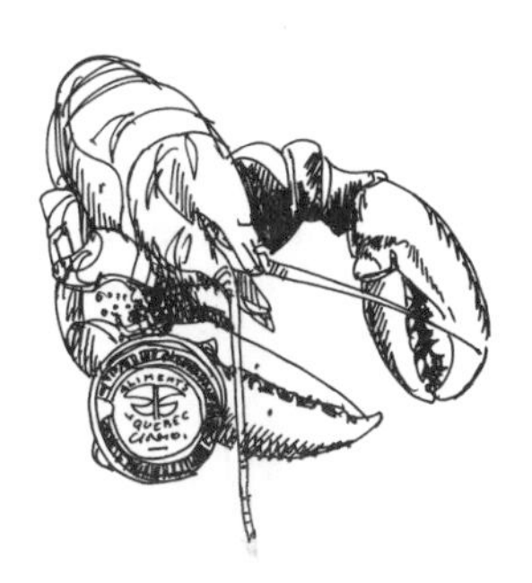

Les pêcheurs m'attendaient souvent avec des monstres de 7 ou 8 livres, mais nous n'étions que deux et je me contentais d'un maximum de 4 ou 5 livres. Hélas, après quelques jours, je dus espacer mes repas homardiens de crainte d'altérer définitivement le plaisir intense de déguster ce fruit de la mer dont je me demande toujours quel homme a un jour osé manger un spécimen qui cache sous sa carapace un délice à s'en confesser. C'était un affamé, à l'évidence.

Les Madelinots aiment la visite, le tourisme étant un des moteurs économiques des îles, mais ils ne sont pas mécontents quand la visite repart à l'automne. Ils retrouveront quelques irrédentistes des îles au moment de la mi-carême, une tradition qui a survécu à la laïcité de la société québécoise. Aux îles, trois jours durant, à la mi-carême, la fête bat son plein. Masqués, on se déguise au point où on ne se reconnaît plus les uns les autres. On croise des religieuses à l'audace pas très catholique, des cardinaux sémillants, rappel de la place de la religion dans la société d'antan. On fait bombance, on boit de la « bagosse », l'alcool local à base de fruits rouges, on « gorzille » c'est-à-dire on « fusionne » en se baladant aux quatre vents et on se frotte (ou danse) sur des airs entraînants de gigue joués par des violoneux endiablés qui épuisent les plus résistants. Et on mange. Durant trois jours, l'empiffrement est de règle. Mais pour avoir droit à l'alcool, on fait bas les masques. Pas question de boire dans l'anonymat.

Les Madelinots, contrairement aux Québécois continentaux, ont l'identité joviale, et ils ont conservé de leurs ancêtres une résilience et une fierté qui en font les gardiens d'un patrimoine immatériel qu'illustre la devise du Québec, « Je me souviens ».

Maison (La)

Pour le Québécois hibernant comme un ours, la maison est la matrice de son confort. Une amie originaire d'Algérie séjournant chez moi en février s'étonnait des rues totalement désertes de Montréal, et elle me suppliait de l'accompagner pour prendre un peu l'air. Elle étouffait, disait-elle, dans une résidence qui faisait 500 mètres carrés. J'eus beau lui expliquer qu'à moins 25 °C personne de sensé ne s'aventurait dehors sans y être obligé, rien ne la convainquait. Devant ce fossé culturel entre nous, je ne cédai pas. « Vas-y toute seule », lui lançai-je, légèrement irritée.

Quelques minutes après avoir quitté la maison, elle m'appela de son portable, quasiment en pleurs. Déconcertée par la violence conjuguée du froid et du vent, elle était pétrifiée de peur et n'osait plus ni avancer ni reculer. Je dus me porter à son secours. Elle termina son séjour sans avoir mis les pieds dehors, sauf pour monter dans une voiture et en ressortir en vitesse afin de s'engouffrer à l'intérieur des immeubles. Depuis cette expérience extrême, elle ne tarit pas d'éloges sur le bien-être ressenti dans les maisons québécoises bien chauffées, calfeutrées et protectrices du déchaînement des éléments naturels.

Au Québec, l'on construit nos maisons en fonction du froid. Matériaux, fenêtres, isolation sont conçus pour traverser la saison de tous les dangers. L'on vit enroulés dans des couvertures, sous des douillettes devant les cheminées qui crépitent. L'on peut demeurer des jours sans quitter la maison durant les périodes de froid, ou même de grande chaleur l'été. Et les étrangers sont toujours frappés de se promener dans les quartiers d'où l'on peut apercevoir l'intérieur des maisons le soir puisque les fenêtres, souvent, n'ont ni rideau ni toile. L'on y voit donc les gens à table ou dans le salon, revêtus de pyjamas ou parfois plus légèrement, sans souci des regards extérieurs. Obsédés de lumière et de soleil, les gens n'ont pas tendance à masquer les fenêtres.

Dans la maison québécoise, la cuisine joue un rôle traditionnel que transforment les lofts à aire ouverte, si populaires de nos jours. Car dans ces espaces on vit là où l'on mange. Nombre de feuilletons télévisés du passé se déroulaient exclusivement dans la cuisine, au point que des critiques s'insurgèrent contre cet enfermement à l'image du Québec d'alors. Mais, encore aujourd'hui, les Québécois affectionnent ce lieu devenu mythique. Étant une hôtesse active, j'aime recevoir plusieurs personnes autour de la table de la salle à manger située dans la partie principale du loft. Or, durant la soirée, je dois constamment expulser mes invités qui préfèrent se réfugier dans la cuisine à l'apéro ou au café. Instinctivement à vrai dire.

En général, dans la classe moyenne, les repas se déroulent toujours dans cette pièce que l'on retrouve au cœur de tous les romans québécois traditionnels. Lors des campagnes électorales passées, les « assemblées de cuisine » où l'on réunissait le voisinage autour d'un candidat étaient fort populaires. Mais les médias d'aujourd'hui ont rendu caduque cette tradition centenaire.

Chez mes grands-parents à Montréal, la salle de bains était située à l'intérieur même de la cuisine dont elle était une annexe. Si bien qu'à table, au milieu du repas, l'on pouvait entendre le jet puissant d'un oncle ou d'une tante en train d'uriner. « Moins fort », criait ma facétieuse marraine dont le sans-gêne demeure encore légendaire.

Dans les lofts d'aujourd'hui, toutes les activités se déroulent dans la même pièce. Mais au Québec où les lofts, ce lieu recherché des gens sans enfants, sont un indicateur du faible taux de natalité, l'on recrée la vie sociale d'antan autour du comptoir de la cuisine. Comme dans le bon vieux temps.

Mariage (Le)

Les Québécois ne sont plus des « marieux ». Sauf dans les territoires du nord-ouest et au Nunavit, c'est au Québec que l'on se marie le moins, au Canada. Et à part le Yukon, c'est aussi au Québec que le taux de divorces est le plus élevé. De plus, si le nombre de mariages augmente légèrement depuis quelques années, c'est grâce en partie aux unions homosexuelles. Ces statistiques confirment la transformation radicale de la société québécoise qui assurait jadis son avenir grâce à ses institutions traditionnelles, le mariage en tant que stabilisateur social et la famille, moteur de la perpétuation des Québécois.

Le Québec a pris le virage de la modernité mais avec un excès si débordant d'enthousiasme qu'il est, en fait, un champion des records dans le domaine. Plus de la moitié des Québécois divorcent, et c'est entre trois à cinq ans de mariage que le taux de rupture est le plus élevé. Pour une société figée dans le conservatisme social jusque dans les années soixante, plutôt que de changements il faut sans doute parler de mutations.

L'engouement sans retenue des Québécois à s'affranchir ainsi du mariage religieux et indissoluble ou civil au profit d'un contrat officieux et soluble dans une nouvelle passion amoureuse inattendue ou une usure prématurée étonne les observateurs et confond les sociologues, car toutes les explications rationnelles ne permettent de comprendre qu'en partie le phénomène. Il faut dire que les institutions marquées par l'influence déterminante de l'Église d'antan provoquent chez nombre de Québécois une allergie que l'on pourrait interpréter non pas comme une libération mais plutôt comme une blessure qui tarde à être cicatrisée.

Par exemple, pourquoi les Québécois craignent-ils tant l'engagement amoureux officialisé ? Comment en est-on arrivé à estimer que l'union libre n'est qu'une affaire privée ne concernant en rien la société, sauf s'il s'agit de partager un patrimoine ? Pourquoi les Québécois ont-ils transformé le vocabulaire associé au mariage, les femmes mariées désignant désormais leur mari de « mon chum » et les maris qualifiant leur épouse de « ma blonde », même chez les couples mariés depuis vingt, trente ou quarante ans ? Les mots n'étant pas innocents, que révèle donc cette « mode » de refuser l'engagement officiel ? Pourquoi le mot « conjoint » est-il plus adéquat qu'époux ou épouse, ou mari ou femme pour parler de la personne aimée avec laquelle l'on est marié officiellement ? Enfin, pourquoi tant de gens, en particulier les jeunes, craignent-ils de s'engager maritalement, comme si la vie commune sans cérémonie pour la ritualiser mettait davantage à l'abri d'une séparation ou d'un divorce, ce que semble croire plus du tiers des couples vivant ensemble et 51 % des couples de moins de trente-cinq ans qui refusent de passer chez le notaire, à l'hôtel de ville ou dans un temple religieux.

Les enfants du divorce craignent de reproduire ce qui a bouleversé leur enfance, c'est-à-dire la rupture de leurs parents, mais comment expliquer qu'au Québec ces nouvelles générations soient plus méfiantes que celles des autres pays occidentaux où l'on divorce, et depuis beaucoup plus longtemps qu'au Québec où, jusqu'en 1968, le code civil l'interdisait ?

Cependant, force est de constater que, dans un couple, il arrive plus fréquemment à l'homme de résister à cet engagement solennel. Le féminisme assumé par les femmes n'a pas fait disparaître un sentimentalisme fleur bleue mais authentique chez nombre d'entre elles, et de tous âges, qui vibrent encore à l'idée du prince charmant qu'on épouse. Quant aux hommes québécois, secoués par leurs compagnes et qui ont pris, malgré eux, le virage de l'égalité des sexes, on les découvre souvent plus « peureux » devant l'engagement amoureux aux conséquences imprévisibles. Les femmes qui affichent leurs convictions antimaritales sont souvent des éclopées de l'amour ou des privilégiées à la réussite financière exceptionnelle, qui ne voudraient pas se retrouver dans la situation des hommes détroussés par des ex-épouses exigeant des pensions alimentaires substantielles et quelquefois vertigineuses. L'émancipation à la québécoise oblige également une femme plus riche de payer à son conjoint moins fortuné une pension alimentaire. L'égalité des sexes s'applique dans les deux sens, et au Québec les statistiques indiquent que les hommes seront, dans l'avenir, moins scolarisés que les femmes, donc plus pauvres.

La perception du mariage, dans un Québec laboratoire des expériences sociales et champion des statistiques révélatrices de ses assises et de sa culture amoureuse, s'éloigne d'un stéréotype de jovialité et de simplicité sentimentale qui leurre ceux qui folklorisent ce peuple plus « ratoureux » (malin) et plus insaisissable qu'il ne veut bien le laisser paraître.

Montréal

La ville n'est pas belle. Mais elle sait se faire désirer. C'est une ville nord-américaine qui a conservé quelques enclaves historiques, témoins de son passé, qu'on appelle aujourd'hui le Vieux-Montréal avec ses immeubles du XIXe siècle restaurés, ses pavés, sa place Jacques-Cartier

autrefois lieu de rassemblement politique, et de nos jours rendez-vous des touristes. Montréal fut la métropole du Canada. Mais ses années de gloire, sa prospérité industrielle du XIXe siècle et du début du XXe sont derrière elle. C'est une ville malmenée depuis quelques décennies qui a perdu de son aura, déclassée par Toronto, le moteur économique du Canada, elle-même talonnée par Calgary où les « cheikhs » blancs engrangent l'argent du pétrole des sables bitumineux qui enivrent les uns et révoltent les autres. Montréal s'est appauvri depuis le règne des anglos, surtout les Écossais richissimes qui se sont bâti un empire au début du XXe siècle et ont construit leurs demeures victoriennes et leurs manoirs austères sur le flanc ouest du Mont-Royal*, d'où ils contemplaient avec superbe les prolétaires canadiens-français et irlandais agglutinés dans des quartiers délabrés tout au bas de la ville, le long du canal Lachine, à un jet de pierre du Saint-Laurent.

Montréal est une ville cosmopolite où depuis toujours s'installent la majorité des immigrants. Si bien que les quartiers se devinent à la couleur, à l'allure et à la tenue vestimentaire de ses habitants. J'habite un quartier jadis juif, où l'écrivain Mordecai Richler et le chanteur Leonard Cohen ont vécu à quelques intersections de mon immeuble. Par la suite, les Juifs enrichis se déplacèrent vers l'ouest et furent remplacés par des Grecs puis des Portugais. Aujourd'hui, c'est un quartier où se côtoient ces immigrants, des bobos francophones et quelques anglos attirés par la réputation branchée de ce « Plateau-Mont-Royal ». Car, à l'instar de nombreuses grandes villes, les pauvres ont cédé leurs places aux générations de jeunes postmodernes, adversaires de l'automobile, qui se ruinent pour vivre dans des appartements aux loyers astronomiques et qui, en habitant le « Plateau », s'octroient un statut social enviable.

Les Haïtiens, eux, habitent le quartier de Montréal-Nord, et les Maghrébins non juifs arrivés depuis peu tendent à se regrouper dans un quartier du nord, le petit Maghreb, à un jet de pierre des Asiatiques. À vrai dire, le visage de Montréal s'est modifié considérablement depuis cinquante ans puisque désormais plus de 30 % de ses résidents sont issus, directement ou indirectement, de l'immigration ; et le tiers de la population est composé de minorités visibles, en majorité noire.

Je suis née à Montréal, comme ma mère avant moi. Je n'ai jamais eu le sentiment que la ville m'appartenait, contrairement aux résidents des autres villes québécoises presque entièrement composées de descendants français. Dans mon enfance, j'avais conscience de partager la ville avec les Anglais et les Irlandais, mes compagnons de jeu, avec les Juifs hassidiques chez qui ma mère allait acheter nos vêtements rue Saint-Laurent, avec les Italiennes qui fréquentaient mon école, les Chinois du Chinatown dans le bas de la ville où j'allais avec une tante manger du chop suey et des egg rolls. Je ne les craignais pas, sauf les Chinois qui possédaient les buanderies, car en classe les sœurs racontaient que ces derniers volaient les enfants.

Le Montréal de mon enfance et celui d'aujourd'hui n'ont en commun que les vieilles pierres des églises, celles qui ne sont pas transformées en appartements ou démolies, le fleuve au sud de la ville et la rivière des Prairies au nord. Pour les francophones, dont la représentation démographique se situe sous la barre symbolique des 50 %, se pose désormais la question de la survivance du français. Cependant, les Montréalais francophones, habitués à la cohabitation quotidienne avec des immigrants de la Terre entière, préfèrent souvent leur environnement coloré, bigarré et cosmopolite aux villes et villages plus fleurdelisés, plus familiers et familiaux du reste du Québec.

Si Montréal peut rebuter au premier regard, il surprend, désarçonne et souvent emballe les étrangers qui y séjournent. La ville, avec ses 2 millions d'habitants, est grande, certes, mais elle se décline aussi en arrondissements qui ont tous leur personnalité propre. L'ouest demeure majoritairement anglophone, et cela se sent dans les magasins, les restaurants, et l'on observe aussi une certaine façon de se comporter plus respectueuse des règlements. Les piétons s'immobilisent aux feux rouges alors que dans le Plateau-Mont-Royal francophone, les gens font fi des feux et traversent entre deux croisements en permanence. Quant aux voitures, elles doivent se faufiler habilement et discrètement entre les cyclistes qui roulent dans tous les sens et à contresens. Durant l'été, les Mont-Royaliens déambulent dans les rues en shorts et en maillots de corps, comme s'ils étaient à la plage.

D'ailleurs, l'été, Montréal n'est plus une ville mais une foire, un théâtre permanent avec ses scènes réparties à toutes les intersections dans le centre-ville où la fête ne s'essouffle jamais. Entre le mois de mai et la fin août, les activités culturelles sont plus nombreuses qu'à New York, si l'on tient compte du fait que la population new-yorkaise représente près du triple de celle de Montréal. Musique classique, jazz, théâtre, humour, danse, chansons populaires, les festivals s'enchaînent et le public en redemande. On a l'étrange impression qu'il y a plus d'événements que de public disponible, et pourtant, année après année, l'été montréalais explose culturellement.

Montréal n'est pas une belle ville. Elle n'a ni l'élégance de Paris, ni la géographie de Vancouver avec les Rocheuses qui tutoient le Pacifique, ni le mystère de Fès, ni l'exotisme de Bombay, ni la puissance de New York, ni le charme de Strasbourg. C'est une ville au cœur vibrant qu'on aime à travers ses habitants plutôt que ses pierres, une ville impertinente, folle, aux audaces multiples qui attirent les créateurs, les génies des nouvelles technologies, les universitaires. C'est une ville contagieuse qu'hésitent à quitter les râleurs professionnels et les riches qui ont tendance à se plaindre, non sans raison, de sa perte d'influence. Car tous recherchent ce zeste français qui fait sa singularité. Montréal n'est ni sage, ni trop sérieux, ni conformiste, ni vraiment complexé. Mais l'on peut s'y promener la nuit sans danger, et sa tolérance sociale demeure exemplaire.

Le blason de Montréal est orné de la fleur de lys des Bourbons (d'origine française), de la rose des Lancastre (de la conquête anglaise), du chardon (pour les Écossais) et du trèfle (pour les Irlandais).

Montréal est une île où les habitants n'ont pas une mentalité d'insulaire. New York est à une heure d'avion. Miami à trois heures quinze, et les plages de la Nouvelle-Angleterre sont moins éloignées de Montréal que les villes qui bordent le golfe Saint-Laurent. La métropole enracine ses habitants dans l'américanité, et elle s'enorgueillit de son titre de deuxième ville française au monde après Paris. Ce qui en fait sa distinction et explique la séduction qu'elle exerce sur tous ceux qui la découvrent et s'y attachent.

Mont-Royal (Le)

On l'appelle communément « la montagne », bien qu'elle ne soit qu'une colline surmontée d'une grande croix illuminée le soir et qui rappelle le geste que posa Chomedey de Maisonneuve* lorsque, au nom du roi de France, il planta une humble croix lors de la fondation de Montréal en 1642.

Les Montréalais ont tous des souvenirs liés à la montagne. Étudiants, nous allions le samedi soir *necker* sur le promontoire qui domine l'est de la ville. « Necker », c'est-à-dire s'embrasser à bouche que veux-tu dans les autos où l'on pouvait entasser trois couples. Aujourd'hui, il m'arrive de traverser la montagne d'ouest en est sur le boulevard Camillien-Houde afin de rejoindre mon appartement situé au pied du Mont-Royal, et les voitures sont toujours stationnées sur le même promontoire, et les couples enlacés toujours au rendez-vous.

Mon père, ma mère et une grande partie de ma famille maternelle reposent, en paix j'espère, dans le grand cimetière qui occupe une partie importante du sud-ouest de la montagne.

C'est sur le Mont-Royal qu'ont eu lieu les grands-messes musicales du Québec en marche vers ce qu'on croyait être sa libération. Et c'est à ses pieds qu'aujourd'hui encore les jeunes tam-tameurs, cheveux longs, à l'allure hippie de leurs grands-parents, les héros des années Woodstock, viennent, cigarette à la fumée âcre à la bouche, se griser ou s'engourdir, les dimanches ensoleillés et chauds, pendant que les sportifs s'échinent à grimper les centaines de marches des escaliers menant au sommet.

Le Mont-Royal sert de poumon à la ville, mais il fait depuis plus d'un siècle l'objet de convoitise des riches qui désirent la vue imprenable qu'il offre sur Montréal et le fleuve Saint-Laurent. Une partie de Westmount, jadis ghetto de richissimes anglophones –, auxquels se sont ajoutés, depuis la Révolution tranquille*, des grands bourgeois francophones qui ont pu s'enrichir en surfant sur les vagues du nationalisme québécois –, a pignon sur les hauteurs du Mont-Royal. À mon époque de flirt étudiant, nous n'aurions jamais eu l'idée d'aller nous stationner sur le promontoire de l'ouest, situé celui-là du côté anglophone de la montagne. Le lieu était plus discret, mais le puritanisme anglo-saxon veillait au grain, et la police de Westmount surgissait avant même que nos chéris n'aient le temps de dégrafer nos soutiens-gorge.

Il existe depuis cent ans une association des amis de la montagne, vigilants gardiens de ce lieu qui départage Montréal selon la géographie mais réunit les Montréalais, toutes classes sociales confondues, dans le cimetière. L'hiver sur ses pentes enneigées, les jeunes descendent en luges et on se donne également rendez-vous sur sa patinoire du lac des Castors où les nouveaux immigrants, entre autres, viennent s'initier à l'art difficile du patinage.

Lorsqu'on atterrit à Montréal en venant d'Europe, le Mont-Royal et sa croix sont les balises les plus voyantes du Québec jadis français et catholique.

Mort et ses rites (La)

Depuis vingt ans, les rites mortuaires ont connu une quasi-mutation au Québec. Traditionnellement, les Québécois encadraient la mort d'un rite immuable. Avant les funérailles à l'église, la famille exposait le défunt durant environ trois jours dans des salons funéraires. Dans le passé, à la campagne, la maison servait de chapelle ardente mais cette pratique a complètement disparu avec le développement de l'industrie funéraire. Et la loi sur la santé publique du Québec oblige l'embaumement du cadavre dans un délai de dix-huit heures après la mort, ce qui signifie qu'un mort mis en terre ou incinéré dans les heures suivant le décès échappe à cette loi.

Bien que les rites disparaissent, et en ce sens l'on parle d'une déritualisation, l'exposition des morts existe toujours et davantage hors de Montréal. La transformation de cette tradition tient aussi à l'engouement, le mot n'est pas déplacé, pour l'incinération. Les Québécois jadis si sensibles à la sacralisation du passage de la terre au ciel sont désormais enclins à retourner en poussière le plus vite possible puisque 60 % des défunts choisissent cette option rapide, efficace mais, hélas, sans lien avec une symbolique forte et signifiante comme on la retrouve en Inde.

Les Québécois ne reculent jamais devant ce qu'ils croient être le progrès ou à tout le moins une modernisation de leurs us et coutumes. Contrairement aux habitants des vieux pays, ils ne s'embarrassent nullement de la tradition et vivant dans le paradis des droits de la personne, ils revendiquent le droit de mettre en scène leur décès. C'est ainsi qu'on peut lire dans les pages nécrologiques des avis de décès les plus farfelus composés par le mort lui-même qui ne se privera guère de farcir son texte de blagues, tout en pratiquant l'autodérision et en invitant ses survivants à boire jusqu'à plus soif, à sa santé cela va de soi. D'autres défunts rendent hommage à leur animal de compagnie en souhaitant qu'on dépose leurs cendres à ses côtés lors de leur disparition. Un amateur de camping a demandé à sa veuve de mêler ses cendres aux graines de tournesol qu'il avait l'habitude de mettre en terre chaque printemps autour de sa roulotte. Dans les faits divers, l'on apprend aussi que des urnes funéraires ont été trouvées dans des bacs à ordure ou oubliées dans des taxis.

Philippe Ariès, historien qui a publié de remarquables ouvrages sur l'évolution des mentalités dont le célèbre essai *L'Homme devant la mort*, s'était étonné lors d'un passage au Québec, à la fin des années soixante-dix, de certaines pratiques courantes dont il m'assurait ignorer l'existence. Comme, par exemple, l'habitude d'exposer le mort dans son cercueil avec ses lunettes sur le nez, ce dont j'ai été moi-même témoin. Possédant une maison de campagne en région rurale, il m'arrivait de me rendre dans les salons funéraires des environs lors du décès de voisins et d'observer cette surprenante coutume. « Quand on l'a jamais vu sans lunettes, on risque de pas la reconnaître », m'a expliqué un ami cultivateur devant qui je m'étonnais de ce geste. Mais je découvris aussi lors de ces visites aux morts de ma paroisse une autre coutume. Certains visiteurs prenaient également une photo du défunt. En fait, ils se photographiaient à côté du cercueil et s'assuraient de bien voir le mort étendu les mains croisées sur son chapelet. J'eus un léger choc lorsque ma notoriété m'obligea à accepter de me soumettre à ce « selfie » d'aujourd'hui en compagnie d'une veuve entourée de ses enfants, ce qui se transforma en un exploit photographique car la famille insistait pour bien cadrer leur père au centre de la photo. Philippe Ariès à qui j'ai raconté l'événement n'a pu masquer sa joie de chercheur et repartit vers Paris ravi et intellectuellement stimulé.

Il est de notoriété publique qu'encore aujourd'hui les salons funéraires occupent une fonction, appelons-la marginale mais essentielle à la vie sociale. Hors des grandes villes, il n'est pas rare que des dames, veuves ou seules et bien de leur personne, « courent », comme on dit au Québec, les maisons funéraires à la recherche d'un compagnon. Certaines n'hésiteront pas à rendre un dernier hommage bien senti à une épouse envolée, amie lointaine, tout en offrant à son veuf non seulement leur sympathie mais une empathie potentielle et une épaule secourable. Par ailleurs, une amie qui possède un manoir à la campagne a même recruté un jardinier et une femme de ménage à l'emploi d'un défunt de ses connaissances lors de sa visite de condoléances au salon où on l'exposait. Ce sont des exemples de mort utile si l'on peut dire et les Québécois les pratiquent sans état d'âme.

L'effondrement de la pratique religieuse a fait déserter les perrons d'église le dimanche matin où dans un passé pas si lointain l'on échangeait des politesses, l'on s'informait, l'on se contait fleurette et l'on discutait affaires. Les lieux de rassemblement conviviaux et intimes ne se trouvent désormais ni dans les centres commerciaux, ni sur les réseaux sociaux. La mort d'une connaissance devient par la force des choses l'occasion de retrouvailles. De plus, l'exposition du corps du défunt durant quelques jours permet aux proches à la fois d'apprivoiser l'idée de la disparition de l'être cher, car chaque visiteur se fait raconter par les membres de la famille les derniers moments avant le décès, de recevoir les condoléances et d'exprimer ouvertement leur tristesse.

Il arrive de plus en plus souvent que l'on se retrouve non pas devant des cercueils, mais devant des urnes funéraires dans des crématoriums construits sur le modèle des immeubles d'habitation. Une connaissance décédée subitement avait souhaité être incinérée. Elle avait même choisi son urne décorée de bâtons de golf, sport dont elle raffolait. Se recueillir dans une pièce où des centaines d'urnes sont disposées dans des petites alcôves avec la photo de la personne décédée en veston-cravate, en robe mais aussi en jean, en maillot de bain ou en compagnie d'un animal domestique demeure une expérience émotionnelle troublante. Nombre de Québécois ne dédaignent pas ces pratiques nouvelles.

D'autres souhaitent disposer de leurs êtres chers comme bon leur semble et sans législation et cela suscite des dérapages car les Québécois, adeptes décomplexés des changements sociaux, expriment clairement une vision déculturée et désacralisée de la mort.

Qu'il s'agisse de la religion, de l'institution familiale, du mariage et des rites de la mort, le Québec continue de vivre une révolution moins tranquille en apparence qu'il ne cesse de le prétendre. Depuis quelques décennies, même le sens de la mort s'est transformé profondément. Dans les dernières années s'est développé un nouveau marché funéraire à bas prix où l'on offre pour six cents dollars, plutôt que six ou huit mille, un service sans cérémonie, sans fleurs, sans urne. Les cendres sont déposées dans un contenant en plastique semblable à ceux que l'on utilise pour garder les restes d'aliments et les survivants en disposent selon la volonté du mort ou leur imagination. Peu de gens s'offusquent de cette nouveauté à petit prix et sans fla-fla.

Il existe une formidable expression québécoise pour signifier qu'on ne fait pas de manières. L'on dit qu'« on ne s'enfarge pas dans les fleurs du tapis ». Lors du décès d'une tante, j'ai dû organiser ses funérailles puisqu'elle était veuve et sans enfants. J'ai donc magasiné un cercueil, par catalogue, car j'ai refusé net de descendre dans le sous-sol du centre funéraire pour me promener entre les dizaines de cercueils, où les choix défiaient l'entendement. L'on offrait des cercueils en bronze, en bois précieux et même la Rolls-Royce dans le genre : un cercueil en acier inoxydable dans lequel était incluse une sorte d'iPod programmé pour diffuser la musique préférée du défunt ! Je n'hésitai pas longtemps et mon choix se porta sur un cercueil en bois clair sans poignées plaquées en argent ou en or et je lus une certaine déception sur le visage de l'employé des pompes funèbres qui voyait sans doute fondre sa commission.

Lorsque le jour suivant nous entrâmes, ma sœur, mon frère et moi, dans le salon d'exposition où reposait enfin en paix notre tante, nous n'avons pu retenir nos cris. L'embaumeur lui avait « construit » une poitrine démesurée qu'elle n'avait jamais rêvé d'avoir de son vivant, elle qui avait le physique d'Édith Piaf. Imperturbable devant notre choc, le responsable qui nous accompagnait afin de recevoir les compliments d'usage nous pria doucement de nous retirer. Il ferma les portes derrière nous et, quelques minutes plus tard, nous invita à entrer de nouveau. « Qu'en pensez-vous ? » demanda-t-il l'air satisfait de son œuvre. Notre tante avait retrouvé sa poitrine plate mais connaissant son humour, nous ne doutions pas qu'elle aurait apprécié, pour faire rire tout le monde – c'était une comique-née –, la « tétonnière » dont on l'avait parée.

Musique country (La)

Les Québécois vivant hors de Montréal et Québec ont toujours adoré la musique country, un genre boudé, voire méprisé par les définisseurs de goût et ceux qui ont tendance à négliger et même à railler les expressions culturelles qu'affectionne le peuple.

Le country au Québec s'inspire du folklore américain et irlandais, mais il s'en distingue dans son style vocal. Les chanteurs québécois ont une façon de chanter moins nasillarde, leur voix est moins aiguë. Leurs textes racontent des anecdotes de la vie quotidienne, des histoires d'amour, de bûcherons qui s'ennuient et de chevaux qui sont tristes.

Willie Lamothe fut incontestablement le chanteur culte de la musique country au Québec. Sa popularité fut immense bien que la reconnaissance des milieux musicaux officiels ne fût acquise que plusieurs dizaines d'années plus tard. L'industrie du country très florissante a existé en marge de l'industrie officielle, mais grâce à Willie Lamothe, des chanteurs, comme Patrick Normand et Isabelle Boulay, ont pu faire des carrières au-delà du monde du country, et, dans le cas d'Isabelle Boulay, obtenir une réussite remarquable en France.

Les chanteurs country d'aujourd'hui, comme le merveilleux Paul Daraîche, se sont imposés, et les critiques musicaux les plus élitistes ont fini par laisser leurs préjugés derrière eux. D'ailleurs, il est devenu chic d'aimer cette musique dont le pape, Johnny Cash, est la référence universelle.

L'industrie du country, contrairement à celle du disque en général, continue d'engranger des millions. À elle seule, la famille de Paul Daraîche et de sa sœur Julie a vendu plus d'un million de disques. Renée Martel, célébrissime chanteuse qui a débuté à l'âge de cinq ans, dont le père est un des pionniers du country, a vendu plus de 3 millions d'albums en soixante ans de carrière.

La chanson country québécoise est intimement liée à la famille traditionnelle. Ses valeurs ont échappé en quelque sorte aux bouleversements. C'est un genre musical qui demeure dans l'ombre et paradoxalement augmente le nombre de ses adeptes, contrairement à ce que l'on observe dans l'industrie musicale branchée. Si bien que Willie Lamothe fait toujours vibrer et que ses chansons sont aujourd'hui reprises par les icônes du Québec tel ce Fred Pellerin, le poète conteur que la France découvre peu à peu. Fred Pellerin chante désormais « Mille après mille », un des titres cultes de Willie Lamothe.

Ma vie est un long chemin sans fin
Et je ne sais pas très bien où je m'en vais
Je me cherche dans les faubourgs et les villes
Dans l'espoir d'accomplir mon destin.

Mille après mille je suis triste
Mille après mille je m'ennuie
Jour après jour sur la route
Tu ne veux pas savoir comme j'peux t'aimer.

La chanson country est une expression encore bien vivante d'un Québec métamorphosé. En ce sens, ses ballades sont une évocation du passé, sorte de musée concret et vibrant d'une société disparue avec l'urbanisation.

Nouvelle-Angleterre (La)

L'accès des Québécois à la mer passe par la Nouvelle-Angleterre. Ces derniers envahissent les plages du Maine l'été, où ils se dispersent selon leurs habitudes. D'abord à Old Orchard, au nord une station populaire, bruyante, bariolée où les « crisses » et les « câlisses » fusent plus ou moins joyeusement selon l'humeur. Puis Ogunquit et Kennebunk plus au sud, petits villages plus huppés. C'est à Ogunquit, où j'ai fait mon premier voyage de noces, que débarquaient les gais avant qu'on ne leur reconnaisse des droits. Mais ces deux villages ont attiré des personnalités québécoises comme l'ancien Premier ministre René Lévesque*, des artistes également et des bourgeois décomplexés. Tout ce beau monde s'empiffre de lobster rolls et homard bouilli qu'on mange avec les doigts sur des tables à pique-nique bancales, dans des assiettes en carton.

À Kennebunk Port, une station chic, l'on retrouve les vieilles familles de la Nouvelle-Angleterre. George Bush père a établi ses quartiers familiaux sur une île, langue de terre à vrai dire à 300 mètres de la rive. Le sport consiste à scruter avec des jumelles les allées et venues des Bush tout en pestant contre la politique de ces deux présidents. Cependant, les Québécois qui ne recherchent pas la présence de leurs compatriotes descendent plus au sud, au Massachusetts, dans la baie de Cape Cod moins populiste où règne encore l'esprit (*spirit*) des descendants du *Mayflower*, ces patriciens qui ont imposé leur style dépouillé, austère aux maisons grises en bardeaux de cèdre. Les Québécois descendants de Bretons et de Normands ne craignent pas la mer froide du Cape. À 18 °C ils disent que l'eau est chaude. À 22 °C, ils se croient en Floride.

En Nouvelle-Angleterre, les Québécois retrouvent leurs noms de famille, mais anglicisés. Les Beaudoin sont devenus des Bodouing, les Dubois des Woods, les Laforce des Strongs. Car la Nouvelle-Angleterre est peuplée de ces Canadiens qui, au début du XXe siècle, fuyaient la pauvreté des campagnes pour aller se prolétariser dans les villes américaines où se trouvaient des filatures de coton, au New Hampshire, au Massachusetts, au Rhode Island en particulier. Mes grands-parents maternels faisaient partie de cet exode d'un million de Canadiens-français qui quittèrent le Québec sur une période d'un siècle. L'on estime qu'un demi-million d'entre eux s'établirent dans les États de la Nouvelle-Angleterre où ils se reproduisirent mais perdirent peu à peu leur langue et leur culture, trop fiers souvent d'être devenus des *big shots* américains. Jack Kerouac, né Jean-Louis Kerouac, l'écrivain culte « The King of the Beats », auteur de *On the Road*, est un des plus célèbres fils de ces émigrants. Et il a vu le jour à

Lowell, Massachusetts, la ville où vécut ma propre famille maternelle au début du XXe siècle.

Mes tantes tiraient une grande fierté d'être nées aux États-Unis. Mais le rêve de mes grands-parents tourna au cauchemar. Mes oncles et mes tantes parlaient rarement de leur vie aux « États », une vie de misère, plus dure que celle qu'ils avaient voulu quitter. Deux enfants y moururent en bas âge. La famille, qui comptait sept enfants à l'époque, ne mangeait pas à sa faim. Mes grands-parents ne réussirent pas à apprendre l'anglais, si bien que leurs enfants, scolarisés en anglais, servaient d'interprètes à leurs parents. Après quelques années, la famille rentra au bercail aux alentours de 1911. De fait, aucun membre de ma famille n'a laissé la moindre correspondance sur cet exil. Il me faut compter sur les récits oraux de trois tantes, Lucienne, Irma et Edna, qui se contredisaient entre elles. L'aînée, Lucienne, se mettait en valeur, racontant ses exploits scolaires, Irma refaisait l'histoire dans un révisionnisme à l'eau de rose afin d'embellir la misère, et Edna, avec une lucidité implacable, surtout sous l'effet de l'alcool, sa faiblesse et sa force, détaillait la vie quotidienne à Lowell de faits minables, glauques, ces secrets de famille dont la divulgation fait scandale. « On était plus pauvres que Job et on avait honte devant les Américains », disait-elle.

Lorsque, des décennies plus tard, des cousins devenus américains et prospères débarquèrent à Montréal au volant de leurs rutilantes Chrysler, mes tantes les accueillirent froidement. Elles prenaient un plaisir vengeur à corriger leur français défaillant. « Ils viennent pour péter plus haut que le trou. Y a pas de raison de se laisser humilier », disait Edna, la toujours rebelle.

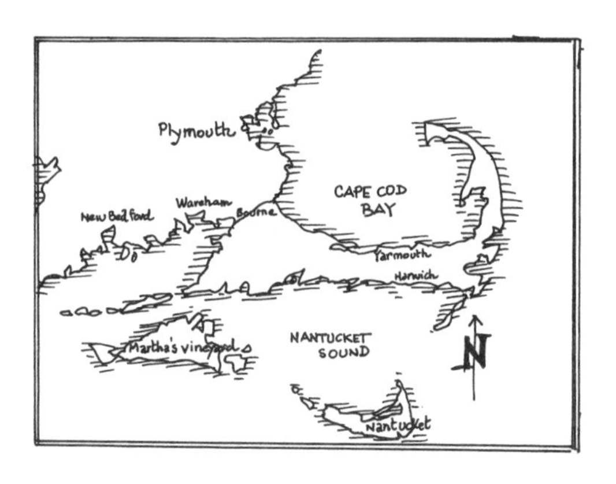

En 1980, je découvris le lieu le plus mythique et socialement huppé de la Nouvelle-Angleterre, Nantucket, au large de Cape Cod, l'île de *Moby Dick* de Melville et un des refuges les plus discrets de l'aristocratie américaine de Boston. J'y achetai une petite maison en bardeaux de cèdre, grise – elles sont toutes grises à cause du vent marin. Inconsciemment, je retournais sur ces lieux, et, en ma qualité de parvenue sociale, je m'installais aux États-Unis parmi ces riches qui avaient humilié ma famille rentrée au Québec sans un sou vaillant.

Nantucket est une île où, jusqu'à ce que débarquent les nouveaux riches des start-up venus du Connecticut dans les années quatre-vingt-dix, les habitants se targuaient, blancs ou noirs, ces derniers descendants des esclaves réfugiés dans l'île protégés par les quakers, d'être supérieurs aux habitants du continent. J'ai connu la fin du règne du *quiet money*, cette discrétion face à la richesse telle qu'on la trouve en Europe dans les vieilles familles. Nantucket, sans feux de circulation, ce qui suppose la courtoisie au volant, sans panneaux publicitaires, une exception aux USA, représente la quintessence du raffinement américain. Les Québécois, rares, qui s'y rendent en bateau ou en avion apprécient sa beauté austère, ses plages désertes, ses grandes dunes de sable blanc, son climat rude et son brouillard parfois paralysant. Durant sa période faste, au XIXe siècle, Nantucket fut le plus grand port baleinier au monde. Et parmi les baleiniers, l'on trouve des Canadiens-français. Car en Nouvelle-Angleterre, il y a toujours trace de descendants des Québécois d'aujourd'hui.

New York

Les Québécois vont à New York pour prendre le pouls de leur américanité. À moins d'une heure de vol ou cinq heures de voiture, ils vont respirer l'air de la puissance américaine. Nullement dépaysés, ils communient avec cette énergie paroxysmique avec d'autant plus d'enthousiasme et de ferveur qu'ils retourneront au Québec se reposer, en quelque sorte assurés de plus de leur spécificité nord-américaine. Lorsqu'ils croisent par hasard des Français à Washington Square, sur Lexington Avenue ou à Battery Park, ils prennent conscience, si cela était nécessaire, de leur identité propre. Les Québécois, contrairement aux Français, n'ont pas une vision romanesque de Manhattan. D'une certaine façon, sans être chez eux, ils n'ont pas le sentiment d'être à l'étranger. Leurs codes culturels, même dans les détails triviaux, sont identiques. Hot dog, Cheez Whiz, Delicatessen, Southern Comfort, cette liqueur que la mythique Janis

Joplin buvait par litres, la Budweiser, les rues à angle droit qui se recoupent en parallèle, l'anglais décliné avec tous les accents possibles, Broadway et ses théâtres où des comédies musicales sont à l'affiche parfois depuis quarante ans – ce qui signifie pour les Québécois que les grands-parents et les parents les ont vues avant eux –, les soldes permanents, les brocantes où l'on s'épuise, et Sinatra dont la chanson « New York, New York » nous trotte inlassablement en tête, ce New York-là nous est familier.

Les Québécois commencent jeunes à visiter New York. Avec leurs parents, lorsqu'ils sont privilégiés, et à partir de dix-huit ans, âge de la majorité, lorsqu'ils sont affranchis de ces derniers. Nombre de Québécois s'y rendent régulièrement, et souvent ils se décident en quelques heures. « On part à New-York, dépêchez-vous. » Combien de fois mes séjours se sont-ils organisés ainsi ! De la frontière canadienne jusqu'à l'entrée dans Manhattan, on ne rencontre aucun feu de circulation. Cette fluidité routière contribue à nous donner le sentiment que cette descente à New York est avant tout une réalité géographique. Mais, sans doute à cause de la barrière de la langue, New York attire très peu de Québécois qui voudraient s'y installer, contrairement aux Canadiens-anglais qui ont réussi à percer dans les médias et au théâtre. À vrai dire, New York est le voisin qui incarne la démesure de ce que nous sommes et ne pouvons être, le désir de nouveautés perpétuelles et de la capacité de changements aussi rapides qu'éphémères et le sentiment que tout est possible et réalisable. Par contre, les Québécois apprécient peu ce melting-pot, cette adoration du veau d'or qui apparaît comme une absence de poids de l'histoire collective. Les Québécois aiment New York, s'y étourdissent, mais c'est la ville américaine qui leur indique avec le plus d'acuité à quel point leur américanité en français est singulière et exceptionnelle.

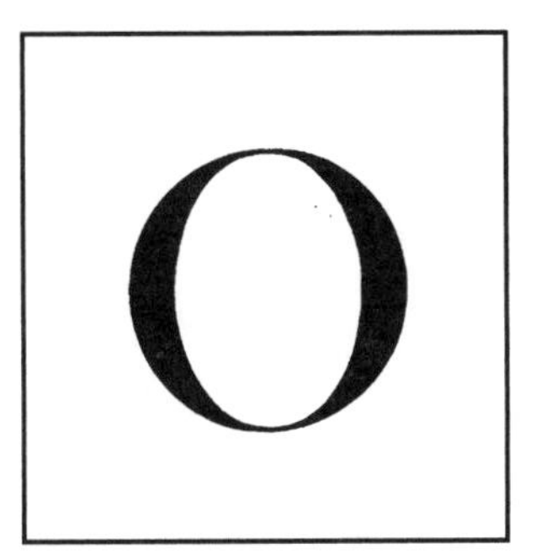

Ours (Les)

Bruns ou noirs, les ours n'ont pas la cote au Québec. En revanche, les ours noirs, les plus nombreux, sont omniprésents dans la mythologie amérindienne. On les dit inoffensifs car ils attaquent rarement l'homme. Dans les trente dernières années, l'on n'a comptabilisé que cinq personnes tuées par les ours noirs sur le territoire québécois.

Cela n'empêche pas de les craindre. Dans la région de la Haute-Mauricie où se trouve mon camp de pêche, on a assisté en 2010 à une « épidémie » d'ours. Ils rôdaient autour des camps à la recherche de nourriture car les bleuets* dont ils raffolent et dont ils s'empiffrent avant d'hiberner se faisaient rares à cause des pluies torrentielles. Des ours descendirent même vers la ville de La Tuque, à 45 kilomètres de mon lac Adams, au grand effroi des habitants qui les observaient, gambadant lourdement dans leurs jardins à la recherche de nourriture à se mettre sous la dent. Un ingénieur d'origine hongroise accompagné de sa femme travaillait à la même période dans une station hydraulique éloignée de tout campement. L'épouse, pour son plus grand malheur, voulut explorer la tourbière à 100 mètres de là, car c'est le terrain idéal pour trouver les bleuets, cette version québécoise des myrtilles. Alerté soudain par des cris, le mari se rendit sur les lieux pour découvrir horrifié la tête de sa femme dans la gueule d'un ours mâle de 200 kilos.

Pas étonnant qu'entre la mythologie et la réalité concernant ces bêtes redoutées les gens réagissent avec crainte et tremblements, et que les chasseurs d'ours, peu nombreux, se réjouissent de les culbuter lors des périodes de chasse permises par la loi. Car l'ours noir est aussi le prédateur de l'orignal (élan d'Amérique) lorsque celui-ci est encore un faon qu'on désigne du nom de veau. Et personne n'ignore au Québec que l'ours noir, plutôt peureux et qui détale en apercevant un humain, peut aussi, s'il est affamé, défoncer les portes des chalets. En dehors des inconscients ou des disciples de l'apôtre Thomas qui réclament de toucher pour croire, la majorité des Québécois est peu attirée par ces nounours à la gueule prête à s'ouvrir si par malchance on les surprend en surgissant devant eux.

Mes amis qui les chassent sans état d'âme et en toute légalité se servent des peaux comme carpettes ou pour recouvrir, à moins 40 °C, les sièges de cuir gelés de leur motoneige.

Enfin, là où habitent les ours, les parents n'ont pas de problème avec leurs enfants. « Faites attention, y a des ours », calme les enfants-rois *subito presto*. À se demander s'il n'y aurait pas avantage à en rapatrier dans nos grandes villes.

P

Pêche (La)

Née à Montréal dans une famille modeste, j'ai passé les étés de mon enfance sur les trottoirs des rues de mon quartier. Plus précisément à Balconville, une expression courante pour signifier que nous n'avions pas de chalet, même le plus simple, à la campagne ou au bord d'un lac. Nous passions l'été sur notre balcon où nous nous asseyions des soirées entières pour regarder passer les gens. Mon père n'ayant jamais possédé de voiture, je ne connaissais que la ville et ses ruelles, où les enfants jouaient et complotaient des mauvais coups. La vaste étendue du pays, le million de lacs débordant de poissons variés, les forêts remplies d'animaux sauvages, je les découvrais dans les livres. J'appartenais à un immense pays, mais je vivais dans une géographie restreinte, limitée à quelques rues.

J'ai pris conscience de la nature lorsqu'un camarade d'université, chauve, la barbe drue, l'allure d'un jeune vieux, et qui avait jeté son dévolu sur moi à une époque où ma fougue et mon intensité faisaient fuir les beaux garçons, m'invita à la pêche. Lui-même en était mordu, et, d'ailleurs, il ne parlait que de truites mouchetées, de brochets, de maskinongés (de la même famille que les brochets mais en taille géante), et de ouananiches, ces saumons d'eau douce du lac Saint-Jean. En fait, il me lançait l'hameçon, sa seule façon de me faire la cour. Il n'était pas beau, ne cherchait pas à m'embrasser, et ne désirait que me montrer ses leurres et ses cannes à pêche pour lesquelles il se ruinait, ce qui expliquait son « radinage » à m'inviter au restaurant. Je finis par consentir à l'accompagner avec d'autres copains, et c'est ainsi que je suis entrée de plain-pied dans une passion qui ne m'a plus quittée.

Il nous a amenés à 300 kilomètres au nord de Mont-Laurier, dans un chalet sans eau courante et dont la bécosse (des toilettes rudimentaires) était située à 20 mètres derrière au milieu d'un bois rempli d'ours. Nous nous trouvions au bord d'un lac sombre et peu rassurant. À l'intérieur, nous partagions les lieux avec une colonie de mulots qui m'ont toujours terrifiée, au grand ravissement de mon copain trop heureux que je grimpe littéralement sur lui pour éviter les maudites bêtes. À 5 heures du matin, après avoir passé une nuit blanche à entendre gratter sur le toit, les murs et les planchers, j'ai revêtu l'inconfortable combinaison en caoutchouc dont les bottes à elles seules pesaient une tonne. L'aube pointait quand nous avons commencé notre marche pénible sur une piste encombrée de branchailles qui devait mener au ruisseau. Notre guide chuchotait « Attention à gauche », « Un trou à droite », « Évitez de faire craquer les branches », toutes remarques qui me rendaient plus irritable vu l'inconfort de l'expédition.

« Chut », lança-t-il soudain. On s'arrêta net. Une chute, mais quelle chute à son bruit infernal, s'annonçait sur la droite. Haute de 6 pieds (près de 2 mètres), les eaux blanches déboulaient sur les rochers. Le copain me prit à part. « On va les laisser pêcher ici, dit-il en parlant du couple qui nous accompagnait. Nous, on va entrer dans l'eau et descendre le ruisseau. » Chose dite, chose faite. Mais avec ma combinaison et ma canne à la main, je me retrouvai immédiatement en déséquilibre. J'avais de l'eau jusqu'à la taille et sous mes pieds des dizaines de cailloux. « Regarde là-bas, dit-il en me désignant un trou noir de peu de diamètre au-dessus duquel se dressait une vilaine branche. Lance ton hameçon dans le trou. » Plus facile à dire qu'à faire – les pêcheurs aguerris en savent quelque chose. Or, un sentiment frénétique mais contrôlé s'était emparé de moi. Je venais à mon insu d'être harponnée pour la vie. Je m'avançai précautionneusement et lançai ma courte ligne au bout de laquelle mon mentor avait accroché un ver bien gras qui me dégoûtait. L'hameçon fit *ploc*, et je sentis au bout de la ligne ce qui ressemblait à une décharge électrique. Sans m'affoler, je levai la canne d'un coup sec mais court, par instinct plutôt que par expérience. La truite avait mordu ! Mon camarade me regardait, la figure transfigurée. « Tu rembobines doucement. » Sa voix tremblait de plaisir. Je m'exécutai. La truite se débattait mais elle n'allait pas m'échapper. Lorsque je l'extirpai de l'eau, mon cœur battait la chamade. C'était un bétail, « au moins 1 livre et demie », dit mon compagnon. Je la ramenai vers moi et la décrochai en introduisant mon pouce et mon index derrière ses ouïes, selon les directives de mon maître extatique. J'avais les larmes aux yeux et découvrais soudain à mon copain une beauté singulière. J'exigeai d'embrasser la truite. Il l'approcha de mes lèvres. C'était gluant, froid et grouillant en même temps. Le coup de foudre pour la pêche s'était emparé de moi. Définitivement.

Je persiste à croire que quiconque n'a jamais pêché ne peut être un Québécois à part entière. Car cette activité indissociable de la nature nous fait pénétrer dans le mystère de l'immensité du territoire. Depuis cette initiation, j'ai lancé l'hameçon dans de multiples ruisseaux à la recherche de ces trous où se cachent les grosses truites saumonées bien grasses. Pour cette pêche d'où l'on sort épuisé en tentant d'éviter les fosses, où l'on s'enfonce dans l'eau glaciale jusque sous les épaules, où les branches nous claquent au visage, risquant de nous éborgner, et où les maringouins, ces drones des forêts québécoises, nous sucent le sang après avoir attaqué en escadron avec comme conséquence de nous rendre fous à nous arracher la peau avec les ongles, j'ai descendu et remonté des dizaines de ruisseaux. Cette pêche est la plus physique, celle où la dextérité du lancer devient primordiale à cause des arbres, des herbes hautes, des cailloux à fleur d'eau et des souches mi-calées, cimetière des hameçons et des précieuses mouches, cette orfèvrerie halieutique.

Les ruisseaux représentent le parcours du combattant pour les pêcheurs. Oubliés, les techniques, l'équipement sophistiqué, les sonars qui détectent le poisson. Dans le ruisseau, l'on fait corps avec le cours d'eau. On retrouve intacts les cinq sens. L'ouïe, fort utile pour prévenir des rencontres inopportunes avec des ours rôdeurs ; la vue, dont l'acuité s'exerce en scrutant les mares, les eaux vives, les élargissements du cours d'eau, en distinguant les roches glissantes des pierres asséchées ; l'odorat, pour être soûlé par les parfums divers, ceux des conifères, de la terre meuble, des fleurs sauvages et les odeurs troubles de bêtes en décomposition ; le toucher, des vers gluants qui chatouillent les doigts et celui des poissons qui les lubrifient ; et enfin le goût des baies sauvages, cueillies sur le parcours, ou celui des herbes aromatiques ou de la gomme d'épinette (des *clairons*, disait ma grand-mère) arrachée à l'arbre et qui vaut bien tous les chewing-gums de la terre.

Dans les ruisseaux, la déception du pêcheur est moindre si l'on sort bredouille que si ne mordent à l'hameçon que d'insignifiants et minuscules poissons blancs. J'ai en mémoire une pêche avec de soi-disant experts qui se révélaient des bluffeurs d'autant plus infâmes qu'ils nous avaient entraînés dans un ruisseau alluvial, résultat apparemment de la construction de nombreuses chaussées de castors, ces barrages construits par le plus industrieux des animaux. Les riverains, pêcheurs avant tout, respectent mais détestent le castor qui est l'emblème du Canada, car il perturbe les lacs, provoquant des crues ou des baisses du niveau des eaux. Cette expédition s'éternisa, car nous n'arrivions plus à nous retrouver à travers la série de méandres. Ce fut la plus éprouvante que j'aie jamais vécue. Cet enfer aquatique débordait de poissons blancs, de crapets soleil et autres espèces de bas étage. Aucune truite ne daigna se manifester. Nos supposés guides prétendirent que les castors, présents à un niveau épidémique dans le secteur, nous avaient damé le pion. Non seulement ces gens nous avaient leurrés, mais ils nous prenaient aussi pour des demeurés, le castor ne s'alimentant que d'écorce, de baies et de nénuphars.

Pêche dans les rivières

Au Québec, les rivières sont souvent larges comme des fleuves, et le Saint-Laurent, notre majestueuse voie royale vers l'Atlantique, prend des allures de mer au nord de Tadoussac. Dans le pays, les lois de la nature rendent humbles et patients, deux qualités essentielles au pêcheur authentique. Et le titre de pêcheur peut-il s'appliquer si quelqu'un n'a jamais lancé sa mouche dans nos rivières à saumon, le roi indiscutable des poissons, ne serait-ce que pour la combativité dont il fait preuve lorsque mouché par le pêcheur ?

J'ai pêché le saumon à l'île d'Anticosti*, ce paradis hédoniste au milieu du golfe Saint-Laurent que le français Menier voulait transformer en phalanstère écologique avant la lettre. Les rivières de l'île ont fait rêver des générations de pêcheurs privilégiés car l'accès y est strictement contrôlé, comme toutes les rivières à saumon au Québec. J'y ai séjourné il y a une vingtaine d'années. Ce fut mon baptême du saumon, et j'en suis ressortie avec un respect énorme pour ce combattant courageux. J'ai mis trente minutes à tenter de sortir un saumon de 7 ou 8 livres (un *grill* dans le langage québécois) car chaque tentative de ramener la capture en roulant doucement le moulinet se soldait par une remontée du saumon dans la rivière, à 300 ou 400 pieds de la rive. J'ai dû déclarer forfait lorsque la force de mon bras m'a abandonnée, ce qui m'a rendue moins triomphante lorsqu'on m'a photographiée avec ma prise que le guide, modeste et discret, avait ramenée sur les pierres plates en me tendant la canne afin que j'aie l'illusion d'avoir réussi à mater ce roi des eaux.

Péché mortel (Le)

Impossible de comprendre le Québec en ignorant l'importance de la culture du péché dans laquelle des générations ont baigné jusqu'à la fin des années soixante-dix. Le rapport des Québécois à la sexualité et à l'argent, entre autres, fut modelé par la notion de péché, et leur facilité à culpabiliser trouve ici en partie sa source.

Cet héritage est le mien. Non seulement je l'assume mais je suis même tentée de trouver désolant l'absence de cette culture chez les plus jeunes qui ignoreront l'acuité du plaisir de la transgression. J'ai fait ma première communion en état de péché mortel. Lorsque je suis entrée tremblante, âgée de six ans, dans le confessionnal pour la première fois, je me croyais entachée de tous les péchés dont la religieuse avait dressé la liste en classe. Je m'accusais donc d'avoir désobéi, menti, et évidemment d'avoir laissé mon âme blanche et pure être noircie par des « mauvaises pensées ». Qu'étaient-elles donc ? La religieuse insistait à chaque leçon de catéchisme sur ces pensées coupables, sur lesquelles elle s'étendait sans jamais, bien sûr, en définir le sens. Mais à sa voix et son ton étrange, je ressentais un malaise. À cause d'Ève qui avait entraîné Adam à commettre le péché, nous étions à la merci du mal, disait-elle. Et sans doute y croyait-elle sincèrement.

J'ai donc vécu une enfance avec cette arrière-pensée permanente : et si je commettais des péchés sans le savoir ? Cette peur d'être en état de péché mortel, je croyais être la seule à la vivre, et même sous la torture je n'aurais avoué mon désarroi. Tout le Québec partageait cette crainte car personne n'échappait à l'éducation à l'eau bénite.

C'est à l'adolescence que le péché devint aussi excitant que complexifié. Je n'étais plus à l'âge des péchés véniels, ces fautes légères, mais des péchés mortels, ceux qui vous font perdre l'état de grâce et imposent de se précipiter au confessionnal pour ne pas courir le risque, en cas de mort subite, d'être expédié en enfer. À seize ans, au cours d'une retraite, je connus une initiation à la sexualité exceptionnelle grâce à un abbé à la mode, macho et bellâtre vaniteux, qui nous instruisit des méandres menant du péché véniel au péché mortel. Dans un sermon très attendu, il aborda le thème des baisers. Un baiser non prolongé, la bouche fermée, se classait dans la catégorie du péché véniel, affirmait-il. Son prolongement, précisait l'abbé, risquait de nous entraîner plus loin : à des baisers mouillés et à l'ouverture quasi automatique de la bouche, antre du péché mortel. Le contact des langues, cette façon non hygiénique qu'avaient les Français de s'embrasser, le fameux *French Kiss* dont on parlait entre filles, noircissait l'âme. D'ailleurs, dans la cour de récréation, les filles se départageaient entre les *frencheuses*, qui se tenaient en petits groupes, et nous, les agnelles innocentes, considérées par elles comme des demeurées. Ce maudit *French Kiss*, conclut le prêtre au teint rougeaud, était une façon de singer l'acte. On reproduisait « en haut » l'infamie – sauf dans le mariage, et encore… –, c'est-à-dire ce qui se faisait « en bas ». Beaucoup plus tard, j'ai compris cette confusion excitante entre la bouche et le vagin.

« Qui donne aux pauvres prête à Dieu », enseignait-on. L'avarice était un péché mortel parfois, mais toujours véniel. L'écrivain populaire Claude-Henri Grignon a écrit en 1933 *Un homme et son péché*, roman devenu un classique et adapté pour la télévision, et créé le personnage de Séraphin Poudrier, un avare maté d'un lubrique ayant, en quelque sorte, « acheté » la belle Donalda, son épouse, qui mourra faute de soins, Séraphin retardant le moment de faire appel au médecin dont il lui faudra payer les honoraires. « Un vrai Séraphin », dit-on dans la langue populaire lorsqu'on parle au Québec d'un « gratteux ». Séraphin pratiquait les prêts usuraires auprès des villageois. Chaque jour, il se réfugiait dans sa tanière, son « haut côté », une rallonge de son humble logis, pour aller adorer son argent, et son péché se confondait à la luxure.

L'on nous a enseigné la méfiance de l'argent, associée évidemment aux Anglais protestants. L'explication était simple et limpide. Les protestants qui, par définition, ne montaient pas au ciel n'avaient aucune gêne à faire de l'argent. Nous, les catholiques, habités de préoccupations spirituelles, élevions nos âmes plutôt que d'adorer le veau d'or. Par des indulgences et des prières, nous gagnions ainsi notre ciel. N'étions-nous pas nés pour un petit pain, c'est-à-dire n'avions-nous pas la chance d'être pauvres, cela nous mettait à l'abri des corruptions matérielles. Bien sûr, nous enseignait-on à l'école, il existait des riches Canadiens-français, mais, en qualité de catholiques, ils pratiquaient la charité.

Nous étions méfiants et secrètement envieux de la richesse des Anglais protestants, l'illustration chez nous de la thèse de Schumpeter sur l'éthique protestante et catholique. Or l'émergence de ce que l'on appelle le « Québec Inc. », c'est-à-dire la création sous l'impulsion du nationalisme revendicateur des années soixante-dix d'une bourgeoisie d'affaires francophone, a changé la donne. La « haine des riches », le péché d'avarice amplifié, est le fait d'une idéologie qui véhicule une doctrine, des dogmes, des symboles qui ne sont pas sans rappeler l'Église d'antan. Le Séraphin Poudrier d'hier est aujourd'hui remplacé par l'adepte de la simplicité volontaire anticonsommateur. Le péché mortel aujourd'hui est la recherche de l'argent (parfois sale) et l'affichage sans retenue de ses biens matériels. Ce qui entraîne l'émergence d'un nouveau « péché mortel », jadis considéré comme véniel en regard de l'impureté, à savoir l'envie et la jalousie. Le caractère québécois s'est forgé de cette morale tordue, aux conséquences sociales plus profondes qu'on ne pourrait le croire.

Plaines d'Abraham (Les)

Lors de mon premier voyage à Québec à dix-sept ans, je me suis rendue sur les Plaines d'Abraham à reculons. L'idée de mettre les pieds sur ce lieu maudit de la défaite des Français m'était intolérable. Je m'imaginais marchant sur la terre où le général de Montcalm avait versé son sang. En revanche, le fait que le général Wolfe y ait aussi perdu la vie me laissait indifférente. Je résiste à éprouver une joie devant la mort d'un ennemi. Car Wolfe, c'était le Conquérant. Et il a fallu plus tard dans ma vie que j'épouse un Anglais francophile et « québécophile » pour réécrire l'histoire en ma faveur.

Les Plaines, comme on les appelle familièrement, sont donc inscrites dans la mémoire collective. C'est un lieu de mémoire. Celui de la fin de la Nouvelle-France et du début du Canada et du Québec.

L'endroit impressionne par sa majesté dominante avec ses falaises abruptes qui contemplent le fleuve. Jacques Cartier*, ébloui au sens propre, a cru y découvrir des diamants. De là le nom du célèbre cap « Le cul su'l bord du

Cap Diamant » que chante Gilles Vigneault*. Rares sont les Québécois qui n'ont pas posé leur postérieur sur ses hauteurs d'où l'on découvre en aval l'île d'Orléans et en amont le pont de Québec.

Les Plaines sont un territoire fédéral, une enclave en quelque sorte, qui appartient au gouvernement du Canada qui le transforma en parc des Champs-de-Bataille en 1908, à l'occasion du 300e anniversaire de la fondation de Québec.

À quelques kilomètres des Plaines, dans le parc des Gouverneurs, lui-même sous juridiction fédérale, l'on trouve un monument étonnant car il existe peu de pays où les ennemis d'hier sont honorés conjointement. Il s'agit d'un obélisque de 20 mètres à la mémoire du marquis de Montcalm et du général Wolfe, morts tous deux pendant l'offensive de 1759.

C'est sous l'impulsion de lord Dalhousie, gouverneur du Canada, que ce monument fut élevé. On y trouve gravé dans la pierre une inscription en latin : « *Le courage leur a donné le même sort. L'histoire la même renommée. La postérité le même monument.* »

L'obélisque fut inauguré le 8 septembre 1828, le jour même du départ du gouverneur Dalhousie pour l'Angleterre. Les Québécois ont vécu depuis ce temps avec ce rappel permanent de leur histoire. Une histoire de défaite pour les uns et de conquête pour les autres. Cette vision de l'histoire a traversé le temps et illustre toujours l'ambiguïté, voire l'ambivalence des Canadiens-français face à l'avenir de leur identité.

Les Plaines d'Abraham sont le lieu de toutes les réjouissances. L'on y vient pour la beauté du paysage, pour les grands-messes nationalistes où l'on y chante le pays, pour des événements culturels l'été comme les concerts présentés dans le cadre du festival d'Été de Québec. L'on y fait du ski de fond l'hiver, et les facétieux prétendent qu'une partie des habitants de la ville ont été conçus sur les Plaines qui offrent des recoins cachés la nuit. Il s'agirait d'un aspect inattendu des conséquences de la défaite française, et sans doute pour cette raison la surnatalité traditionnelle des Canadiens-français fut-elle baptisée la « revanche des berceaux ». Dès lors, ce site de la bataille finale anglo-française au nord de l'Amérique fut transformé depuis un siècle et demi en lieu de réjouissance et de victoire symbolique de la vie.

Plamondon (Luc)

Le petit gars du village de Saint-Raymond-de-Portneuf, à proximité de Québec, dont le père était marchand de chevaux, a galopé toute sa vie sur les mots. Luc Plamondon a marqué la chanson française et québécoise de sa poésie moderne, directe et éminemment populaire. Depuis plus de quarante ans, dans la francophonie mondiale, il ne se passe pas une journée sans que des chansons signées de son nom tournent dans les médias.

Avec son ami Michel Berger qui lui a composé la musique, le célèbre parolier a écrit le plus grand opéra rock en français, *Starmania*. C'était en 1976, et l'œuvre fut une révélation, pour ne pas dire une révolution, dans le monde du show business. *Starmania* est également une œuvre prémonitoire de la vie dans nos mégalopoles où se côtoient des populations bigarrées et métissées. En ce sens, Berger et Plamondon furent d'exceptionnels visionnaires du XXIe siècle.

Avec *Notre-Dame-de-Paris,* écrit cette fois en collaboration avec Richard Cocciante pour la musique, Luc Plamondon réussit de nouveau à toucher un très large public en France, au Québec et ailleurs dans le monde, particulièrement en Russie. Cette comédie musicale inspirée de l'œuvre de Victor Hugo restera à l'affiche plusieurs mois, et la distribution sera de nouveau, comme pour *Starmania,* composée de chanteurs français et québécois.

Luc Plamondon demeure le parolier de tous les grands de la chanson québécoise et française. Diane Dufresne, Céline Dion*, Claude Dubois, Renée Claude, Julien Clerc, Nicole Croisille, Fabienne Thibeault, Garou, Petula Clark, Catherine Lara, Ginette Reno, Johnny Hallyday, Robert Charlebois*, Barbara chanteront Plamondon. Du « Blues du businessman » au « Cœur de rocker », de « Un garçon pas comme les autres » à « L'amour existe encore », de « Le monde est stone » à « On n'est pas fait pour vivre seul », de « Pars pas sans m'dire bye-bye » à « Belle », de « Nuit magique » à « Chanson pour Elvis », ses thèmes s'articulent autour de l'amour sous toutes ses déclinaisons, de l'éloge de la différence, de l'angoisse existentielle et de la culture urbaine.

Pour l'anecdote, personnelle celle-là, Luc Plamondon s'est inspiré d'un épisode très médiatisé de ma vie amoureuse pour en faire une chanson, « Vivre avec celui qu'on aime », interprétée par Francine Raymond, une autre des grandes voix québécoises. C'est une étrange impression que d'entendre tourner au hasard d'une course en taxi ou dans sa voiture un texte qui me ramène à une période aussi tumultueuse qu'exaltée de ma propre vie. Et dont nombre de gens au Québec ont voulu connaître les détails car la chanson fut un succès populaire auprès des Québécois qui pratiquent une familiarité possessive avec ses « vedettes ». En effet, le Québec a toujours été une société « tricotée serrée », une expression du cru qui décrit une réalité sociale traditionnelle ; aujourd'hui remise en cause par la proportion grandissante d'immigrants, il faudra peut-être parler dans l'avenir d'une société « détricotée »…

Luc Plamondon a écrit « Le blues du businessman » :

J'aurais voulu être un chanteur
Pour pouvoir crier qui je suis
J'aurais voulu être un auteur
Pour pouvoir inventer ma vie [...]

Son œuvre est à son image. L'homme ne boude pas la gloire et ne refuse pas l'avant-scène médiatique. Sa notoriété est parfois aussi grande, sinon plus, que celle des interprètes de ses textes. Faute d'être chanteur, l'auteur réussit à ne pas disparaître derrière sa poésie inspirée des grands courants qui parcourent l'époque. Mais il ne surfe pas sur les phénomènes culturels, ayant eu, dès le début de sa carrière, le talent de cerner au plus près les mutations à venir.

Depuis plus de quarante ans, Luc Plamondon n'a eu de cesse de se battre pour la langue et la culture françaises. Fort de l'immunité découlant de sa renommée, le Québécois aux yeux bleu délavé derrière ses éternelles lunettes teintées est monté au créneau au Québec comme en France pour s'insurger contre l'anglicisation galopante de l'espace francophone. Au cours de sa vie, il ne s'est pas privé de provoquer des esclandres en apostrophant des ministres des deux côtés de l'Atlantique, en dénonçant l'anglo-snobisme du parisianisme culturel français et l'absence de combativité des Québécois face à leur culture. Luc Plamondon, le magicien des mots, a aussi transfiguré le joual* en poésie chantée et décomplexée, se refusant à idolâtrer le français en l'enfermant dans un académisme aussi rigide qu'aseptisé. Les mots sous la plume du parolier sont chargés d'émotion, bousculent parfois les conventions, mais ils cernent au plus près la vérité et l'espérance. Et la chanson contemporaine en français serait orpheline sans l'héritage que lui lègue le Québécois à la crinière éternellement blonde. Plamondon demeure un des rares, et hélas derniers, défenseurs d'une certaine idée de la culture et de la langue.

Poète national (Le)

Gaston. Le désignaient par son prénom tous ceux connus ou inconnus qui l'affectionnaient. Les mêmes parfois qui s'agaçaient de ses outrances verbales, car l'homme usait aussi des mots pour user son interlocuteur. Gaston Miron (1928-1996) a toujours parlé plus qu'il n'a écrit. Son héritage littéraire tient à un seul ouvrage, encensé à la grandeur de la planète, *L'Homme rapaillé*, qui rassemble ses poèmes et des textes écrits au cours des ans. Cent fois sur le métier, Gaston Miron a remis son ouvrage, ne cessant de réécrire ses poèmes, de les retravailler, de les peaufiner, de les transformer, de les caresser et d'en faire son cilice ou son absolu.

Gaston Miron fut de tous les combats du Québec en marche vers son affranchissement. Il fut également de tous les débats, de toutes les fêtes, sur toutes les tribunes, et il n'avait de cesse de prêcher la bonne nouvelle, celle qui pave la voie à la libération de son pays dont il rêvait comme on rêve d'une femme idolâtrée. Combien de fois l'ai-je croisé au fil des ans dans les rues, à Paris, à Montréal où, sans bonjour, sans comment vas-tu ?, il reprenait avec moi la conversation ou plutôt son monologue là où il s'était arrêté la dernière fois ?

Dans les grandes fêtes joyeuses mais éprouvantes de discussions croisées, de coups de gueule, d'enflammements spontanés qui se déroulaient chez ses amis, Gérald Godin et Pauline Julien*, et parfois chez moi, il ne tardait jamais à s'emparer de l'assemblée et, de sa voix riche, fébrile ou posée, il poétisait avec ses mots « mironesques », des mots puisés dans la québécitude et dans les entrailles de la langue française de France dont il connaissait les mystères, les replis et les fulgurances.

Comme un enfant, il lui arrivait souvent de ne plus savoir s'arrêter car l'urgence l'habitait perpétuellement. Gaston Miron, né dans les pays d'en haut, dans ces Laurentides où les défricheurs se sont échinés dans des bois aussi denses qu'embroussaillés, eut un parcours typique des gens modestes de la campagne. Il joindra les ordres, mais les ordres mineurs, puisqu'il entre au juvénat des frères du Sacré-Cœur où il portera quelque temps la soutane. Gaston Miron devra, pour gagner sa vie – maigrement –, faire tous les petits boulots. Et lorsqu'il deviendra éditeur, la gestion de son entreprise lui sera source d'accablement. Sans des subventions et des bourses, Gaston Miron n'aurait pu devenir le poète errant qu'il fut en France mais aussi dans les départements d'études québécoises en Scandinavie, en Irlande, en Italie, en Angleterre, aux États-Unis où il éblouissait des publics, restreints certes, mais enthousiastes, qu'il convertissait en admirateurs de son œuvre et en observateurs empathiques du Québec qu'il incarnait.

Gaston Miron, comme tant d'autres autour de lui, a vécu les déchirements successifs d'un Québec ambivalent de son avenir. À la fin de sa vie, sa peur d'être oublié dont il parlait comme d'une fatalité se confondait à vrai dire à celle de l'amnésie future du Québec. Malgré les honneurs qu'il reçut tout au long de sa vie, malgré les hommages dithyrambiques du milieu littéraire français, malgré le fait que son œuvre fût enseignée au Québec, le poète consacré national fut rongé d'angoisse. Son œuvre inachevée devient ainsi la métaphore du pays, lui-même incapable d'enfanter les espérances anciennes.

Gaston Miron, on l'imagine, aurait apprécié assister à ses propres funérailles d'État où la nation reconnaissante s'était réunie, au premier chef les personnalités politiques de tous les partis, afin de s'incliner devant son fils éminent, maître incontestable des mots et défenseur authentique d'une vision où la femme et le pays sont fusionnés.

J'ai toujours vibré à ce poème de Gaston Miron extrait de la vie agonique de *L'Homme rapaillé* (Éditions de L'Hexagone, Montréal, 1994). Le poète nous plonge au cœur de l'âme québécoise en friche.

« L'Octobre »

L'homme de ce temps porte le visage de la
Flagellation
et toi, Terre de Québec, Mère Courage
dans ta Longue Marche, tu es grosse
de nos rêves charbonneux douloureux
de l'innombrable épuisement des corps et des âmes

je suis né ton fils par en haut là-bas
dans les vieilles montagnes râpées du Nord
j'ai mal et peine ô morsure de naissance
cependant qu'en mes bras ma jeunesse rougeoie

voici mes genoux que les hommes nous pardonnent
nous avons laissé humilier l'intelligence des pères
nous avons laissé la lumière du verbe s'avilir
jusqu'à la honte et au mépris de soi dans nos frères
nous n'avons pas su lier nos racines de souffrance
à la douleur universelle dans chaque homme ravalé

je vais rejoindre les brûlants compagnons
dont la lutte partage et rompt le pain du sort commun
dans les sables mouvants des détresses grégaires

nous te ferons, Terre de Québec
lit des résurrections
et des mille fulgurances de nos métamorphoses
de nos levains où lève le futur
de nos volontés sans concessions

les hommes entendront battre ton pouls dans l'histoire
c'est nous ondulant dans l'automne d'octobre
c'est le bruit roux de chevreuils dans la lumière
l'avenir dégagé
l'avenir engagé

Politique (La)

Les deux sports officiels du Québec sont le hockey et la politique. L'omniprésence de cette dernière se constate aussi dans le langage populaire. J'ai eu une voisine avec qui je causais régulièrement et qui m'a dit un jour, alors que je lui faisais la remarque qu'elle semblait fatiguée : « C'est normal. Ce matin les Libéraux sont au pouvoir. » Elle m'indiquait simplement qu'elle avait ses règles, et sa référence aux Libéraux dont la couleur est rouge allait de soi.

Les jeunes n'entendront plus une personne leur affirmer que le ciel est bleu et l'enfer rouge, comme le déclaraient les prêtres du haut de la chaire le dimanche précédant toute élection, du temps du Premier ministre Maurice Duplessis et son parti l'Union nationale, qu'on identifiait alors par la couleur bleue à l'identique de celui du drapeau fleurdelisé. Le Québec se partageant entre fédéralistes et souverainistes, nombre de déformations des deux expressions sont utilisées toujours, de façon péjorative évidemment. L'on qualifiera de fédérastes ceux qui souhaitent demeurer dans le Canada, mais depuis quelque temps le mot semble en voie de disparaître à cause de son association à pédéraste sans doute, mot banni grâce au combat pour les droits des homosexuels. Le PQ se dit « Pquiou » dans la bouche de ses adversaires. On dira séparatisse par ironie plutôt que souverainiste pour bien marquer la rupture que cela implique avec le Canada.

Mon père désignait le Québec en disant le « Culbec ». Anticlérical, il estimait que le Québec ne valait pas le c… étant donné l'emprise du clergé sur les mentalités. Sa vision de la politique contrebalançait celle transmise à l'école et qui baignait dans l'eau bénite, le respect de l'autorité ecclésiastique, et interdisait le sens critique. Mon père était un mécréant, un chiniquy*, mais, plus tard, je me réclamerai de sa lucidité, seul héritage que je revendiquerai.

Poutine (La)

Ne pas confondre avec Vladimir. Cependant, les Russes aimeraient sans doute ce plat typiquement québécois devenu furieusement populaire et dont l'origine est sujette à interprétations.

La poutine originale est un plat composé de grosses frites molles recouvertes d'une sauce BBQ à la saveur incertaine, compte tenu du taux de sodium, et dans laquelle flotte du fromage en grains, en l'occurrence du cheddar frais qui glisse entre les dents comme si on l'avait poli à la cire. Dans ma jeunesse, la poutine n'existait pas.

Le mot *poutine* signifie en québécois « mixture étrange ». On dira d'un plat trop cuisiné et pas trop ragoûtant : « C'est de la vraie poutine. » Au risque de me faire de nouveaux ennemis, je dirais que la mixture n'est pas qu'étrange, elle est immonde. Sans oublier le taux olympique de calories. Car une poutine peut faire office de repas ou accompagner les hot-dogs, un autre raffinement culinaire, venu des USA celui-là.

J'ai vu des Français fraîchement débarqués à Montréal qui, influencés par leur guide touristique, souhaitaient vivement déguster cette expression quasi grouillante de notre québécitude. En général, à moins d'avoir peur de passer pour des Français désagréables et dans ce cas se sentir obligés de s'exclamer de bonheur à la première bouchée, les cousins français avalent difficilement cette invention qui dateraient des années cinquante ou soixante. Un restaurant de la région d'Arthabaska l'aurait créée en 1957, et un second, Le Roi Jucep, à Drummondville, municipalité qui revendique le titre de « centre du Québec », en a enregistré l'invention en 1964.

La poutine possède son festival à Drummondville, précisément. Mais on la trouve à travers tout le Québec, même chez McDonald's, et elle a conquis le Canada anglais et les États-Unis. Et partout dans le monde, de Paris à Cuba, de Londres à Hanoï, du Maroc au Japon, où des Québécois sont présents l'on peut trouver la poutine déclinée selon les goûts locaux. À Montréal, un grand chef, Martin Picard, a osé proposer à ses clients la poutine au foie gras. Un ouvrage signé Charles-Alexandre Théorêt, *Maudite poutine ! : histoire approximative d'un fameux mets*, a même été publié en 2007.

Mais c'est le groupe musical Mes Aïeux, très populaire au Québec et dont la notoriété s'étend dans toute la francophonie, qui a immortalisé dans une chanson, « Hommage en grains », ce plat légendaire :

Et le festin arrive avec sa fourchette en plastique
Enfin sous la gencive, le fromage fait « couic couic »
Et si la décence invite à déguster lentement son bol
Faut quand même faire ça vite, avant qu'les frites
[viennent molles
Patates, sauce brune et fromage font un bon alliage
C'est comme manger une livre de beurre,
[mais Montignac nous fait pas peur.

Prêtres (Les)

La prêtrise fut longtemps un des choix préférés des bacheliers à la fin du cours classique au Québec. À une époque pas tellement éloignée, la Province fut le plus grand fournisseur de vocations religieuses à l'Église. À la fin de leurs études, dans une classe de trente étudiants, le tiers pouvait choisir la prêtrise. L'effondrement du recrutement sacerdotal s'est étalé sur une période d'une vingtaine d'années. Cela coïncide avec l'explosion culturelle et politique des années soixante et a ramené les statistiques québécoises au niveau que l'on retrouve en France et dans les sociétés sécularisées. De nos jours, les candidats à la prêtrise se comptent sur les doigts de la main. Le prêtre a perdu son statut d'antan, et les séminaristes, plus âgés et plus expérimentés qu'autrefois, ne s'engagent dans cette voie solitaire, à contre-courant et peu valorisée, que par vocation, à n'en point douter.

Il ne reste que quelque 2 500 prêtres au Québec, dont 10 % environ ont moins de cinquante ans. La majorité a donc atteint un âge vénérable, et les vieux prêtres doivent vivre dans la nostalgie du temps où ils commandaient le respect, la crainte et des privilèges de tous ordres. Ils appartenaient à l'élite de par leur formation académique et leur statut. À l'époque d'avant la démocratisation de l'éducation, ils imposaient leur savoir, mais ils le transmettaient avant tout à de jeunes garçons, assurant ainsi la perpétuation d'une petite-bourgeoisie sans laquelle le Québec n'aurait pu se développer. Jusqu'aux années soixante, les médecins, les avocats, les prêtres et quelques intellectuels exerçaient donc le pouvoir au Québec.

Parmi le clergé, certains furent des éclaireurs, des mentors, des critiques sociaux courageux, et, sans eux, la sécularisation du Québec aurait été plus cahoteuse. Ce sont des prêtres progressistes qui ont servi de prête-noms en quelque sorte, en dirigeant des commissions d'enquête menant aux grands travaux sociaux de modernisation sociale telles la création du ministère de l'Éducation, l'abolition de la censure au cinéma, la mise en place de syndicats d'ouvriers. Quelques prêtres furent tentés plus tard par la politique, mais l'expérience se révéla peu concluante car se posa rapidement le problème de l'ambiguïté du discours de ces hommes de Dieu, aussi progressistes soient-ils dans une société en ébullition pressée d'en finir avec le pouvoir clérical.

Les prêtres diocésains soumis à l'autorité d'un évêque avaient une liberté de parole et d'action réduite, et nombre d'entre eux ont éprouvé des difficultés à assister à leur mise à l'écart progressive. D'où un repli qui en a fait des spectateurs d'une société qu'ils ne reconnaissaient plus. La plupart se sont tus. De plus, les évêques ont dû s'adapter à ce nouveau monde, ce Québec en marche qui rejetait leur autorité. Il faut reconnaître que l'Église québécoise officielle, à la fin du XXe siècle, est devenue plus libérale que celle du Canada-anglais et, évidemment, celle des États-Unis. L'ouverture d'esprit d'un certain nombre d'évêques a pu déteindre sur les prêtres et l'ensemble des religieux et religieuses, mais c'est avant tout les clercs sur le terrain, près des gens, qui firent pression sur leur hiérarchie. La mentalité des communautés, comme celle des prêtres séculiers, est depuis longtemps incomparable à celle que l'on retrouve par exemple en Europe, où la notion d'autorité demeure rigide et où l'obéissance pèse de tout son poids. Le clergé québécois, lui, s'est assoupli, mais que pouvait-il faire d'autre sans entrer de plein fouet et pour sa propre perte en guerre contre l'évolution irréversible d'un peuple en voie d'émancipation grisante ?

La hiérarchie cléricale, nommément les évêques et les cardinaux, a pu imposer sa loi et sa tyrannie tant que le peuple fut soumis. Or, à travers leur histoire, les Québécois engoncés dans leur catholicité étouffante apparaissaient comme un peuple de brebis. D'ailleurs, le défilé officiel de la Saint-Jean-Baptiste dans les rues de Montréal, le 24 juin, jour de la fête nationale*, se terminait par l'apparition d'un saint Jean-Baptiste, enfant blond aux cheveux bouclés accompagné d'un petit mouton blanc reposant à ses pieds. Il y eut scandale lorsque plus tard, sur le char allégorique fermant le défilé, les spectateurs découvrirent un saint Jean-Baptiste adulte, debout, aux pieds duquel se trouvait un gros mouton noir auquel s'identifièrent d'emblée de nombreux Québécois nationalistes présents le long du parcours.

Cette décléricalisation, des prêtres qui quittèrent les ordres se l'appliquèrent donc eux-mêmes. Devenus professeurs ou fonctionnaires, leur statut de laïc n'effaçait pas cependant leur formation antérieure. Sans soutane, leurs nouveaux habits ne faisaient pas nécessairement d'eux des laïcs au sens idéologique du terme. L'on assistera au cours des années à des débats sociaux plus ou moins virulents où l'intolérance et l'excommunication referont surface, comme à l'époque de ce qu'on a appelé la grande noirceur, alors que la devise du Québec, « Je me souviens », avait cédé sa place à celle des prêtres : « Hors de l'Église, point de salut. »

Les artisans de la Révolution tranquille* ont tenté de dresser du Québec d'avant le déniaisage collectif un portrait diabolisé où les pères Fouettard en soutane flagellaient le peuple victime. Où l'Église laminait la pensée, polluait la vie intellectuelle. Or, en réalité, à toutes les étapes de son histoire, la société québécoise a contenu en son sein des hommes libres, libres-penseurs, des hommes cultivés, clairvoyants, qui ont combattu par leurs écrits et leurs actions l'obscurantisme ambiant. Minoritaires certes, ces leaders intellectuels et politiques ont même conclu des alliances stratégiques avec certaines autorités religieuses plus réceptives et plus tolérantes. Des jésuites et des dominicains, entre autres, se tinrent debout en défendant le droit d'expression, la justice sociale, l'ouverture au monde et l'importance de la culture dans l'émancipation du Québec.

Le cléricalisme rampant et le rôle écrasant du clergé sur la pensée au Québec ne pouvaient se perpétuer dès lors que l'industrialisation et avec elle l'urbanisation faisaient éclater les valeurs rurales et traditionnelles. Au Québec, l'évolution fut bien sûr freinée par l'Église et des politiciens conservateurs comme Maurice Duplessis, le Premier ministre qui se vantait de faire manger les clercs dans sa main, mais le sursaut collectif de 1960 devint une éruption volcanique. La fin du pouvoir religieux était alors annoncée.

Printemps (Le)

Saison courte, le printemps suscite plus de désir que de plaisir. Les parcs, les parterres perdent de leur blancheur et exposent leurs saletés que la neige avait recouvertes. Les arbres, dépouillés de leurs feuilles, ajoutent à la tristesse des paysages alors que la floraison hésite à éclore.

Au printemps, la seule réjouissance consiste à se dénuder légèrement. Après les lourds manteaux et les bottes fourrées, voici que, soudainement, entre la matinée et l'après-midi, on passe du manteau de fourrure à l'imperméable. Cette variation de température provoque une montée de testostérone chez les hommes. Il faut les observer, à l'heure du déjeuner, au centre-ville de Montréal, tels des lézards alors qu'ils s'exposent au soleil le long des immeubles et dévorent des yeux, discrètement, rectitude politique oblige, les femmes aux bras nus et au décolleté qui bâille et qui se laissent admirer. Après les longs mois hivernaux où la tête enfoncée dans le col des manteaux les passants se croisent sans se regarder, trop pressés de se rendre à leur destination, l'effet est aphrodisiaque.

Les arbres attendent souvent leurs bourgeons jusque tard en mai. Et les jardiniers impatients risquent de voir détruire en une nuit de gel le fruit de leurs plantations trop précoces.

Mais c'est au début du printemps que coulent les érables*, et cette sève, dit-on, inspire aussi les hommes. Le printemps est donc la saison du flirt pour ceux qui veulent se trouver une blonde ou un « chum » pour passer l'été. C'est aussi la saison du grand ménage. On ouvre les fenêtres, on lave les carreaux, on range les vêtements d'hiver et on ressort ceux de l'été. Mais durant une période transitoire, entre avril et la mi-mai, il arrive que l'on doive faire des allers-retours entre les saisons vestimentaires. Il faut avoir été encabanés et emmitouflés pendant de longs mois pour éprouver cette sensation de libération à se départir de ces couches de pulls, de blousons, de duvets et de bottes encombrantes.

À vrai dire, le printemps au Québec est plus métaphorique que réel. La brièveté de la saison, l'imprévisibilité des températures en font une saison relais. Après l'hiver où sont bannis les regroupements à l'extérieur et où les activités politiques sont réduites, c'est au printemps également que surviennent des déclenchements d'élections. Comme au début de l'automne. La vie politique est donc elle-même tributaire du climat. En 2012, alors que grondait et s'accentuait la colère populaire à l'endroit du gouvernement, un « hiver érable » aurait été impensable. Personne ne descend dans les rues à moins 20 °C. Il fallait que le printemps surgisse pour que les foules envahissent les villes.

Lorsque le printemps s'affirme enfin, que les cultivateurs sortent leurs équipements agricoles, que les fleurs colorent les parterres, que les feuilles aux arbres atteignent leur maturité et que le soleil réchauffe au point de permettre aux femmes de se promener les jambes nues, c'est que l'été est arrivé. Et l'été, tous les Québécois savent qu'il peut ne durer que quelques semaines. Les facétieux prétendent même qu'il n'y a au Québec que deux saisons, l'hiver et le mois de juillet.

Q…

Je suis entrée à l'école primaire habitée par l'excitation d'apprendre à lire et à écrire. La religieuse titulaire nous confia un petit secret dès le jour de la rentrée. Pour que nous fussions en avance sur toutes les autres classes, elle nous apprendrait l'alphabet avant la date prévue dans le programme. C'est ainsi qu'après trois semaines nous pouvions réciter avec fierté l'A B C D jusqu'à Z. Mais dans le Québec catholique où la pureté était une préoccupation permanente même pour des enfants de six ans, la lettre Q défiait la morale tout en représentant une embûche pour les enseignants. L'on nous apprenait donc que la lettre Q se prononçait QUE, et c'est ainsi que des générations d'écoliers québécois ont ânonné O, P, QUE, R, S, T, ignorant que QUE se prononçait Q. Ce son nous aurait plongés dans le péché mortel, le plus gros, le plus excitant, le plus tentant, celui qui se conjuguait avec sexe, un autre mot dont je ne tarderai pas à apprendre qu'il salissait et la bouche et l'âme.

Quelques années plus tard, une nouvelle élève est débarquée dans notre classe. Elle avait un accent étranger, un accent qu'on croyait français mais qui était belge. Lorsque ce fut son tour d'épeler les mots de la dictée dont nous corrigions les fautes en groupes, la religieuse lui demanda l'orthographe de « question ». Aude, c'était son prénom, se leva et, fièrement, à voix forte, s'exclama Q.u.e.s.t.i.o.n. Le Q nous sidéra ! Nous étions choquées, presque apeurées, mais quelques têtes fortes étouffaient de fous rires. La religieuse, le teint plus livide qu'à l'ordinaire, invita Aude, visiblement ahurie par nos réactions, à l'accompagner à l'extérieur du local. Plusieurs minutes s'écoulèrent puis Aude revint, l'air défiante, sans jeter un regard sur nous. À la récréation, elle nous expliqua que notre QUE était, de fait, un Q qu'on nous cachait mais que les Belges et les Français, eux, connaissaient.

L'histoire ne se termine pas là. À l'Université de Montréal, dans les années soixante, les cours se déroulaient dans des ailes identifiées par les lettres alphabétiques. L'histoire du Canada avait lieu en P-45, les statistiques en R-78, mais aucune aile n'affichait le Q, héritage sans doute du statut pontifical de l'institution. C'était le début de la Révolution tranquille*, et puisqu'il était impossible de suivre des cours en Q, nous devinrent donc adeptes des travaux pratiques de ce Q qu'on avait aseptisé en QUE au pays du catholicisme délirant.

Québec, la ville capitale

Depuis 1985, la ville de Québec, peuplée d'un demi-million de personnes, a été classée au patrimoine mondial de l'Unesco, mais ses habitants, eux, n'ont jamais douté des beautés et du caractère exceptionnel de ce berceau de l'Amérique française. Seule ville fortifiée au nord du Mexique, Québec, contrairement à Montréal, séduit au premier coup d'œil. Je me souviens encore de l'émotion ressentie quand à dix-sept ans j'ai découvert Québec. Encore aujourd'hui lorsque, arrivant de Montréal en roulant sur la transcanadienne sur la rive sud du Saint-Laurent, j'aperçois au loin ses deux ponts qui enjambent le fleuve, j'éprouve ce même pincement au cœur. Car Québec, capitale du Québec, vibre de son passé dont il a su faire son présent.

Le Vieux-Québec nous ramène à nos racines françaises, et chaque immeuble, chaque pierre, ses rues étroites, sa place Royale, sa cathédrale, son couvent des Ursulines, sa citadelle et le fleuve qui réfléchit son image témoignent du début de notre histoire. Mais Québec ne vieillit pas. Il rajeunit en prenant de l'âge car il a résisté aux tentations du progrès avec ses démolitions sauvages et ses tours. Quelques laideurs architecturales, en particulier un immeuble nommé le Calorifère où se trouvaient jadis les bureaux du Premier ministre face à l'Assemblée nationale, trahissent les errances culturelles de quelques édiles sans respect pour la ville quatre fois centenaire.

Les résidents de Québec sont doublement québécois et ne se privent pas pour l'afficher. Ils sont à la fois fiers d'eux-mêmes, prêts à chercher noise à celui qui émet des réserves sur leur ville, ils dédaignent Montréal, son cosmopolitisme, ses préoccupations mondialistes, sa rectitude politique et son négativisme récurrent. Car les habitants de Québec débordent de confiance. Ils n'ont pas d'état d'âme identitaire, contrairement aux Montréalais, et ils se sentent propriétaires de leur ville. D'ailleurs, l'on s'étonne que, la nuit, ils ne retirent pas les trottoirs pour les mettre dans leurs garages tellement ils vivent avec cette certitude que la ville leur appartient.

Il est vrai que les Québécois de la capitale n'ont pas à partager leur joyau. La population est composée à 95 % de francophones, et le taux d'immigrants ne dépasse pas les 4 % dont 1,7 % sont des Français de France. Ils jettent un regard distrait sur les batailles des Montréalais francophones, inquiets de perdre leur langue au profit de l'anglais, car les anglophones installés à Québec depuis la Conquête ont été pour la plupart assimilés. Les Québécois ne s'en vantent pas mais ils n'en sont pas malheureux. De nos jours, le petit noyau d'anglophones se regroupe autour de l'*Historical and Literary Society*, la première société savante à voir le jour au Canada et qui fut créée en 1824.

Dépositaires de la mémoire du Québec tout entier, vivant dans un contexte de francophonie triomphante, il n'est pas étonnant que les résidents de Québec soient plus conservateurs que ceux de la métropole, Montréal, devenue depuis plus de cent ans le théâtre des luttes franco-anglaises plutôt que des luttes de classe. Au contraire de Québec départagée entre la Haute-Ville riche, celle qui domine le fleuve et éblouit les touristes, et la Basse-Ville pauvre si bien décrite dans l'œuvre populaire de Roger Lemelin*. C'est donc un affrontement ouvriers-bourgeois qui a modelé la culture de Québec. La bourgeoisie de Québec est d'autant plus affirmée qu'elle a toujours vécu en osmose avec le pouvoir politique auquel elle a un accès naturel et historique. Dans cette bourgeoisie, l'on retrouve certains traits de celle de Bordeaux décrite par François Mauriac, mais avec une différence de taille : les Québécois, contrairement aux Bordelais, sont des gens de bonne humeur, et s'ils affichent des grands airs et se la jouent hautains, voire distants devant les étrangers, c'est-à-dire essentiellement les Montréalais, ils trahissent un provincialisme plutôt bon enfant.

Les gens de Québec s'expriment dans une langue moins marquée par l'anglais, étant à 65 % unilingues, et cela donne à leur parlure une musicalité différente de celle des Montréalais. Ce sont des gens qui aiment rire, plutôt des autres, et qui se considèrent les meilleurs défenseurs de la devise « Je me souviens ». C'est à Québec qu'un résident vous dira : « Je descends du régiment de Carignan. » Ce régiment composé de 1 300 soldats est envoyé par le roi Louis XIV en 1665 pour combattre les Iroquois qui tuent alors les colons et pillent la colonie. Le roi offre aux soldats de s'installer sur des terres qu'il leur concède, et quatre cents d'entre eux, célibataires en majorité, demeureront en Nouvelle-France et épouseront les célèbres Filles du Roy, aujourd'hui réhabilitées mais qu'on a longtemps accusées d'être des femmes de mauvaise vie. De nos jours, leurs descendants demeurés à Québec éprouvent de l'affection pour ces filles vaillantes, courageuses et pieuses qui furent à l'origine de la colonisation du pays.

C'est aussi à Québec que se trouve la première université francophone d'Amérique, l'Université Laval, dont l'origine remonte à 1663 avec la création du séminaire de Québec. Sous le régime français, l'institution formait exclusivement des prêtres, et il faudra attendre la conquête anglaise pour que les Canadiens-français accèdent aux études supérieures. La reine Victoria accordera à l'abbé Louis-Jacques Casault une charte royale en 1852 qui officialisera l'Université Laval, ainsi nommée en l'honneur du fondateur du séminaire de Québec, Mgr François de Montmorency-Laval, que Rome a élevé au rang de saint en 2014. Désormais, l'on formera les élites des professions libérales, c'est-à-dire les médecins et les avocats en plus des théologiens, des enseignants, des sociologues, des ingénieurs. Et l'Université Laval aujourd'hui est à l'image du Québec de demain car elle compte une majorité de femmes.

Si les Québécoises à la grandeur du territoire sont des maîtresses femmes, il faut inventer un mot pour qualifier les femmes de la ville de Québec. Plus que directes, elles peuvent être incisives ; plus qu'insistantes, elles apparaissent entêtées, et leur assurance freine les machos comme nulle part ailleurs au Québec. Elles ont évolué de Filles du Roy en reines émancipées, et bien malin qui tente de les impressionner.

Les Québécois de Québec ont du mal à s'identifier aux Montréalais dont ils estiment souvent qu'ils n'ont pas le même imaginaire, les mêmes valeurs, la même vision des enjeux sociétaires actuels. Et surtout, ils se sentent majoritaires sur leur territoire. Leur conservatisme se nourrit de cette conviction. À l'ombre des vieilles pierres, du Parlement, des ministères où ils comptent tous de la parenté, ils regardent Montréal, la métropole, et ses habitants de plus en plus métissés avec un sentiment d'étrangeté, de déception ou d'indifférence. En ce sens, ils se vivent comme des « séparatistes » de l'intérieur.

R

Religieuses (Les)

J'ai aimé les sœurs qui m'ont appris à lire, à écrire et à respecter notre langue. Au cours primaire et surtout secondaire, la plupart d'entre elles étaient à peine plus instruites que nous, contrairement aux religieux qui enseignaient aux garçons. Et lorsqu'elles nous racontaient des sornettes, elles les croyaient elles-mêmes. Notre titulaire de septième année, sœur Saint-Léon-de-Rome, une petite femme sèche, injuste envers les élèves cancres qui se révélaient être les plus pauvres souvent, n'avait de cesse de nous mettre en garde contre l'usage du rouge à lèvres qui nous transformait en cible pour les garçons aux mauvaises pensées. « Le rouge à lèvres est fabriqué avec de la graisse de Nègres », déclara-t-elle lors d'une envolée passionnée sur les pièges qui nous guettaient avec les garçons. J'avais douze ans, et je regrette encore de ne pas m'être demandé comment l'on retirait la graisse des Nègres. Dans la cour de récréation, des élèves plus déniaisées m'assurèrent que la sœur était folle et jalouse de nous. En fait, nous étions tous victimes de cette ignorance crasse où les préjugés, les excommunications et la bêtise moralisatrice régnaient sur tout le Québec.

D'autres religieuses, habitées de la passion de nous instruire et de s'instruire elles-mêmes, jouèrent un rôle essentiel auprès de nous. Elles étaient féministes avant la lettre, et leur combat se confondait avec leur vocation. Plusieurs étaient entrées au couvent parce que la vie de mère et d'épouse ne les attirait pas. Dans la société d'avant l'égalité des sexes, une jeune fille désireuse d'avoir une vie active, des responsabilités et du pouvoir pouvait raisonnablement croire qu'entrer au couvent était une façon de s'affranchir. Jusqu'à la révolution féministe, peu de femmes occupaient des postes de direction, sauf chez les sœurs. Elles dirigeaient les écoles, les hôpitaux, certaines furent des gestionnaires remarquables, et plusieurs surent composer avec les autorités ecclésiastiques masculines. L'une d'entre elles, mère Sainte-Anne-Marie des sœurs de la Congrégation de Notre-Dame, ordre fondé par la Française Marguerite Bourgeois, consacra sa vie à se battre contre les gouvernements et le clergé afin que les filles accèdent aux études supérieures. En 1909, le futur secrétaire de la province de Québec, Athanase David, déclara de mère Marie-Anne : « Quelle femme ! Si c'était un homme, il y a belle lurette qu'elle serait ministre. » Lorsque cette dernière mourut en 1937, elle eut droit à des funérailles de chef d'État.

L'histoire du Québec est aussi l'histoire de ces religieuses, femmes fortes, indépendantes dont la foi dans leurs actions et dans leurs œuvres était aussi vive que leur foi en Dieu. Lorsque survint la Révolution tranquille* en 1960 qui entraîna la décléricalisation des institutions sous leur contrôle, les dirigeantes s'inscrivirent dans ce changement social. Un certain nombre d'entre elles quittèrent les ordres et poursuivirent leur carrière dans l'enseignement, les hôpitaux et les services sociaux, mettant leur expérience professionnelle au service du Québec à la modernisation accélérée.

Les religieuses, comme tous les membres des communautés religieuses d'hommes et de femmes, sont en voie de disparition, ce qui s'inscrit dans l'époque. Malgré leur grand âge, plusieurs religieuses demeurées actives ont joué depuis quelques décennies un rôle essentiel auprès des plus démunis. Auprès des femmes maltraitées, des sidatiques, des vieillards abandonnés à leur sort, des adolescents en errance. Elles ont souvent réussi à évoluer avec plus de souplesse, d'ouverture d'esprit et de lucidité que nombre de Québécois qui, eux, ont reproduit dans la société décléricalisée et déchristianisée tous les travers, les tics et l'idéologie bornée du Québec de la catholicité étouffante. Le « Hors de l'Église, point de salut » est repris par beaucoup de sectaires de toutes croyances. Or les religieuses, à ce jour, incarnent le Québec de la tolérance, de la solidarité, de la compassion et de la mémoire historique, toutes ces qualités dont sont souvent dépourvus ceux qui, aveuglés par le poids d'un passé aujourd'hui dépassé, semblent incapables de reconnaître l'héritage que le Québec actuel a reçu de ces femmes qui ont tenté dans les limites de l'époque d'aider les femmes à s'affranchir et à refuser le statut de victimes.

Révolution tranquille (La)

N'est-ce pas ironique que le premier à utiliser l'expression qui désigna cette rupture brutale transformant le Québec dans les années soixante et soixante-dix fut un journaliste du quotidien torontois *The Globe and Mail* ? Il qualifia ce mouvement de *Quiet Revolution*. La Révolution tranquille fut ainsi définie dans sa pertinence par un observateur canadien-anglais attentif au Québec contemporain.

Plus de cinquante ans plus tard, les interprétations sur ce grand bouleversement du Québec, mis en place par l'élection du Parti libéral du Québec en 1960, sont loin de faire l'unanimité parmi les intellectuels québécois. Un des plus remarquables d'entre eux, le sociologue de la culture, professeur à l'Université Laval, Fernand Dumont (1927-1997), consacrera une partie de sa carrière magistrale à comprendre cette société « tricotée serrée » dans ses léthargies et ses turbulences. Celui qui sera un des initiateurs de la loi 101 qui fit de la langue française la seule langue officielle en 1977 n'est jamais tombé dans le piège de l'idéologie. Son engagement envers la souveraineté ne l'empêchera pas de conserver une distance critique face aux changements radicaux et expéditifs que le Québec tout entier s'est imposés. Déjà en 1971, dans *La Vigile du Québec*, Fernand Dumont écrivait : « D'une longue histoire que l'on appelait jadis du mot déjà dangereux de miracle, nous étions apparemment sortis comme on surgit d'un long sommeil. Frais et dispos comme aucun autre peuple de l'Occident, hantés par les rêves accumulés d'une longue nuit, nous avons empilé les projets dans une maison hâtivement balayée. Ce fut l'extraordinaire matin de la Révolution tranquille. »

La Révolution tranquille fut pour moi le cadeau de mes vingt ans. Nous vivions dans l'enivrement quotidien car nos rêves les plus fous se réalisaient avant même que nous ne l'ayons souhaité. Dans l'euphorie du renversement du pouvoir de l'Église, j'avais signé un éditorial dans le *Quartier latin*, le journal étudiant de l'Université de Montréal, réclamant que notre association étudiante cesse de payer la moitié du salaire de l'aumônier (l'université payant l'autre moitié) qui nous était imposé d'office. Deux jours plus tard, à ma stupéfaction et celle de mes camarades de combat, l'association étudiante fit voter une résolution adoptée dans l'exubérance par une majorité du conseil. Nous avions lancé cette grenade croyant qu'elle allait être dégoupillée dans les années à venir. Ce sera plutôt la révolution instantanée. Une semaine plus tard, je fus convoquée par le cardinal Paul-Émile Léger, archevêque de Montréal, qui me reçut assis sur son trône et fastement vêtu de ses habits rouges. Il me tendit son anneau à baiser mais je me défilai. « Vous faites pleurer mon cœur de père », me dit-il avec une voix remplie d'émotion et de tristesse plutôt que de reproche. Frondeuse mais néanmoins polie, j'exposai à Son Éminence notre vision de la société à libérer du pouvoir clérical. Après une demi-heure d'échanges d'incompréhension mutuelle, il me donna congé, cette fois en me tendant la main afin que je la serre. Telle était l'atmosphère en cette période folle dont personne n'imaginait alors les conséquences futures.

En l'espace de quelques années, nous sommes passés d'une culture sous l'emprise de la Providence à l'État-providence. Car un des changements majeurs consista à créer de toutes pièces des structures étatiques répondant à l'objectif de justice sociale portée par le Parti libéral dirigé par Jean Lesage, le bien nommé. La création d'un ministère de l'Éducation, d'un ministère de la Culture, la mise en place d'une fonction publique moderne, dégagée de l'influence politique telle qu'elle existait sous le gouvernement paternaliste de Maurice Duplessis furent accueillies dans l'enthousiasme. Avec le recul, plusieurs analystes estimeront que s'installèrent les éléments qui mèneront plus tard à la technocratisation du Québec. Par ailleurs, le professeur de l'Université d'Ottawa Gilles Paquet n'a eu de cesse de tenter de démystifier la Révolution tranquille présentée, dans la foulée de notre culture catholique messianique, comme une résurrection collective. Dans un ouvrage, *Oublier la Révolution tranquille*, publié en 1999 aux Éditions Liber, Gilles Paquet assure qu'en faisant de l'État le moteur du progrès dans tous les secteurs d'activités la Révolution tranquille a eu des effets très négatifs sur la croissance économique, donc sur le progrès lui-même.

Les intellectuels divergent donc sur les interprétations à donner de cette Révolution tranquille, mais Fernand

Dumont est celui qui a su cerner avec le plus d'acuité les perturbations souterraines auxquelles ont été soumises les institutions qui constituaient les piliers de cette société culturellement distincte du reste du continent.

À vrai dire, le Québec avait déjà amorcé son entrée dans la modernité avec l'industrialisation et sa conséquence, l'urbanisation. Les valeurs traditionnelles qui ont assuré la survie du peuple québécois, il ne faut jamais l'oublier, ont été mises à mal, car les valeurs rurales protégeaient l'identité québécoise qui se définissait alors par la langue et la foi. Je fus frappée un jour, tandis que j'expliquais au grand sociologue Elihu Katz, rencontré dans un colloque de l'Unesco, les enjeux au Québec suite au recul de la religion, de la réponse spontanée qu'il me fit : « Mais il ne reste donc que la moitié de votre identité », affirma-t-il. Fernand Dumont, qui avait également un doctorat en théologie, s'inquiétait dans ses écrits de ce passage à vide. Car ne peut-on pas parler de braderie des assises culturelles, d'une certaine façon ?

Comment, dans la frénésie, remplacer des valeurs séculaires traduites jusque-là en un discours culturel cohérent ? Certes, la modernité impose partout une remise en question des valeurs traditionnelles. Et non sans heurts, on le sait. Mais au Québec, l'absence d'épaisseur historique telle qu'on l'observe dans les vieux pays européens ne permet pas de se réinventer une nouvelle mémoire, de nouveaux mythes et de nouveaux repères en quelques décennies. En ce sens, le prix à payer pour nos ruptures successives durant les décennies bruyantes, exaltantes mais inquiétantes où la seule permanence au Québec fut le changement est très élevé. Dans l'ancienne société, une solidarité cimentait en quelque sorte les citoyens à ses institutions. Qu'il s'agisse de l'Église, de la famille, de la paroisse, de l'école et de ce que l'on appelait la nation. Politiquement, le Québec se partageait entre deux partis, l'Union nationale et le Parti libéral, tous deux nationalistes, ce qui élargissait la solidarité. Le néonationalisme, défini après 1960, s'inscrivit dans un mouvement plus progressiste, plus universel, dépouillé des oripeaux grégaires, défensifs et inclusifs de l'ancien Québec. Le nationalisme se radicalisa et divisa les Québécois à travers de nouveaux partis politiques comme le Parti québécois. Et le contexte occidental permit en même temps à l'individualisme de se déployer, avec comme conséquences futures de faire imploser le « nous » collectif.

Nous avons vécu cette révolution en la transformant peu à peu en mythe et en sacralisant ses acquis. Comment pouvions-nous créer une laïcité qui nous était étrangère puisque sans lien avec notre identité ?

Le Québec d'aujourd'hui, dégagé des anciens démons, est habité d'ombres et de vides qu'il lui faut combler. Son identité demeure au cœur de ses débats collectifs, et, en ce sens, la Révolution tranquille appartient à la mémoire d'un Québec en voie de transformation profonde et à la recherche de nouveaux paradigmes.

Roy (Gabrielle)

Elle reçut le prix Femina en 1947 pour son roman *Bonheur d'occasion,* un classique de la littérature canadienne dont l'action se déroule dans un quartier ouvrier de Montréal et dans lequel l'auteur trace un portrait réaliste mais non sans tendresse du « petit peuple » pauvre, ignorant, humble mais aussi terriblement vivant. Gabrielle Roy est sans doute l'écrivaine la plus accomplie de la littérature canadienne-française. Canadienne-française et non Québécoise, car elle est née en 1909 à Saint-Boniface, une enclave francophone, aujourd'hui quasi disparue et intégrée à Winnipeg, dans la province du Manitoba.

Son œuvre, encensée à travers le pays et traduite dans plusieurs langues, est pourtant méconnue, pour ne pas dire inconnue, en France. Or, Gabrielle Roy demeure un des plus grands écrivains en langue française, cette langue qu'elle cisèle, polit, fait chanter, et qu'elle vénère à la manière de tous les francophones qui se battent pour elle.

Gabrielle Roy fut d'abord institutrice dans de petites écoles rurales isolées, et cette expérience inspira plus tard des romans éblouissants de finesse, de silence, d'humilité et de passion contenue tels *La Petite Poule d'eau* et *Ces enfants de ma vie.* En 1937, l'appel de l'Europe se fait sentir, et Gabrielle Roy, malgré l'opposition de ses proches, abandonne son emploi et quitte le Canada pour l'Angleterre et la France. Or son séjour tourne court devant l'imminence du déclenchement de la Seconde Guerre mondiale.

Elle s'établit alors à Montréal où elle devient journaliste pigiste afin de gagner sa vie. Mais sa voie est tracée. Ces deux années en Europe ont conforté son désir d'écrire. Et son choix de vivre au Québec n'est certes pas le fruit du hasard. Elle revient dans la famille en quelque sorte, là où se trouve la majorité canadienne-française. D'ailleurs, dans son autobiographie, *La Détresse et l'Enchantement*, qui sera publiée un an après sa mort, elle écrit : « Quand donc ai-je pris conscience pour la première fois que j'étais dans mon pays, d'une espèce destinée à être traitée en inférieure ? Ce ne fut peut-être pas, malgré tout, au cours du trajet que nous avons tant de fois accompli, maman et moi, alors que nous nous engagions sur le Pont Provencher au-dessus de la Rouge, laissant derrière nous notre petite ville française pour entrer dans Winnipeg, la capitale, qui jamais ne nous reçut tout à fait autrement qu'en étrangères. »

En lisant *La Détresse et l'Enchantement,* un des seuls ouvrages dans ma vie que j'aie relus trois fois, j'ai été renversée de constater que, lors de ma première expérience en Europe où je visitai et Paris et Londres, j'avais éprouvé le même choc que Gabrielle Roy vingt-cinq ans plus tôt. En effet, la romancière décrit dans son autobiographie le sentiment de familiarité ressenti à Londres où l'architecture, les rapports de civilité, la culture, somme toute, ne lui étaient aucunement étrangers. C'est en débarquant en France que, malgré la langue commune, elle se sent dépaysée. Dans mon cas, cette révélation m'a attristée car je comprenais que l'influence culturelle anglaise avait modelé notre façon d'être. Je me souviens être entrée dans une pâtisserie à Oxford, et je fus ravie d'y retrouver tous les gâteaux de mon enfance, que je préfère à la pâtisserie française. Les « cream puffs », les cakes sont des marqueurs culturels qui me rattachent aussi à mon environnement anglo-saxon. Gabrielle Roy prend davantage conscience, du fait de son origine manitobaine, qu'une part d'elle-même s'inscrit fortement dans l'héritage franco-manitobain et anglo-saxon. Quant à moi, cette vérité me fut difficile à accepter tant j'aurais cru être chez moi dans la mère patrie.

Gabrielle Roy a vécu par la suite à Québec, mais retirée de la vie sociale. Elle choisit son refuge dans Charlevoix*, au bord du fleuve Saint-Laurent, à Petite-Rivière-Saint-François, un village alors paisible, intimidant de beauté naturelle, habité par des artistes et des gens ordinaires auxquels elle se liera d'amitié et où elle poursuivra son œuvre. Sollicitée de toutes parts, elle vivra non pas cachée mais dans une discrétion qui éloignera les badauds à la recherche de sa notoriété.

Gabrielle Roy a apporté à la littérature de langue française un regard neuf, vaste, comme son pays intérieur. Son écriture enveloppe les personnages qu'elle nous offre à aimer et qui sont souvent une partie de nous-mêmes. Enfin, elle demeure une des grandes déceptions de ma carrière de journaliste. Elle abhorrait les entrevues télévisées qu'elle a accordées au compte-gouttes à quelques personnes amies qui n'en faisaient pas métier. Mais, je l'avoue, non seulement j'aime passionnément l'écrivaine mais j'aime aussi qu'elle soit restée toute sa vie à l'écart de l'agitation littéraire, seule devant sa page blanche.

Elle écrit aussi, dans *La Détresse et l'Enchantement* : « Mes livres m'ont pris beaucoup de temps dérobé à l'amitié, à l'amour, aux devoirs humains. Mais pareillement, l'amitié, l'amour, les devoirs m'ont pris beaucoup de temps que j'aurais pu donner à mes livres. En sorte que ni mes livres ni ma vie ne sont aujourd'hui contents de moi. »

S

Saint-Laurent (La bataille du)

C'est un épisode de l'histoire de la Seconde Guerre mondiale assez méconnu, sauf des Québécois. Il s'agit de l'offensive allemande de 1942-1944 qui opposa les fameux sous-marins (U-Boots) à la marine royale canadienne et ses alliés au cœur même du Québec, dans le golfe et le fleuve Saint-Laurent. Il s'agissait pour les Allemands de détruire les navires de troupes et de ravitaillements en route vers la Grande-Bretagne.

Il existe encore quelques témoins oculaires de cette guerre dans le Saint-Laurent, mais les histoires au sujet des « nazis aux cheveux blond argenté » qui parcouraient les villages le long du fleuve à partir de Rimouski ont longtemps perduré. On racontait que les Allemands descendaient de leurs sous-marins pour venir faire du tourisme d'espionnage et boire un coup dans les bars.

Dès 1937, des espions allemands se faisant passer pour des agents immobiliers avaient tenté d'acheter l'île d'Anticosti* située au cœur du golfe Saint-Laurent. Hitler n'ignorait rien de la valeur stratégique de l'embouchure du fleuve dont il rêvait de devenir le maître incontesté, ce qui lui aurait permis de fermer la porte d'entrée de l'Amérique du Nord. Les journaux montréalais firent d'ailleurs grand état de cette tentative de s'emparer d'Anticosti.

La bataille du Saint-Laurent, comme la désignent les historiens, débute en mai 1942. Un pêcheur de la Gaspésie affirme alors à qui veut l'entendre qu'il a aperçu « un tuyau de poêle » émerger de la surface de l'eau. Il provoque les moqueries autour de lui jusqu'à ce que Joseph Ferguson, un gardien du phare de Cap-des-Rosiers, non loin de Gaspé, accrédite cette histoire de « tuyau de poêle ». En effet, il devint alors convaincu que le sillon étonnant qu'il avait aperçu lui-même dans la journée du 11 mai pouvait être causé par un périscope. De surcroît, nombre de pêcheurs se plaignaient depuis quelque temps de trouver leurs filets déchiquetés. Le gardien, frappé par ces anecdotes que confirmait son observation, informa promptement la base militaire de Gaspé, mais, aucun membre du personnel ne parlant français, son information dès lors ne put être comprise ni transmise en haut lieu.

Le 11 mai donc, deux cargos sont coulés au large de la Gaspésie, provoquant l'émoi des populations qui découvrent la présence de forces nazies à leurs portes. Depuis la guerre de 1812 contre les Américains, c'était la première fois qu'une attaque se produisait contre le Canada sur son propre territoire.

Les autorités canadiennes censurèrent cet incident afin de ne pas permettre à l'ennemi d'accéder à des informations stratégiques. Mais les attaques allemandes se multiplièrent, et l'on estime que plus de vingt navires furent coulés et que quelque deux cent trente personnes perdirent la vie.

Devant l'impossibilité pour l'aviation et la marine canadienne, aux moyens défensifs limités, de répliquer avec efficacité à ces attaques, le gouvernement canadien ferma le Saint-Laurent à tous bâtiments transatlantiques en septembre 1942.

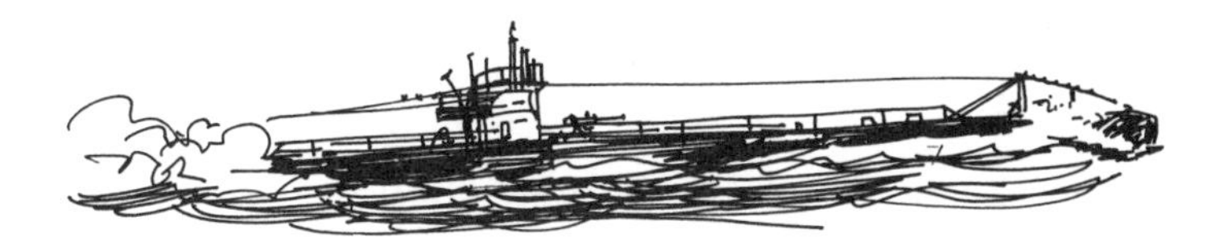

L'année suivante, en juin 1943, en vue de la réouverture du fleuve, les habitants des villages situés sur les bords du fleuve reçurent des cours de détection de sous-marins. Une campagne d'éducation populaire fut mise sur pied afin d'inciter les riverains à collaborer à la défense du territoire, et surtout à les inviter à garder le plus grand secret sur la circulation de ces sous-marins ennemis. Cet épisode dramatique de l'histoire de la Seconde Guerre mondiale est le seul où le Québec fut momentanément au cœur du déploiement stratégique de la guerre contre le nazisme.

Smoked meat (Le)

Précisons d'abord que le *smoked meat* est un produit exclusivement montréalais. La traduction « viande fumée », loi sur le français oblige, n'a aucune connotation affective. Autrement dit, seule l'expression « sandwich de smoked meat » fait saliver. Cette recette de bœuf fumé aux épices, aussi secrète que celle qui a fait le succès foudroyant du Coca-Cola, est intimement liée à l'identité montréalaise. D'ailleurs, même si les Québécois ont maintenant la possibilité d'en manger dans les villes et villages de la province, ils font la queue à Montréal, rue Saint-Laurent, dans un établissement mythique, Schwartz's, qui, comme son nom l'indique, est un restaurant juif dont les anciens propriétaires étaient originaires d'Europe centrale. René Angélil et Céline Dion*, grands

amateurs de smoked meat, se sont empressés d'acheter l'établissement il y a quelques années, car l'idée même d'en être propriétaires les remplissait de joie et d'excitation. Cependant, ils se sont assurés qu'aucun changement de décor ne viendrait travestir ce temple de gastronomie populaire avec ses tables brinquebalantes sans napperons, ses chaises qui craquent, les assiettes non pas posées mais lancées sur la table, et un ballet de serveurs circulant dans un espace réduit où l'on ne s'entend guère parler et qui force le client à engloutir à toute vitesse le sandwich de près de 2 centimètres d'épaisseur, obligeant à ouvrir la bouche comme chez le dentiste.

D'autres établissements proposent du smoked meat, comme Lester's, Main Deli, Dunn's, mais la recette originale fut importée par Ben Kravitz dont l'établissement culte Ben's a fermé ses portes en 2006 à la suite d'un conflit syndical.

Le smoked meat montréalais n'est ni le corned-beef qu'on trouve à Toronto ni le pastrami servi dans les delicatessen new-yorkais. Il se déguste avec des frites bien bronzées et plutôt molles, un dill pickle, gros cornichon à l'aneth, et un soda, Coca, Cherry Coke ou Cream Soda pour les fanatiques dont je suis.

Le smoked meat se prépare avec de la poitrine de bœuf, une partie si coriace qu'il faut la faire cuire très lentement. Puis on la fume et la marine dans des épices diverses – coriandre, poivre, cumin, graines de moutarde et de céleri. Je ne résiste pas à exiger que la viande soit grasse car le goût n'en est que plus savoureux. Le smoked meat est une des contributions des Juifs ashkénazes les plus partagées par l'ensemble des Montréalais.

T

Télévision (La)

Il existe peu de sociétés en Occident où la télévision fut un véritable instrument de changement social comme ce fut le cas au Québec. C'était dans les années cinquante, alors que celui-ci vivait sous la gouverne de l'Union nationale dirigée par le Premier ministre Maurice Duplessis, une figure populiste dont la politique conservatrice pesait lourd sur une société encore très catholique soumise à une morale marquée par le péché. Une société somme toute gouvernée par un politicien autoritaire mais nationaliste qui se vantait de faire manger les évêques dans sa main et qui se moquait des poètes et des gens qui avaient trop d'instruction, tous des « pelleteux de nuages ».

À l'avènement de la télévision en 1952, Radio-Canada, le service public de juridiction fédérale, donc relevant du gouvernement d'Ottawa, devint le diffuseur de ce qui fut au début un monopole, car la télévision privée en français ne verra le jour qu'en 1961. Tous les artistes et les

« trop instruits », farouches opposants pour la plupart au gouvernement québécois de Maurice Duplessis, se précipitèrent donc aux portes de la télévision naissante, cette fenêtre exceptionnelle qui échappait au contrôle que Duplessis faisait peser sur les institutions, l'éducation et la culture, domaines relevant de la juridiction exclusive du Québec.

C'est ainsi que René Lévesque*, futur Premier ministre du Québec, Pierre Elliott Trudeau*, futur Premier ministre du Canada, et plusieurs autres personnalités qui marqueront l'histoire du pays devinrent des personnages connus et respectés grâce à la télévision. Sans exagérer, l'on peut dire que tous les progressistes, prisonniers du climat catholico-moralisateur du Québec, trouvèrent à la télévision de Radio-Canada la tribune inespérée pour véhiculer leurs idées. La liberté de parole, l'ouverture au monde exprimées d'abord dans les émissions d'affaires publiques brisaient l'unanimité bénie par Maurice Duplessis et encensée du haut de la chaire par le clergé qui l'appuyait. C'est donc grâce à la télévision que les idées concrétisées dans la Révolution tranquille* des années soixante connurent une diffusion inespérée.

C'est aussi à travers la télévision que se consolida l'identité québécoise. À cause de la barrière de la langue, les créateurs, romanciers pour la plupart, furent mobilisés. Car il était impératif de concevoir des programmes pour la majorité francophone. De là, la force du miroir. Les Québécois découvrirent ainsi que, hors du parvis de l'église et ses œillères, ils existaient en tant que peuple. Ces télé-romans qui connurent très vite un succès retentissant racontaient leurs vies avec ses rêves, leurs angoisses, leurs problèmes, leurs bonheurs. Tous communiaient à cette construction de l'*Homo quebecicus*.

Le Québec demeure la seule société occidentale où les téléspectateurs, fidèles à leurs émissions locales, font caracoler les cotes d'écoute. Certaines émissions populaires, qu'il s'agisse de télé-romans ou de variétés, atteignent 2, parfois 3 millions de téléspectateurs. Rappelons que la population francophone est d'environ 7 millions de personnes, ce qui signifie qu'à certaines heures de grande écoute près de la moitié des francophones sont accrochés à leur écran.

Un feuilleton déjanté, *La Petite Vie*, créé par Claude Meunier, sorte de bande-dessinée télévisuelle qui se déroulait entièrement entre la cuisine et le salon, et qui mettait en scène une famille ouvrière de classe moyenne, un père « pôpa », une mère « môman » joués par un acteur, et les enfants adultes mais néanmoins « sautés », comme on le dit au Québec, a battu tous les records d'écoute dans l'histoire de la télévision de 1993 à 1998. Un sommet fut atteint à deux occasions, dont le 20 mars 1995, alors qu'un auditoire moyen de 4 millions de personnes pour une population francophone de 6 millions à l'époque était rivé à l'écran. Dans aucun autre pays en Occident, un feuilleton télévisé peut toucher les deux tiers de la population. Cette série fracassait les préjugés et dynamitait les tabous avec un humour aussi absurde que débile, et dans une langue déconstruite au-delà du joual*, une langue clanique incompréhensible pour qui n'est pas québécois de souche. L'on assistait à des mariages gais avant la lettre, la fille Caro, une féministe enragée, activiste de toutes les causes désespérées, prônait la liberté sexuelle totale, elle, l'ancienne obèse pieuse et scrupuleuse. Bref, les téléspectateurs retrouvaient dans l'outrance et la caricature des thèmes qui renvoyaient à leurs propres mutations morales et aux névroses collectives.

Cette série fut diffusée sur TV5Monde, mais dans la forme, le fond et à travers cette langue singulière *La Petite Vie* heurtait, décontenançait ou apparaissait comme de la science-fiction aux yeux des étrangers. On a même tenté d'adapter la série dans certains pays, ou de traduire le texte en France par exemple, mais sans succès. L'histoire de cette famille iconoclaste, dysfonctionnelle et jovialiste aurait peut-être trouvé grâce aux yeux d'une partie des givrés de l'époque – mais ces derniers apparaissent bien fades aux yeux de ce pôpa, cette môman et leur progéniture –, ces créatures géniales qui expriment ce qu'il faut bien appeler la folie des Québécois.

La Petite Vie perdure dans l'imaginaire collectif, et une exposition sur la série s'est tenue au musée de la Civilisation de Québec et dans des musées régionaux, attirant un public enthousiaste et très nombreux. Cependant, cette série a déclenché un dommage collatéral, si l'on peut s'exprimer de la sorte, avec comme conséquence une détérioration de la langue parlée chez les jeunes. Claude Meunier, l'inventeur de cette langue, m'avoua naïvement, au cours d'un long entretien à la télévision, qu'il espérait ainsi dénoncer *a contrario* la langue parlée, malmenée par trop de Québécois. Or, le succès triomphal de la série a plutôt amené les jeunes en particulier à calquer leur langage sur les personnages de *La Petite Vie*. Ce qui explique des réactions violentes et très critiques parmi les intellectuels. Mais le phénomène social a vite permis aux chercheurs de comprendre les raisons, à ce jour non élucidées, de cette production télévisuelle qui a touché si profondément l'âme québécoise et que l'on peut considérer comme un chef-d'œuvre du genre.

Malgré la fragmentation du public due à la multiplicité des chaînes, les grands réseaux de télévision, le service public Radio-Canada et la chaîne privée TVA continuent de fidéliser la très grande majorité des francophones chaque soir. La chaîne publique et TVA peuvent atteindre conjointement à une même heure de 2 à 4 millions de gens avec des séries locales, de plus en plus inspirées cependant de concepts étrangers. L'action se déroule désormais dans une prison pour femmes, une salle d'urgence d'un grand hôpital ou dans une école. Tous les auteurs et les acteurs sont québécois, ce qui contribue à assurer la pérennité de l'industrie télévisuelle. Chaque soir de la semaine, pas moins de six ou sept séries dramatiques produites localement sont offertes au public qui en redemande. La télévision en français participe ainsi à la définition permanente de l'identité collective. Car les grandes séries cultes qui nous proviennent des USA ou d'ailleurs ne rejoignent, même doublées en français, qu'une proportion réduite de la population. Dès lors, l'on pourrait compléter la devise du Québec « Je me souviens » en ajoutant « Je me regarde, donc je suis ».

Tremblay (Michel)

Le dramaturge québécois le plus joué à travers le monde a provoqué une onde de choc en 1968 en présentant sa pièce *Les Belle-Sœurs* au théâtre du Rideau vert à Montréal. Ses personnages usant du joual*, cette langue du parler populaire argotique, plongèrent le Québec dans un débat tumultueux et douloureux, car Michel Tremblay rompait avec une tradition théâtrale qui n'avait jamais offert au joual cette reconnaissance artistique. D'ailleurs, le jeune auteur ne pouvait imaginer à l'époque que cette langue, recréée en toute liberté, allait être politiquement récupérée par les nationalistes exacerbés qui revendiquaient ce parler québécois comme un affranchissement de notre dépendance de « colonisés » de la langue de France. En clair, pour eux, un vrai Québécois se devait de parler joual.

Michel Tremblay fut récupéré lui-même par les tenants du joual bien que ce ne fût jamais l'intention de ce talentueux dramaturge de faire l'apologie de ce parler. Il dut défendre le joual pour défendre sa pièce qui subissait du même coup les attaques des adversaires du joual. Avec le temps, cependant, ses pièces mettant en scène le substrat québécois seront reconnues, encensées, admirées, et elles s'inscriront dans la grande dramaturgie contemporaine.

Comme il l'a écrit lui-même dans un texte lors de la Journée mondiale du théâtre il y a quelques années : « L'universalité d'un texte ne se situe pas dans un endroit où ce texte a été écrit mais dans l'humanité qui s'en dégage, la pertinence de son propos, la beauté de sa structure. On n'est pas plus universel quand on écrit à Paris ou à New York plutôt qu'à Chicoutimi ou à Port-au-Prince. »

Les femmes sont au centre de l'œuvre de Tremblay. On pourrait même ajouter que le dramaturge se laisse flotter dans un utérus métaphorique car l'acuité de sa perception des femmes, qu'elles soient mères, épouses, vierges ou putains, est si précise, si subtile, si éclairante que l'on se demande si une telle sensibilité n'est pas liée à l'homosexualité du créateur. Rien de la vérité des femmes n'échappe à son intuition. Son regard sur ses personnages féminins est parfois implacable, mais pas plus que celui qu'il pose sur les hommes en général et les homosexuels en particulier qu'il met en scène. La mère y est adorée, défiée, sacralisée, enveloppée de tendresse et d'une crainte sourde d'être abandonné par elle ou de la décevoir.

L'œuvre de Michel Tremblay démontre bien le rôle social joué par les femmes au Québec. Son univers reflète ce matriarcat psychologique qui expliquerait aussi une forme particulière de tolérance sociale vis-à-vis de l'homosexualité. Le Québec baigne dans une culture de plus en plus féminine que reflète l'œuvre de cet auteur. C'est également une culture qui inclut la différence sexuelle, au point que des homosexuels français font le choix de vivre au Québec, une ville accueillante à leurs yeux. Ce qui n'infirme en rien la réalité de l'univers impitoyable dans lequel vivent les homosexuels décrits par Michel Tremblay dans ses pièces et ses romans.

Michel Tremblay appartient au panthéon des créateurs et des artistes dont s'honore le Québec. Traduit dans plus de vingt-cinq langues dont le japonais, le tamoul et l'anglo-écossais de Glasgow, le prodige du Plateau Mont-Royal* a réalisé sa promesse faite après avoir été sermonné et frappé par un prof au collège : « Un jour, vous allez entendre parler de moi », avait-il lancé avec défiance. Il s'avère que, en parlant de lui à travers son œuvre, Michel Tremblay a su trouver les mots, le ton et le talent pour parler des Québécois de façon si authentique que sa voix a porté son émotion aux quatre coins du monde.

Trudeau (Pierre Elliott)

Celui qui fut le Premier ministre du Canada de 1968 à 1979 puis de 1980 à 1984 était l'homme politique le plus flamboyant de l'histoire politique canadienne du XXe siècle. Ce grand bourgeois intellectuel, indépendant de fortune et dilettante, aimait les idées et les femmes avec retenue, curiosité et légèreté. Montréalais d'origine, il suivit le parcours classique des enfants de la bourgeoisie canadienne-française. Formé par les Jésuites, il ne déméritera jamais d'avoir été leur élève, sachant user de la casuistique jusqu'à l'outrance. Ce timide cachait son handicap derrière une faconde, un comportement joyeusement provocateur et une arrogance qui donnaient de l'urticaire aux nationalistes québécois, ses adversaires les plus irréductibles.

Fils d'une Canadienne-anglaise discrète et distinguée, issue d'une famille très riche à laquelle il était très attaché, et d'un père canadien-français rustre mais doué qui fit fortune dans le secteur de l'automobile et qui menait sa vie avec une ostentation et un goût irrépressible pour le jeu, le jeune Trudeau aurait tempéré très tôt ses frivolités nationalistes. Il considérait que le Canada-anglais refroidissait les démons exacerbés par une québécitude trop à droite pour le socialiste bon teint qu'il devint au sortir de l'adolescence.

Il craignait les dérives du nationalisme de droite, borné et fermé à ses yeux, représenté plus tard par le Premier ministre Maurice Duplessis, le politicien autoritaire, populiste et paternaliste, ennemi d'Ottawa. Or, la foi de Trudeau dans le Canada s'affermit avec l'âge. Il doutait de la capacité des Québécois à jouer véritablement le jeu de la démocratie. Toute velléité nationaliste lui répugnait. Il demeurera jusqu'à la fin de ses jours un ardent militant antinationaliste car il ne reconnaissait guère de vertus aux Québécois réclamant l'indépendance et se prétendant de gauche. C'était le nationalisme qui avait plongé l'Europe dans le nazisme. Il ne dérogera jamais de cette conception et se méfiera des revendications collectives des Québécois. D'ailleurs, son œuvre politique demeure la Charte canadienne des droits et libertés qu'il fera inclure dans la Constitution canadienne en 1982. Le

Québec refusera d'entériner cette loi, ne reconnaissant pas le Québec en tant que société distincte. Pierre Elliott Trudeau, dans un coup d'éclat et avec l'appui enthousiaste des autres provinces canadiennes, fera fi du Québec. Ainsi, l'on rapatriera de Londres le texte fondateur du Canada en laissant le Québec à l'écart.

Au Québec, les adversaires de PET ont toujours prétendu qu'il avait choisi le camp de sa mère qu'il chérissait, et qu'il n'appréciait guère ce père canadien-français nationaliste et conservateur, parvenu et peu raffiné. À preuve le nom de sa mère, Elliott, qu'il accola à celui de Trudeau dès son adolescence dans les années trente, une pratique peu commune alors mais qui deviendra courante lorsque, sous la pression du mouvement féministe, une loi sera votée au Québec en 1982 afin que le nom de jeune fille soit le seul nom légal de l'épouse. Depuis, des générations d'enfants du féminisme portent les deux noms.

La culture québécoise comporte une dimension messianique qui a nourri le nationalisme mais aussi les fédéralistes comme Trudeau.

Étudiante à l'Université de Montréal et active dans le mouvement indépendantiste naissant, j'ai eu maintes fois avec mes camarades l'occasion de croiser le fer avec PET, alors professeur à la faculté de droit. Ce dernier ne se privait pas de venir nous chercher noise à la cafétéria universitaire. Cela l'amusait, à l'évidence.

Il prenait grand plaisir à nous déstabiliser mais surtout à nous pousser dans nos derniers retranchements, sans doute en appliquant une maïeutique toute socratique. Cela allait de soi pour celui qui avait été formé par la philosophie aristotélicienne et qui devint par la suite un disciple du philosophe catholique contemporain Emmanuel Mounier.

Un jour, harassé et surtout agacé par nos arguments martelés comme les commandements de Dieu durant plus d'une heure, Trudeau nous lança : « Vous êtes aveuglés par vos préjugés. Le Canada est un pays formidable, plein de richesses et d'avenir. Ce pays nous appartenait. Ne me dites pas que vous êtes prêts à le donner aux Canadiens-anglais sur un plateau d'argent. Nous, les Québécois, il faut s'en emparer. On est tous doués pour la politique. Sortez de vos vieux ressentiments, et le Canada sera à nous. »

Mes camarades et moi étions sidérés et décontenancés. Il nous offrait rien de moins que de prendre d'assaut le Canada et de le gouverner à notre manière. Quelques années plus tard, en 1968, il deviendra Premier ministre, et des Québécois éminents le suivront à Ottawa. Le French Power naissait, mais non sans faire grincer des dents une partie des Canadiens-anglais qui échappaient à l'ouragan de la trudeaumanie.

L'homme a apporté au Canada une notoriété internationale nouvelle. Sexy, facétieux, d'une intelligence intimidante, d'un sang-froid remarquable et d'un non-conformisme surprenant, le Premier ministre incarnait un pays qui se laissait charmer, ébloui par son dirigeant et sa jeune épouse d'une frêle beauté, et qui ploiera sous le fardeau de son image mythifiée.

Pierre Elliott Trudeau retirera, à vrai dire, plus d'avantages personnels de sa fonction que le Québec, qui lui avait servi de tremplin. Dans son duel permanent avec les souverainistes dirigés par René Lévesque*, il remportera la victoire. Les Québécois voteront non aux référendums sur l'indépendance. Mais le Canada sortira épuisé de sa gouvernance flamboyante, et, surtout, Trudeau laissera en héritage un pays divisé, épuisé par ses antagonismes et un nationalisme québécois affaibli. Paradoxalement, le Québec, ayant cessé d'être l'enfant terrible du Canada, regarde désormais le Canada anglais avec une sidérante indifférence.

Tutoiement (Le)

La pratique du tutoiement systématique s'est instaurée au Québec depuis quelques décennies, et son usage frappe tout francophone qui débarque dans la belle province en se faisant interpeller par des « Sens-toi bien à l'aise » ou des « Tu t'appelles comment ? » quelques heures après avoir mis les pieds dans cette québécitude assez étonnante.

Traditionnellement, les Québécois usaient du vouvoiement, à la manière des francophones européens. Ma mère vouvoyait ses parents. Je tutoyais ma grand-mère mais vouvoyais tous les adultes, sauf mes proches, et j'avais tendance à vouvoyer les grands-oncles et tantes à cause de leur âge canonique. Le Québec s'est peu à peu mis au tu et à toi dans la foulée de la révolution culturelle des années soixante. Et le tutoiement a pris véritablement son envol lorsque les enseignants ont exigé d'être prénommés et tutoyés par les enfants. Cela au nom d'une philosophie inspirée par des pédagogues de pointe qui assuraient que maîtres et élèves s'éduquaient ensemble et que, par conséquent, vouvoyer l'enseignant représentait une barrière entravant le contact avec l'élève.

Je fus un jour convoquée au collège de mon fils alors âgé de treize ou quatorze ans. Le directeur m'expliqua que ce dernier leur causait un problème. À l'adolescence, on s'attend souvent à tout de la part de nos enfants. « Quel est le problème ? demandai-je, à la fois ennuyée et inquiète.
– Votre fils refuse d'appeler ses profs par leur prénom et de les tutoyer. C'est une façon pour lui de refuser de s'intégrer au groupe. Il se pense peut-être supérieur à cause de votre notoriété ? »

Je n'en croyais pas mes oreilles. Ainsi, j'avais été convoquée pour un vous. Je dus expliquer à ce monsieur que mon fils était éduqué à user du vous avec les adultes, tous les adultes, sauf quelques intimes. « Vous me vouvoyez, fis-je remarquer à ce pédagogue qui se croyait à la fine pointe de l'égalité sociale. – Le jour où nous aurons aboli les différences sociales, le vous sera désuet », répondit-il avec ironie.

Le Québec est le pays du « on naît tous égaux ». « Tu me prends de haut », m'a dit un jour un jeune lecteur, brillant par ailleurs, qui me reprochait d'avoir usé du vous dans une réponse à son courriel. J'ai découvert qu'on lui avait appris en classe que le vous avait une connotation péjorative. C'était une façon d'écraser l'interlocuteur. Personne ne lui avait dit que le vous est une marque de politesse et de respect.

Au Québec, on se fait tutoyer par les serveurs, les vendeurs, les fonctionnaires souvent. Les jeunes tutoient les vieux qui par ailleurs tutoient tous ceux qui leur disent tu.

Les étrangers et les immigrants, une fois la surprise passée, trouvent l'usage sympathique, exotique à vrai dire, et s'y mettent eux-mêmes sans doute par effort d'intégration. Plusieurs cependant sont mal à l'aise de tutoyer leurs supérieurs hiérarchiques, mais ils y parviennent en se faisant violence.

Cependant, des pédagogues plus clairvoyants ont mis en garde dans les années récentes contre ce tutoiement qui prive les enfants de la distance générationnelle nécessaire pour apprendre et grandir. Dans certaines écoles de quartiers défavorisés, les enseignants se font désormais vouvoyer par les petits afin de les rendre conscients de la différence entre un adulte et eux. Les policiers qui n'échappèrent pas à cette « démocratisation » verbale et ne se privaient pas de tutoyer les citoyens ont changé leur fusil d'épaule. Les autorités policières ont fini par constater que la relation toujours délicate entre un agent de répression et un citoyen s'exacerbait avec le tu. Comme le déclara alors un dirigeant du service de la police de Montréal : « C'est plus difficile de dire “Mangez donc de la marde” que “Mange donc de la marde” ». Depuis, les policiers ont reçu ordre de vouvoyer les citoyens, et si d'aventure ils passent au tu, ils peuvent être l'objet de réprimandes.

J'ai encore en mémoire la réponse qu'avait faite le président Mitterrand à un militant socialiste qui avait osé un « Camarade, on se tutoie ? » : « Si vous voulez », avait laissé tomber, comme une pierre dans un puits, François Mitterrand.

Les Québécois sont plus directs, plus familiers, moins polis formellement que les francophones européens ou africains. Cela fait aussi partie de leur charme. On peut regretter cependant que le tutoiement si généralisé dans les nouvelles générations ait écarté le vous, cette merveilleuse nuance de la langue française qui offre le choix d'établir la distance avec l'autre et, plus subtilement, qui permet à celui qui use du tu et du vous de choisir l'un ou l'autre. Un tu qui peut être distancé et un vous plus affectif.

Il n'en demeure pas moins que le tutoiement généralisé au Québec n'a pas, on l'imagine bien, aboli pour autant les inégalités sociales. Il n'est en ce sens garant ni du respect de l'autre ni de l'absence de discrimination. Les étrangers ne devraient pas croire qu'en les tutoyant les Québécois font obligatoirement preuve d'amitié et de bienveillance. Bref, l'étranger n'est pas nécessairement le bienvenu au Québec si on l'accueille en lui disant tu.

Vegas (Las)

Las Vegas, ville du péché*, n'est pas un lieu étranger à la culture québécoise si imbibée de cette notion. Les Québécois en ont fait une destination de choix car ils se sentent désormais chez eux dans cette ville exacerbée du Nevada qui s'est laissé conquérir par d'illustres et exceptionnels Québécois, à savoir Guy Laliberté, cofondateur du Cirque du Soleil, et Céline Dion*, seule mégastar de l'histoire du Québec.

La capitale du vice, *Vice City*, fut fondée au XIXe siècle par les Mormons, car ici on n'est pas à un paradoxe près. Et c'est en 1931 que fut légalisé le jeu afin de contrer la crise économique qui faisait suite au krach de 1929.

Les Québécois viennent à Las Vegas au moins autant pour jouer que pour prendre un bain de fierté collective en assistant aux spectacles du Cirque du Soleil, huit en 2013 dont les sublimes *O* et *Ka*, ce dernier mis en scène par Robert Lepage, le concepteur québécois de réputation internationale.

Il faut voir les Québécois se féliciter entre eux après les spectacles, éblouis de la réaction des spectateurs. Comme si, à travers les yeux des étrangers, ils prenaient davantage la mesure de ces succès exceptionnels. « Ça fait du bien de venir ici », m'a dit une dame, les larmes aux yeux, en sortant du spectacle *Love*, sur l'histoire des Beatles. « On ne se rend pas compte comment le monde entier apprécie nos artistes si on ne vient pas à Vegas. » Cette réaction peut-elle être comprise de peuples qui ont imposé leur culture à travers l'histoire ? Car, pour les Québécois, conquérir la planète n'a jamais été une évidence.

Au spectacle de Céline Dion où ils se retrouvent en grand nombre, les réactions des Québécois empreintes d'enthousiasme, d'orgueil sont plus palpables encore puisque l'identification à la chanteuse est également affective, voire familiale. D'ailleurs, pendant le spectacle, des spectateurs l'interpellent en français avec des « Céline, on t'aime ». Des applaudissements nourris s'élèvent de la salle lorsqu'elle interprète « Ne me quitte pas ». Un soir, un spectateur québécois se crut obligé d'expliquer à son voisin américain, après que Céline eut chanté ce classique de Jacques Brel, que celle-ci avait en tête son mari René Angélil, de vingt-six ans son aîné. On les connaît bien au Québec, dit-il à l'Américain, aussi perplexe qu'amusé. À Las Vegas, les Québécois ont des réactions claniques. Ils vibrent entre eux et éprouvent le besoin de communiquer leurs émotions aux étrangers qui les entourent. Il y a quelque chose de touchant dans cette naïveté spontanément exprimée dans cette quête incessante d'être collectivement appréciés.

Il est incontestable et reconnu par les groupes financiers qui contrôlent Las Vegas que la présence de Céline Dion et du Cirque du Soleil a transformé le show business dans la ville. Le Cirque a influencé les concepteurs de spectacles. Avec une autre approche, une esthétique plus sophistiquée et une sensibilité plus raffinée. Céline Dion, quant à elle, est devenue la reine de ce nouveau Las Vegas, rajeuni, compétiteur désormais des comédies musicales de Broadway.

La présence de plusieurs centaines d'artistes étrangers, y compris des francophones, musiciens, chanteurs, acrobates, directeurs de scène, costumiers, a fait en quelque sorte de Las Vegas une cité cosmopolite. On y retrouve de prestigieux chefs cuisiniers français, japonais, anglais, et les centres commerciaux n'ont rien à envier à la rue Montaigne, à Savile Row ou à la 5th Avenue. Et surtout, il est devenu impossible de se promener sur le *Strip* sans entendre la langue de Molière, agrémentée de l'accent québécois, car chaque jour Air Canada déverse ses groupes de touristes venus du Québec qui estiment que le Cirque du Soleil et Céline Dion sont leur jackpot à eux.

Vigneault (Gilles)

J'ai découvert Gilles Vigneault par hasard. Au début des années soixante, de passage à Québec durant l'été, des amis m'entraînèrent à l'île d'Orléans pour assister à un concert en plein air dans une grange. « Le gars a l'air étrange, y a pas de voix, mais il nous allume à mort », avait décrété le copain qui l'avait découvert dans une petite boîte à chansons du Vieux-Québec quelque temps auparavant.

Au milieu de l'île, nous avons marché à travers champs vers une grange dont on avait ouvert les larges portes devant lesquelles une scène improvisée avait été installée. Quelques centaines de jeunes attendaient, assis sagement sur des bottes de foin, alors que l'odeur âcre de l'herbe interdite faisait tourner les têtes.

Gilles Vigneault ne monta pas sur scène. Il y grimpa à la manière de l'alpiniste. Dix minutes suffirent pour qu'il casse la baraque. De sa voix inimitable, sorte de mélange d'éraillement de crécelle et de musicalité à l'étouffée, il chantait une géographie ignorée par la plupart des jeunes urbains que nous étions. Sa « Danse à Saint-Dilon », au rythme incendiaire des rigodons et des reals des chanteurs de folklore, acheva de nous étourdir. Ce grand efflanqué, jeune mais l'air d'un vieux à cause de sa calvitie naissante et de ses longs cheveux fins et électrifiés qui voguaient dans le vent, nous étions tous tombés amoureux de lui. Et il nous donnait envie de monter vers la côte nord, dans ces villages où régnaient les personnages de ses chansons comme Jack Monoly, l'Indien qui aimait une Blanche, et Jos Hébert, le facteur qui transportait en traîneau à chiens les lettres d'amour de Havre-Saint-Pierre à Blanc-Sablon à travers les tempêtes de poudrerie et les moins 40 °C qui gèlent même le cristallin des yeux.

Gilles Vigneault, la France ne pouvait lui résister. Fils spirituel de Félix Leclerc*, l'homme est le géant des mots. Il les invente, les digère, les recrée, les embellit, les fait roucouler. Le poète n'a pas de frontières parce que enraciné profondément dans son pays, « ce pays qui n'est pas un pays mais l'hiver ». La chanson composée en 1964 a servi de cri de ralliement à des générations de Québécois, flambeau du néonationalisme des années soixante. Car Gilles Vigneault a mis sa poésie au service de la cause indépendantiste. Dans la chanson « Les gens de mon pays », un hommage bouleversant aux bâtisseurs humbles, honnêtes, besogneux et patients qui ont défié la nature, l'isolement et subi l'humiliation de la défaite. « Je vous entends passer comme glace en débâcle, je vous entends demain parler de liberté », lance-t-il de sa voix rauque aux Gens du Pays.

Cette dernière chanson écrite en 1975 à l'occasion de la fête nationale* s'est vite transformée en une sorte d'hymne national. Au point où « Gens du pays » a remplacé la version française de « Joyeux anniversaire », alors que l'on honore une personne. Raymond Barre, lors de son voyage officiel en tant que Premier ministre de la France, a bénéficié de l'accueil québécois. À sa descente d'avion à Québec, les gens ont entonné spontanément les paroles : « Mon cher Raymond, c'est à ton tour de te laisser parler d'amour. » Devant pareille effusion, Raymond Barre aurait murmuré à un proche : « Mais ce n'est pas un peuple, c'est une chorale. »

Gilles Vigneault appartient à l'histoire contemporaine francophone. Et, bien avancé dans sa longue et joyeuse vie, il parcourt les écoles afin de transmettre le goût des mots et de la poésie aux jeunes qui un jour, par hasard peut-être, entendront cette voix à tous égards distincte, singulière et riche de l'héritage culturel dont le poète de Natashquan assure la pérennité.

Z

Zouave

Je voulais tant terminer par Z. Or aucun mot en Z ne m'inspirait. Je n'allais pas écrire Zen car les Québécois, sauf quelques ermites au nord et quelques contemplatifs au sud, sont tous turbulents, rieurs, enragés, gueulards et placoteux à en perdre le souffle. Alors j'ai pensé aux zouaves. Le Québec a eu un bataillon de zouaves pontificaux dès 1861 à la demande du pape Pie IX, en l'honneur duquel Montréal a accordé un grand boulevard. Les zouaves étaient les vaillants défenseurs du pape et du Vatican à l'époque de Garibaldi.

Dans mon enfance, les zouaves dans leurs habits colorés et anachroniques défilaient lors des processions religieuses. Ils étaient aussi impressionnants que divertissants pour nous, les enfants. La dernière apparition officielle des zouaves remonte à la visite de Jean-Paul II à Montréal en 1984. Mais le principal adversaire des zouaves fut la Révolution tranquille* qui entraîna la déchristianisation du Québec. À partir de 1960, les zouaves pontificaux s'évaporèrent avec la diminution des activités paroissiales.

De nos jours, il est difficile de les dénombrer tant l'attrition a fait son œuvre. Mais en 2011, la Compagnie des zouaves pontificaux de Salaberry-de-Valleyfield a fêté son quatre-vingtième anniversaire de fondation. Les zouaves campivallensiens, comme on nomme les résidents de cette petite ville appelée aussi la Venise du Québec, ne sont plus que quelques dizaines et comme les activités religieuses avec fanfare et procession tendent à disparaître, les zouaves se réunissent entre eux pour jouer au billard ou aux quilles. Sans leur costume, précisons-le.

Ma connaissance passée des zouaves de chez nous, en général des hommes âgés sans vraiment de sex-appeal, ne m'avait évidemment pas préparée à ce qui m'attendait à la Cité du Vatican. J'avais vingt ans et ces garçons suisses époustouflants de beauté et d'élégance qui gardaient les portes du Vatican, il m'était impossible de croire qu'ils étaient zouaves. D'autant plus que dans le langage populaire québécois, un zouave est un garçon pas très futé, quelque peu niaiseux et non pas un fanfaron comme le veut le sens du mot en France. Dans la cité pontificale, les zouaves du pape pourraient apparaître en uniforme sur la couverture d'un magazine féminin coquin. Car avec eux l'habit fait le moine.

Table

Dans la même collection

Ouvrages parus

Philippe Alexandre
Dictionnaire amoureux de la politique

Claude Allègre
Dictionnaire amoureux de la science

Jacques Attali
Dictionnaire amoureux du judaïsme

Alain Baraton
Dictionnaire amoureux des jardins

Alain Bauer
Dictionnaire amoureux de la franc-maçonnerie
Dictionnaire amoureux du crime

Olivier Bellamy
Dictionnaire amoureux du piano

Yves Berger
Dictionnaire amoureux de l'Amérique (épuisé)

Denise Bombardier
Dictionnaire amoureux du Québec

Jean-Claude Carrière
Dictionnaire amoureux de l'Inde
Dictionnaire amoureux du Mexique

Jean des Cars
Dictionnaire amoureux des trains

Michel Del Castillo
Dictionnaire amoureux de l'Espagne

Antoine de Caunes
Dictionnaire amoureux du rock

Patrick Cauvin
Dictionnaire amoureux des héros (épuisé)

Jacques Chancel
Dictionnaire amoureux de la télévision

Malek Chebel
Dictionnaire amoureux de l'Algérie
Dictionnaire amoureux de l'islam
Dictionnaire amoureux des Mille et Une Nuits

Jean-Loup Chiflet
Dictionnaire amoureux de l'humour
Dictionnaire amoureux de la langue française

Catherine Clément
Dictionnaire amoureux des dieux et des déesses

Xavier Darcos
Dictionnaire amoureux de la Rome antique

Bernard Debré
Dictionnaire amoureux de la médecine

Alain Decaux
Dictionnaire amoureux d'Alexandre Dumas

Didier Decoin
Dictionnaire amoureux de la Bible
Dictionnaire amoureux des faits divers

Jean-François Deniau
Dictionnaire amoureux de la mer et de l'aventure

Alain Duault
Dictionnaire amoureux de l'Opéra

Alain Ducasse
Dictionnaire amoureux de la cuisine

Jean-Paul et Raphaël Enthoven
Dictionnaire amoureux de Marcel Proust

Dominique Fernandez
Dictionnaire amoureux de la Russie
Dictionnaire amoureux de l'Italie (deux volumes sous coffret)
Dictionnaire amoureux de Stendhal

Franck Ferrand
Dictionnaire amoureux de Versailles

José Frèches
Dictionnaire amoureux de la Chine

Max Gallo
Dictionnaire amoureux de l'histoire de France

Claude Hagège
Dictionnaire amoureux des langues

Daniel Herrero
Dictionnaire amoureux du rugby

Homeric
Dictionnaire amoureux du cheval

Christian Laborde
Dictionnaire amoureux du Tour de France

Jacques Lacarrière
Dictionnaire amoureux de la Grèce
Dictionnaire amoureux de la mythologie (épuisé)

André-Jean Lafaurie
Dictionnaire amoureux du golf

Gilles Lapouge
Dictionnaire amoureux du Brésil

Michel Le Bris
Dictionnaire amoureux des explorateurs

Jean-Yves Leloup
Dictionnaire amoureux de Jérusalem

Paul Lombard
Dictionnaire amoureux de Marseille

Peter Mayle
Dictionnaire amoureux de la Provence

Christian Millau
Dictionnaire amoureux de la gastronomie

Pierre Nahon
Dictionnaire amoureux de l'art moderne et contemporain

Alexandre Najjar
Dictionnaire amoureux du Liban

Henri Pena-Ruiz
Dictionnaire amoureux de la laïcité

Gilles Perrault
Dictionnaire amoureux de la Résistance

Bernard Pivot
Dictionnaire amoureux du vin

Gilles Pudlowski
Dictionnaire amoureux de l'Alsace

Yann Queffélec
Dictionnaire amoureux de la Bretagne

Alain Rey
Dictionnaire amoureux des dictionnaires
Dictionnaire amoureux du diable

Pierre Rosenberg
Dictionnaire amoureux du Louvre

Danièle Sallenave
Dictionnaire amoureux de la Loire

Elias Sanbar
Dictionnaire amoureux de la Palestine

Jérôme Savary
Dictionnaire amoureux du spectacle (épuisé)

Jean-Noël Schifano
Dictionnaire amoureux de Naples

Alain Schifres
Dictionnaire amoureux des menus plaisirs (épuisé)
Dictionnaire amoureux du bonheur

Robert Solé
Dictionnaire amoureux de l'Égypte

Philippe Sollers
Dictionnaire amoureux de Venise

Michel Tauriac
Dictionnaire amoureux de De Gaulle

Denis Tillinac
Dictionnaire amoureux de la France
Dictionnaire amoureux du catholicisme

Trinh Xuan Thuan
Dictionnaire amoureux du ciel et des étoiles

André Tubeuf
Dictionnaire amoureux de la musique

Jean Tulard
Dictionnaire amoureux du cinéma
Dictionnaire amoureux de Napoléon

Mario Vargas Llosa
Dictionnaire amoureux de l'Amérique latine

Dominique Venner
Dictionnaire amoureux de la chasse

Jacques Vergès
Dictionnaire amoureux de la justice

Pascal Vernus
Dictionnaire amoureux de l'Égypte pharaonique

Frédéric Vitoux
Dictionnaire amoureux des chats

À paraître

Serge July
Dictionnaire amoureux du journalisme

Richard Millet
Dictionnaire amoureux de la Méditerranée

Composition et mise en pages
Nord Compo à Villeneuve-d'Ascq

Achevé d'imprimer : septembre 2014

Québec, Canada

MIXTE
Papier issu de
sources responsables
FSC® C103567

Dépôt légal : novembre 2014
Imprimé au Canada